CHINA IN DEPTH

An Integrated Course in Advanced Chinese

焦点中国

高级汉语综合教程

主编：白建华　汪　洋
编著：（按姓氏拼音顺序排列）
白建华　曹贤文　练奎胜
汪　洋　朱　波

图书在版编目(CIP)数据

焦点中国：高级汉语综合教程 / 白建华，汪洋主编. —北京：北京大学出版社，2015.11
ISBN 978-7-301-26287-0

Ⅰ. ①焦… Ⅱ. ①白… ②汪… Ⅲ. ①汉语–对外汉语教学–教材 Ⅳ. ①H195.4

中国版本图书馆CIP数据核字(2015)第211812号

书　　名	焦点中国：高级汉语综合教程 JIAODIAN ZHONGGUO: GAOJI HANYU ZONGHE JIAOCHENG
著作责任者	白建华　汪　洋　主编
责任编辑	沈　岚　王　飙
标准书号	ISBN 978-7-301-26287-0
出版发行	北京大学出版社
地　　址	北京市海淀区成府路205号 100871
网　　址	http://www.pup.cn　新浪微博:@北京大学出版社
电子信箱	zpup@pup.cn
印 刷 者	北京大学印刷厂
电　　话	邮购部 62752015　发行部 62750672　编辑部 62767349
经 销 者	新华书店
	889毫米×1194毫米　16开本　27.5印张　532千字
	2015年11月第1版　2017年11月第3次印刷
定　　价	210.00元

前 言

为适应日益重视当代中国研究的中文教学新趋势，以培养学习者从事“中国研究”及相关工作所需的高级汉语能力为目标，依据内容教学法（Content-Based Instruction）的基本原则和ACTFL外语水平测试的“高级”（Advanced）“优级”（Superior）标准，我们精心编撰了这本《焦点中国：高级汉语综合教程》。本教材内容力图多方面反映当代中国的迅速发展和变化的来龙去脉及最新热点。全书由社会篇、经济篇、国际关系篇、人物篇四大板块共十四个专题组成，有机整合了大量视听与阅读真实语料，集高级听说读写技能训练与广义的“中国研究”内容学习于一体，尤其侧重论辩性思维与语篇能力的训练。本教程适合北美大学四、五年级中文常规教学使用，亦能满足各种短期中文项目高年级提升班的教学需要。

一、教材编写背景及编写理念

近年来，对外汉语学习出现学生低龄化和学习背景多元化的现象。北美“汉语热”呈现出深化和提升的趋势，这主要表现在大学高级汉语课的学生人数增长和学生总体汉语水平提升。与早年相比，高年级汉语学习者中真正以中文或中国文学为专业的比例并不高，绝大多数的高年级汉语学习者所学专业是跟中国有关的政治、经济、社会、环境等社会科学门类（即广义的中国研究）。根据我们的调查，越来越多的高年级汉语学习者希望在提高汉语语言技能的同时，能够学习与自己的专业或者与当代中国研究有关的热点专题内容。针对这一新的学习需求和教学发展趋势，不少中文教学项目已经开始了新的课程设计和教学内容改革，比如开设专门的媒体中文课或在传统的四年级课程大纲中增加有关当代中国焦点时事的内容。然而，北美市场目前使用的高年级中文教材还是以文学作品或改写报刊文章的读本为主，急缺以真实语料为中心，主题性、时代性、讨论性的集视听和阅读为一体的综合教材。

为了适应北美大学中文教学日益重视当代中国现实问题学习与研究的新趋势，培养学习者从事广泛的"中国研究"课题的汉语能力，我们在对高年级汉语学习者的学习需求进行分析的基础上，参照主题式内容教学法的基本理念和ACTFL制定的"优级"外语学习标准，编写了这本高级汉语综合教程。内容教学法即基于内容的教学法或以学科内容为中心的教学法，目的是在传统的以语言技能为中心的教学模式之外，尝试寻找一条新的教学路径——将学科内容与语言学习有机融合，不但提高学生的语言实际运用能力，而且满足他们学习相关学科内容知识的要求。主题式内容教学法是内容教学法的一种主要形式，即以主题为纲，把语言和内容融合在一起。目标是通过主题内容的学习和自主选择的项目研究来扩展学生在某一专题内容方面的知识，同时进一步提高其相关的语言技能。

过去几年，本教材的几名编者分别在肯扬大学、布朗大学、蒙特雷国际研究院、明德大学杭州分校和美国国家领航项目天津中心为高年级学生开设过"当代中国特别话题"课程，由于找不到合适的现成教材，各自根据课程的特点和要求尝试编写了一些全新的教学材料。本教程所选内容均从这些材料中根据实际教学效果和学生的反馈精选而成，其中大部分材料都试用过多次。在编写本书时，又根据各个专题的最新内容作了一些更新和补充，力图能及时准确反映当前中国经济和社会发展现状及语言使用情况。我们希望通过这些专题的教学，在帮助高年级汉语学习者提高汉语技能的同时，也能满足他们了解和研究当今中国社会的需要，在汉语学习和中国研究之间搭起一座有益的桥梁。

二、教材主要特色

本教材具有以下四大特色：

(1) **主题式教学，把握时代焦点。**编者根据北美汉语学习者最普遍的专业学习需求，以社会、经济、国际关系、人物四大主题为纲，选取了研究当代中国社会的经典话题。比如，"非诚勿扰"这一专题谈的是市场经济与传统道德观的博弈以及社会宽容度的提升，"男孩危机"谈的是中国社会对性别的刻板印象及当代独生子女问题，"山寨vs.微创新"谈的是模仿与创新的辩证关系，"'愤青'的爱国情怀"谈的是当代中国青年一代的爱国情结和他们的世界观等等。本书各章主题不仅具有很强的时事性和可讨论性，更是研究中国现代化进程的必谈话题，不会转瞬即陈。

(2) **视听和阅读真实语料相结合，多角度、多层面展示主题内容。**视频材料包括专题报道或采访对话，配有文字转写，具有较强的视觉冲击力，直观反映当前中国社会的真实面貌，既可以增强学生的学习兴趣，也是练习实况听力的好材料。阅读材料主要是对焦点事件的深度报道或对某一社会现象的深入评论，有些阅读文章做了适应语言难度和篇幅上的调整，但思想上保持了应有的深度。选择材料和编写练习时，编者力求从不同角度客观、平衡地探讨主题内容，鼓励学生的批判性思维及表达能力，避免一家之言。

（3）**课后练习做到语言操练、专题研究和抽象思维三者兼顾。**许多现有的高年级教材的课后练习只侧重语言操练。我们不仅针对课文内容编写了详细的语言点说明和例句，并配以大量句式、词汇练习以及句段篇章练习，同时，增加了培养"优级"语言能力并带有学术研究性质的综合练习，如专题新闻报告、专题调查报告、专题讨论与辩论、专题作文以及项目研究等形式。希望这些练习不但可以深化教学内容，还能提升学生学术研究的能力和论辩性思维能力。

（4）**课内与课外、线上与线下的融合式教学设计。**本书秉承融合式教学设计理念，把以课堂教学为中心的传统教学优势和网络教学优势结合起来，为课内与课外、线上与线下的融合式教学提供支持。我们为本书设计了专门的教学支持网站，将书中所有视频全部放在网站上供学习者下载使用。网站按照主题式教学的思路，还提供其他各类辅助教学资源，如相关语言点练习、篇章框架、补充阅读材料等。

三、教材使用说明

1. 本教材共十四个专题，这些专题既互相联系又各自独立，每个专题的内容由重点学习材料、补充学习材料和课后练习组成。如果使用全部章节，可作为美国高年级常规教学（每周3—4学时）一学年的教材。使用者也可以根据"宽备窄用"的原则，根据教学实际需要和学生的兴趣选取书中部分专题，或专题中部分学习材料，这样本书也可以作为美国中文常规教学一学期的教材或者短期强化项目的教材。

2. 本书每个专题包括四篇学习材料，其中三篇采用视频和文字配合的方式，文字部分是视频的转录材料，内容基本上为专题报道或采访对话，目的是从多角度、多层面展示专题内容。另一篇是阅读文章，一般是发表于中国主流媒体的评论文章，目的是引发学习者对专题有关内容进行更深入的思考与讨论。专题一、三、六、八、十一的重点学习材料是三个视听理解，补充学习材料是一篇阅读文章；专题二、四、五、七、九、十、十二、十

三、十四的重点学习材料是一篇阅读文章，补充学习材料是三个视听理解。每个专题只有重点学习材料配有语言点、词语搭配和成语解释，但是所有的学习材料都配有思考题、生词表和注释。每一专题的四篇学习材料既相互联系，又各自独立，教师可以根据教学时间和学生语言水平等实际情况灵活选用。无论是以视频材料为主的专题还是以阅读材料为主的专题，我们都建议老师们从视频材料入手，这样可以帮助学生对话题有更直观、更感性的认识，这样讨论起来才能避免夸夸其谈，做到言之有物、言之有理。

3. 每一专题都参照ACTFL美国外语教学协会的Proficiency Guidelines制定具体的学习目标，各专题要达到的语言难度从“高级中”（advanced-mid）到“优级”（superior）不等。为了强化语言形式的学习，我们针对课文内容编写了详细的语法解释、词语搭配和例句，以及语法、词汇练习。除此之外，我们还特别增设“从句段到篇章”这部分，帮助学生提高中文篇章表达能力。在这部分中，我们根据课文内容找出一个典型的语篇结构，进行例示说明，补充大量用于此类篇章结构的常用句型、词汇，最后配以练习。

4. 本教材另一个重点是提高学生进行专题研究的能力，以培养学生的论辩性思维，同时加强他们成段表达的清晰性与逻辑性。为达到这一目标而设计的练习形式包括“新闻报告”“专题调查与报告”“辩论”和“讨论与写作”。高年级教学难度大的一个主要原因是对学生的背景知识、逻辑思维有较高要求，在设计任务时，我们尽量在内容、思路上有所提示，给学生一些把握内容和研究方法的“抓手”。因此，讨论部分的练习（第六题到第九题）形式多样，难度不等，请老师们根据学生程度、兴趣有选择地使用。

5. 本书建有专门的教学网站，学习者可在网上观看书中所有视频，网站按照主题式教学的思路，提供其他各类辅助教学资源。本教材教学网站的网址是：http://brown.edu/research/projects/china-in-depth/。

在本书的编写过程中，我们得到了北京大学出版社汉语编辑室王飙主任和沈岚老师的大力支持；布朗大学英文系的博士生Jerrine Tan女士也在繁忙的研究工作中，拨冗帮助完成了本书的相关翻译；张蕾老师参与了最后琐碎细致的校对工作。我们在此向他们表示衷心的感谢。

本书从网络上选取了一些评论文章作为课文或者补充课文，在此，我们特别感谢入选本书的各位原文作者的大力支持。另外，由于个别篇目作者信息不详或者无法找到联系方式等原因，暂时还无法取得联系。希望这些作者看到本教材后，及时与编者或出版社联系。在此一并致以深切的谢意。

本教材是我们根据新形势下北美高年级汉语学习需求,尝试采用新的教学思路所作的一种努力和探索。新事物产生和成长过程中,必然存在许多不完善之处,再加上时间较紧、编者水平有限,错讹和不足之处在所难免,希望使用本教材的各位同仁与学习者不吝批评赐教,以共同促进高年级中文教材建设的发展。

编　者

Preface

China in Depth: An Integrated Course in Advanced Chinese is designed to meet the emerging needs of advanced students of Chinese as a foreign language who are increasingly interested in learning about important issues on contemporary China while advancing their Chinese language skills. This book will equip students with the necessary advanced level Chinese language proficiency that will enable them to conduct "Chinese research" and other related work. The book adopts an innovative and content-based approach that aims to enable students of advanced-level proficiency to develop superior-level (on the ACTFL OPI scale) Chinese competency through myriad learning materials on various topics related to China Studies. It strives to reflect a wide range of topics related to the rapid development of contemporary China, as well as the most recent hotly debated issues. The book consists of fourteen topics under four major units: Social Issues, Economic Development, International Relations, and Influential People. In addition to the conventional print materials, the book utilizes various alternative media such as on-line audio and video materials that are suitable for developing superior-level proficiency in Chinese and conducive to fostering critical thinking. This book is appropriate for a typical fourth-or fifth-year Chinese course at a four-year college in North America. It can also be adopted by short-term advanced Chinese intensive language programs.

1. Rationales and the Guiding Principles of the Book

In recent years there has been a general trend of students starting to learn Chinese as a foreign language at a younger age. Furthermore, the students who are interested in Chinese have been coming from a much wider range of disciplines. The "Chinese Heat" in North America has produced many more students at the advanced levels. Despite the increase in the number of students in advanced Chinese, the percentage of students with Chinese majors who want to pursue advanced studies in Chinese linguistics or literature has not increased a great deal. Instead, many of these students come from disciplines such as politics, economy, sociology, environmental studies etc., with a focus on China. According to our survey, more and more students at the advanced levels want learning materials that deal with various issues on contemporary China, especially in the areas of their major studies, while advancing their Chinese language skills. To fulfill the emerging needs of these students, many institutions have started to go beyond the conventional materials of Chinese literature in their material selection to offer content-based courses such as business Chinese or Media Chinese. However, the textbooks available for advanced-level Chinese in North America are still mostly literature-based or consist of only newspaper articles. There is an urgent need for a textbook that incorporates authentic materials from various media—print, audio and video—which approaches reading and discussion through a wider range of issues related to China.

Based on our analysis of learners' needs and our research on advanced Chinese language pedagogy, we have decided to adopt the guiding principles of a theme-based and proficiency-oriented approach in our design of the instructional model. Our belief is that successful language learning occurs when learning is situated in meaningful and purposeful contexts. In this integrated course, students are immersed in a variety of learning materials organized according to themes. Guided by ACTFL Proficiency guidelines, we have designed instructional and learning activities that help advanced students of Chinese develop superior level Chinese proficiency. In this integrated course, the focus is not on drilling students on the formal aspects of the Chinese language. Instead students' development of Chinese language proficiency is situated in rich and meaningful materials and engaging learning activities that not only enable them to develop their superior level proficiency but also their knowledge of China.

In the past few years, the authors of this book have offered special topic courses on contemporary China at their institutions: Kenyon College, Brown University, Monterey Institute of International Studies, Middlebury in China Program and the Flagship Center at Tianjin Normal University. Because of a lack of textbooks that fit our needs for the special topics, we selected authentic materials from different media sources and developed innovative instructional procedures and learning activities for the effective use of these materials. Based on the feedback after several trial uses, we further improved the instructional procedures and learning activities. The book is a joint effort of the authors based on their action research and field-testing of the learning units. The authors hope to develop an advanced Chinese course that effectively integrates the learning of the language and the content knowledge of contemporary China issues.

2. Major Characteristics of the Book

There are four unique characteristics that make this book distinguished.

2.1 Carefully selected themes that deal with essential issues of contemporary China keep students actively engaged in their in-depth study of China. Based on their analyses of learner needs, the authors identified fourteen chapters which they organized into four major themes: Social Issues, Economic Development, International Relations, and Influential People. For instance, the chapter "非诚勿扰" deals with the changes of traditional cultural values around marriage as a result of the impact of the current market driven economy. The chapter "男孩危机" teaches students about China's traditional gender stereotypes and the problems of the one-child family. The chapter "山寨 vs. 微创新" prompts students to think about the dialectical relationship between imitation and creativity through the investigation of high technology industry. The chapter "'愤青'的爱国情怀" introduces students to how their peers in China view their homeland and the world. In sum, the topics in the selected materials are not only intriguing but also essential to students' understanding of important issues pertaining to contemporary China. These topics serve well as points of departure for active and sustained discussion because they are imperative to discussions on China's development and not simply transient and fleeting news items that become irrelevant over time.

2.2 The selected materials consist of different types of authentic media and present varied views on the issues covered in the chapters. The video material is composed of interviews with celebrities and theme-based in-depth reports so students are exposed to different registers and speaking styles. Transcripts of the video material are provided. The use of video material is particularly beneficial because it reflects the real face of Chinese society, which will both pique students' interests and also enable students to develop advanced level listening comprehension. The reading materials are mostly in-depth reports and discussion on important social issues. The language of some reading passages was adapted, but the content remains intact. In the process of selecting materials and developing learning activities we tried to present different views on the issues in discussion. Our purpose is to encourage students to express different opinions on the issues and develop their analytical and critical thinking skills.

2.3 The practice sections contain not only language practice, but also research questions and activities and discussions that foster critical thinking. This book provides not only detailed glossaries and grammar explanations with illustrative sentences, but also plenty of language practices at the word, sentence, and paragraph levels. Moreover, unlike most other advanced Chinese textbooks, we also designed integrated learning activities such as the research reports and the theme-based debates, discussions and writing exercises that help students develop their analytical thinking and research skills.

2.4 Our incorporation of in-class and out of class activities as well as on-line and off-line learning in our curriculum reflect the integrated approach taken in our instructional design.In addition to the conventional classroom instruction and learning, we also added other integral components such as on-line learning. We have created a web site to support the use of this advanced Chinese course. The web site, hosted by Brown University, provides more instructional support such as videos, discourse structures for different types of writing, and additional supplementary readings.

3. Suggestions for the Use of the Book

3.1 This book consists of 14 chapters, which are related but can be used as independent units as well. Each chapter consists of the following sections: Learning Guide, Major Learning Material, Supplementary Learning Material and Practice Section. The book is for a yearlong course for a college or university program that meets three to five times a week. Teachers can also choose to use this book for a one-semester course or a shorter intensive language program by selecting certain chapters or certain parts in each chapter.

3.2 Each chapter of the book consists of four sections of learning material; three of them come with both videos and transcripts. They are either special in-depth reports or interviews. The purpose of including several videos in each chapter is to expose students to different viewpoints on the subject matter. The fourth section is a reading passage— usually a commentary from a mainstream media source that is thematically related. The purpose of including the commentary is to encourage students to learn and talk about the issue with more depth. The major learning material section of Chapters 1, 3, 6, 8, 11, consists of three video passages with transcripts, supplemented by a reading passage. The major learning material section of the other chapters consists of one reading passage, supplemented by three video passages. For each chapter, all sections come with glossaries of the difficult words and discussion questions, but the major learning material section also consists of explanations of word usage and grammar with illustrative sentences. Each of the four sections of every chapter are related thematically, but can be used independently. Teachers can choose which section(s) to use based on their students' learning interests and level of proficiency. Our suggestion is that when teaching a new chapter, start with the video materials because they familiarize students with the subject matter.

3.3 The learning guide of each chapter was designed according to ACTFL's OPI guidelines. The proficiency-based learning objectives of the chapters vary from the Advanced-Mid level to Superior level. In order to facilitate language learning, we prepared detailed glossaries, explanations of word usage and grammar with illustrative sentences and exercises for students to practice new grammar structures and vocabulary. Additionally we prepared a section with learning activities to help students to develop extended discourses: from paragraph to essay. In this exercise, we model the structure of an extended discourse from the learning materials with explicit explanations. We also provide sufficient vocabulary and structures to help students produce essay-length arguments.

3.4 One of the instructional objectives of this integrated course is to help students develop their analytical and critical thinking and research skills. In order to achieve this objective we prepared advanced level exercises such as news reports, theme-based interviews and reports, and debates on various topics. One of the challenges in developing students' superior level language competency is supplying them with the requisite extensive background knowledge and higher-level thinking skills. In order to facilitate the learning process, we provide background knowledge and assistance in research methods. Some of the practice activities in the discussion section vary in terms of difficulty level. Teachers can decide what to use based on their students' Chinese proficiency level.

3.5 We have set up a web site for this integrated course. Teachers and students can use this web site to view the videos and download other learning materials. The address of the website is:http://brown.edu/research/projects/china-in-depth/

Acknowledgement

In the course of writing this book, we received immense support from director Ms. Biao Wang and editor Ms. Lan Shen of the Dept. of Chinese Language and Linguistics at Peking University Press; Ms.Jerrine Tan, a Ph.D. student in the English Department at Brown University took time in the midst of her busy research schedule to help complete the relevant translations in the book; in addition, our colleague Ms. Qiang Zhang helped us with the meticulous and painstaking work of proofreading. We express here our sincerest heartfelt gratitude to them.

The book consists of on-line articles. We express our sincere gratitude to the original authors of the articles for their support. We are not able to reach all the original authors because some articles do not contain accurate contact information of the authors. We hope that the authors that we are not able to reach can contact the publisher or us so that we can send you our thanks and appreciation.

This integrated course is a new and innovative approach to the teaching and learning of advanced Chinese to meet the emerging needs of the advanced level learners of Chinese in North American institutions of higher education. Even though we have revised the book and put it through field-testing, we are sure that there will inevitably be errors and oversights since we are trying many new methods and techniques for the teaching of advanced Chinese. We sincerely hope that users of this book can send us your valuable comments and suggestion so that we can work together to create a quality curriculum for the learning and teaching of advanced Chinese.

Authors

目 录

社会篇

社会篇

专题一　人肉搜索

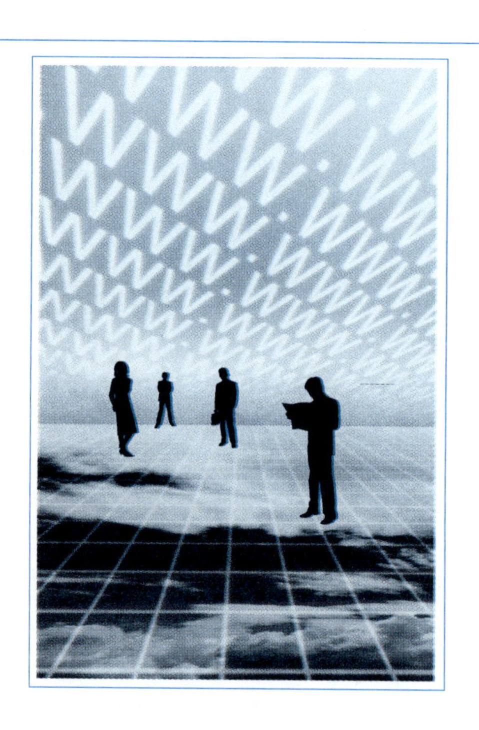

主要内容

随着网络的发展，“人肉搜索”成为人们关注的话题。“人肉搜索”具有很大的争议性，也很有中国特色。本章选择了几个有代表性的人肉搜索事件进行讨论。

本专题以视频内容为主要学习材料，通过三个视频的学习来讨论人肉搜索的“对”与“错”。第四个学习材料是补充阅读，可以帮助学生进一步从正反两个角度讨论“人肉搜索”现象。

学习目标

1. 通过学习中国近几年一些知名的网络“人肉搜索”事件，了解中国式“人肉搜索”产生的社会背景、特点及其对社会的影响。
2. 能够叙述事件的发展过程以及引发的社会舆论。
3. 能够比较、分析社会上对“人肉搜索”的不同观点，并阐述自己的看法。
4. 结合个人经历，探讨“人肉搜索”“个人隐私”“社会公共道德”“社会舆论”四者之间的关系。

重点学习材料　视听理解

视频一　什么是“人肉搜索”

思考题：

1. 什么是“人肉搜索”？
2. 在你们国家，网民在什么情况下会进行“人肉搜索”？“人肉搜索”合法吗？

我想看到这里，可能很多人对于人肉搜索的名称有一个感性的认识。在这里我再给您做一个相对专业的解释。其实，人肉搜索跟人肉无关，它只是为了跟过去的机器搜索相区别，也就是说提问者通过网络提出问题之后呢，不是像过去那样靠计算机网络自动去搜索结果，而是通过五湖四海的网民力量，用人找人、人问人的方式来获得结果。

虽然这种搜索方式的反馈速度没有机器快，但它却会给你带来很多机器根本不可能搜索到的结果。

不过很多事情都有它的两面性，人肉搜索也一样。除了刚才我们所看到的这种温情的搜索，有的时候这种搜索方式也会让人感到不安。在各种各样的人肉搜索当中，最具争议的就是对于人的搜索。一旦成为人肉搜索的目标，你的电话、姓名、身份证号码、家庭地址，甚至还有别的隐私都可能暴露。

近些年来，随着人肉搜索的日益兴起，这种搜索方式已经成为很多人的噩梦，王菲就是其中之一。

生词表

1. 相对	xiāngduì	*adv.*	relatively
2. 机器	jīqì	*n.*	machine
3. 区别	qūbié	*v.*	distinguish, differentiate
4. 五湖四海	wǔ hú sì hǎi		all corners of the country
5. 反馈	fǎnkuì	*n.*	feedback
6. 两面性	liǎngmiànxìng	*n.*	both sides of the matter
7. 温情	wēnqíng	*n.*	tender feelings
8. 争议	zhēngyì	*n.*	dispute
9. 身份证	shēnfènzhèng	*n.*	ID card
10. 隐私	yǐnsī	*n.*	privacy
11. 日益	rìyì	*adv.*	increasingly, day by day
12. 兴起	xīngqǐ	*v.*	rise
13. 噩梦	èmèng	*n.*	nightmare
14. 王菲	Wáng Fēi	*p. n.*	a person's name

重点句型与词汇

1. 为了跟／与……相区别　in order to be distinguished from, in order to differentiate between

(1) 人肉搜索跟人肉无关，它只是为了跟过去的机器搜索相区别。

(2) 人们把他叫做“小布什”，是为了与他父亲“老布什”相区别。

(3) 为了与其他学校的学生相区别，胜利小学的学生都穿着蓝色上衣。

2. 一旦　once, usually used for an uncertain time in the future

(1) 一旦成为人肉搜索的目标，你的电话、姓名、身份证号码、家庭地址，甚至还有别的隐私都可能暴露。

(2) 这家化学公司存有很多危险的化学物品，一旦失火，后果将不可想象。

(3) 个人的银行信息一旦泄露，就很有可能造成严重的经济损失。

词语搭配

日益 + V. / Adj.：一天比一天更加 increasingly, day by day

~兴起 | ~改善 | ~严重 | ~壮大 | ~强大 | ~减少 | ~提高 | ~恶化 | ~衰落

(1) 近些年来，随着人肉搜索的日益兴起，这种搜索方式已经成为很多人的噩梦。

(2) 这里的生活条件日益改善，人民生活水平不断提高。

(3) 全球变暖现象日益严重，引发了各国环保人士的持续关注。

成语

五湖四海：指全国各地，有时也指世界各地。

(1) 人肉搜索是通过五湖四海的网民力量，用人找人、人问人的方式来获得结果。

(2) 我愿意结识五湖四海的朋友，如果你对我的文章有兴趣，请随时给我发邮件。

(3) 参加这次中文演讲比赛的选手来自五湖四海，他们有一个共同的特点就是非常热爱中国的文化及语言。

视频二　“死亡博客”事件

思考题：

1. 为什么姜岩的日记会引起众多网友的关注？在你们国家会不会有这样的事情发生？
2. 如果你是网友，你会不会花这么多时间、精力为姜岩“报仇”？你会采取什么态度？
3. 在你看来，广告公司是否应该因“公私不分”而停止王菲的工作？

2007年12月9号，王菲的妻子姜岩从二十四楼的家中跳楼自杀，在自杀之前，姜岩在自己的博客中记录了她生命倒计时两个月的心路历程，并在自杀那天开放了博客空间，在博客中姜岩表示自己之所以选择自杀，是因为丈夫王菲有了第三者，她还在博客中贴出了丈夫与她认为的第三者到罗马度假时的照片，而姜岩博客中所披露的一些事让她身边的好友感到非常愤怒。他们将相关的消息发布到了天涯网上，随后大旗网等多家网站也对这些消息进行了转载。第三者插足，逼死妻子的消息立刻成为2008年初网友议论的焦点。很快一些愤怒的网友就对王菲和被认为是第三者的女孩东方启动了人肉搜索。而他们对王菲的谴责也开始从虚拟世界延伸到了现实生活。

律师：他个人的信息，他在哪儿上班，他们家住哪儿，像这些全给公布到网上。而且呢他父母是干什么的，他父母家的电话，他父母的住址，还有他哥哥的姓名，哥哥的工作单位，哥哥汽车的车牌号，都给挂到了网上。所以有不少的网友就到他家捣乱，半夜打电话，再就是在他们家门口喷了好多字，叫“逼死前妻，血债血偿”。

事情发生后，王菲和东方所在的单位停止了他们的工作，而据王菲的律师介绍，因为这场风波，王菲一直很难找到新的工作，情绪十分低落。

律师：用人单位呢都是婉言谢绝，用人单位也不说不要，就说等等过一段，等高潮过去再考虑，实际上就是公司怕网友向公司施加压力。

记者：在用人单位里他有这么高的知名度么？

律师：在社会上好像很多人并不知道，但是在他的圈内，应该是知名度很高的。

记者：就他工作的这个圈里。

律师：对。在他工作的广告圈，好多人都知道这件事。而且网上登的上海广告界，有一些人都在网上登一些东西，就是要封杀王菲，不允许他到上海找工作。

人物表

1. 王菲（Wáng Fēi）：“死亡博客”事件主人公。
2. 姜岩（Jiāng Yán）：王菲已故妻子。

3. 东方（Dōng Fāng）：王菲、姜岩婚姻中的第三者。

生词表

1. 博客	bókè	*n.*	blog
2. 自杀	zìshā	*v.*	commit suicide
3. 倒计时	dàojìshí	*v.*	countdown
4. 心路历程	xīnlù lìchéng		journey of the heart
5. 空间	kōngjiān	*n.*	space
6. 罗马	Luómǎ	*p. n.*	Rome
7. 披露	pīlù	*v.*	expose
8. 愤怒	fènnù	*adj.*	angry
9. 天涯网	Tiānyá Wǎng	*p. n.*	http://www.tianya.cn
10. 大旗网	Dàqí Wǎng	*p. n.*	http://www.daqi.com
11. 转载	zhuǎnzǎi	*v.*	reprint or reproduce (on another website)
12. 插足	chā zú		put one's foot in, to interfere
13. 逼死	bīsǐ	*v.*	hound somebody to death
14. 焦点	jiāodiǎn	*n.*	focus
15. 启动	qǐdòng	*v.*	launch (an operation), activate (a plan)
16. 人肉搜索	rénròu sōusuǒ		human flesh search engine, Chinese style internet manhunt
17. 谴责	qiǎnzé	*v.*	condemn, blame
18. 虚拟	xūnǐ	*adj.*	virtual
19. 延伸	yánshēn	*v.*	extend
20. 住址	zhùzhǐ	*n.*	address
21. 单位	dānwèi	*n.*	work unit, a place of employment in China

22. 车牌号	chēpáihào	*n.*	license plate number
23. 捣乱	dǎo luàn		vandalize
24. 喷	pēn	*v.*	spray (paint)
25. 前妻	qiánqī	*n.*	ex-wife
26. 血债血偿	xuè zhài xuè cháng		blood calls for blood
27. 风波	fēngbō	*n.*	crisis
28. 情绪	qíngxù	*n.*	mood
29. 低落	dīluò	*adj.*	dejected, downcast
30. 婉言	wǎnyán	*n.*	gentle words, tactful expressions
31. 谢绝	xièjué	*v.*	decline with gratitude
32. 高潮	gāocháo	*n.*	climax
33. 施加	shījiā	*v.*	exert, to impose
34. 知名度	zhīmíngdù	*n.*	popularity, fame
35. 圈内	quānnèi	*n.*	profession, field
36. 广告界	guǎnggàojiè	*n.*	advertising field
37. 封杀	fēngshā	*v.*	block, force out
38. 允许	yǔnxǔ	*v.*	allow, permit

重点句型与词汇

1. 之所以A，是因为B　the reason why A is because B

（1）在博客中姜岩表示自己之所以选择自杀，是因为丈夫王菲有了第三者。

（2）他之所以没有告诉你事情的真相，是因为担心你知道后会难过。

（3）我之所以吃惊，是因为没想到他就是虐猫事件的幕后黑手。

2. ……，随后……　soon afterwards

（1）他们将相关的消息发布到了天涯网上，随后大旗网等多家网站也对这些消息进行了转载。

（2）有网民将这一发现拍摄照片并上传到网上，随后媒体跟进报道，引发网民热议。

（3）2013年6月7日，中国国家主席习近平与美国总统奥巴马在加州Annenberg庄园举行了会谈，随后两国元首共同会见了记者。

3. 从……延伸到……　extend from ... to ...

（1）网友对王菲的谴责也开始从虚拟世界延伸到了现实生活。

（2）随着智能手机的普及，网络的功能已经从获得信息延伸到交友、购物等多个方面。

（3）中国的高铁网络正计划从境内延伸到境外。

4. ……，再就是……　moreover, the other thing is

（1）有不少的网友就到他家捣乱，半夜打电话，再就是在他们家门口喷了好多字，叫"逼死前妻，血债血偿"。

（2）我来北京，一是干活挣钱，再就是要出来闯闯，见见世面。

（3）他提出两点补偿要求：一是给他十万元现金，再就是给他一套免费的住房。

5. A向B施加压力　A put pressure on B

（1）那些公司怕网友向他们施加压力。

（2）美国向中国施加压力要求人民币升值。

（3）他们希望政府向华尔街的大公司施加压力，让美国经济保持健康发展。

词语搭配

1. 开放+ N.

~博客空间 | ~名人故居 | ~市场 | ~图书馆

（1）姜岩在自杀那天开放了博客空间。

（2）1978年以后，中国逐渐开放了国内市场，欢迎外资来华投资。

（3）期末考试期间，学校将24小时开放图书馆供学生准备考试。

2. 披露 + N. / NP

~一些事 | ~收购计划 | ~调查结果 | ~内幕 | ~隐私 | ~消息

（1）姜岩博客中所披露的一些事让她身边的好友感到非常愤怒。

（2）在昨天举行的新闻发布会上，发言人披露了公司最新的收购计划。

（3）从警方最新披露的调查结果来看，这次恐怖袭击很有可能是蓄谋已久的。

3. 启动 + N.

~人肉搜索 | ~方案 | ~计划 | ~项目

（1）很快一些愤怒的网友就对王菲和被认为第三者的女孩东方启动了人肉搜索。

（2）为了应对新一轮的经济危机，很多发展中国家均启动了新的金融市场改革方案。

（3）为了扩大规模并实现上市的长远目标，该公司近日启动了新一轮的融资计划。

4. 情绪 + Adj.

~低落 | ~不稳定 | ~异常 | ~高涨

（1）王菲一直很难找到新的工作，情绪十分低落。

（2）长期失眠的人，容易焦虑、紧张和情绪不稳定。

（3）现代人因为工作压力大等原因，很容易出现情绪异常的情况。

视频三　虐猫事件

思考题：

1. 你是否支持网友的做法？你对这件事的态度跟你对“死亡日记”事件的态度是否相同？
2. 在你们国家，如果发生类似虐待动物的事件，事件会怎样发展？虐待动物的人会受到怎样的惩罚？

2006年2月26号晚，一位名为“碎玻璃渣子”的网友无意中在网上发现了一组虐猫图片和视频，这些图像的残忍甚至让他觉得不忍心看下去。

网友：肯定是看不下去，尤其你看图片跟你看视频（不一样），听那只猫在那叫呀……

很快这组视频和图片就通过转帖等形式在网上广泛地传播开来。仅一天时间，就已从猫扑网传到了天涯、新浪、搜狐、网易等各大网站。一度成为点击率最高的热门图片，而愤怒的网友甚至将虐猫女的头像制成了宇宙A级通缉令，号召认识的网友提供线索。

2月28号，网友"鹊桥不归路"发现了一个重要线索，他在网上下载到了踩猫录像的完整视频，播放这段视频录像的网站名为"踩踏的世界"，注册公司是杭州银狐科技公司，注册人是该公司的总经理郭某。于是郭某迅速被列为踩猫事件的幕后黑手。

仅仅两天的时间，互联网上关心虐猫事件的网友已达70万，提供的线索也多达数万条。到3月1号，郭某的真实姓名、身份证号码、车牌号、地址，甚至大学履历，都已经被网友查出，并公布在各大论坛上。3月4号，一知情人在网上公布，踩猫女是黑龙江省萝北县医院的药剂师王某，而踩猫地点就是萝北县名山岛。

不到6天的时间，虐猫录像的制作、传播的组织者之一郭某，踩猫女王某，以及进行虐猫录像拍摄、贩卖的李某，就相继被网友用人肉搜索的方式，从茫茫人海中查出。

事情曝光后，李某和王某分别在网上贴出了检讨书，此后，王某离开了萝北县医院，李某因此事丢掉了萝北电视台编辑部主任的职务。郭某由于照片、车牌号等在网上曝光，生活遭到彻底改变，而虐猫事件更是成了人肉搜索发展史上最引人关注的一次事件。

生词表

1. 虐猫	nüè māo		abuse cats
2. 视频	shìpín	*n.*	video
3. 残忍	cánrěn	*adj.*	cruel, ruthless, merciless
4. 忍心	rěn xīn		be hard-hearted enough to do sth.

5. 转帖	zhuǎntiě	*v.*	repost
6. 传播	chuánbō	*v.*	spread
7. 猫扑网	Māopū Wǎng	*p. n.*	http://www.mop.com
8. 新浪	Xīnlàng	*p. n.*	http://www.sina.com.cn
9. 搜狐	Sōuhú	*p. n.*	http://www.sohu.com
10. 网易	Wǎngyì	*p. n.*	http://www.163.com
11. 一度	yídù	*adv.*	once, at one point
12. 点击率	diǎnjīlǜ	*n.*	click rate
13. 宇宙	yǔzhòu	*n.*	universe
14. 通缉令	tōngjílìng	*n.*	wanted poster
15. 号召	hàozhào	*v.*	call, appeal
16. 线索	xiànsuǒ	*n.*	clue
17. 下载	xiàzài	*v.*	download
18. 踩	cǎi	*v.*	step on
19. 踩踏	cǎità	*v.*	trample
20. 注册	zhù cè		register
21. 该	gāi	*pron.*	that
22. 迅速	xùnsù	*adj.*	rapid, swift
23. 幕后	mùhòu	*n.*	backstage, in secret
24. 黑手	hēishǒu	*n.*	manipulator
25. 履历	lǚlì	*n.*	CV, resume
26. 论坛	lùntán	*n.*	forum
27. 知情人	zhīqíngrén	*n.*	insider
28. 制作	zhìzuò	*v.*	make
29. 拍摄	pāishè	*v.*	film
30. 贩卖	fànmài	*v.*	sell, peddle
31. 茫茫人海	mángmáng rén hǎi		a big crowd
32. 曝光	bào guāng		expose

33. 检讨书	jiántǎoshū	*n.*	self-criticism letter
34. 职务	zhíwù	*n.*	position
35. 遭到	zāodào	*v.*	suffer
36. 彻底	chèdǐ	*adj.*	complete, thorough
37. 引人关注	yǐn rén guānzhù		noticeable, conspicuous

注释：

1. 碎玻璃渣子、鹊桥不归路：都是网友在网上用的网名。中国人上网时喜欢给自己取一个网名，来反映自己某方面的特点或者情趣。例如，“鹊桥”是中国神话传说中喜鹊为牛郎和织女约会时在银河上搭的桥，后来多指恋爱、约会的地方；“不归路”是说不再回来，要一直走下去。这个网名表示网友要在爱情的路上永远走下去。Both “broken glass” and “Magpie Bridge of no return” are internet usernames. Chinese Internet users tend to give themselves usernames that reflect certain of their characteristics or interests. For example, “Magpie Bridge”, which finds its origins in Chinese folklore that Magpie build a bridge of reunion spot for two separated lovers Niú Láng and Zhī Nǚ, now refers to a place where lovers go on a date. The “no return” means that one will keep on walking and never come back, and is an expression of determination and perseverance on the road of love.
2. 宇宙A级通缉令：通缉令是公安机关发布的捉拿重大罪犯的文书。这里用“宇宙”“A级”来表示他认为踩猫事件非常严重。The most wanted in the universe poster is a poster or document distributed to let the public know of an alleged dangerous criminal whom authorities wish to apprehend. The use of this poster in the text reflects the severity of the situation.
3. 检讨书：做错事之后写的承认错误并希望以后改正错误的书面材料。 A personal reflection letter refers to a document detailing an admission of guilt and an expression of a hope to right his wrongdoing.

重点句型与词汇

1. 一度+ V.　once, at one point in the past

(1) 这些图片一度成为点击率最高的热门图片。

(2) 他一度成为当地最有影响的人物。

(3) 5月6日纽约汇市，欧元对美元比价一度创下1比1.281的历史新高。

2. 该 + N.　this, that, the said, it's used to refer to the person or object that have been mentioned above in the formal document

(1) 播放虐猫视频录像的网站名为“踩踏的世界”，注册公司是杭州银狐科技公司，注册人是该公司的总经理郭某。

(2) 学校要评选优秀学生，我推荐了一个大三的学生，该学生学习努力，成绩优良。

(3) 2014年9月18日，阿里巴巴在纽约挂牌上市，该公司董事长马云也由此成为关注的焦点。

3. 被列为……　be listed as...

(1) 网友发现播放踩猫视频录像公司的总经理是郭某，于是郭某迅速被列为踩猫事件幕后黑手。

(2) 这本小说在五六十年代被列为禁书。

(3) 北京市人口众多，2013年被国家列为治理污染的重点城市。

4. 多／高／长+达+数量　as many/high/long as

(1) 仅仅两天的时间，网友提供的线索就多达数万条。

(2) 据消息人士透露，雅虎计划今日裁员多达650人，大约占公司员工总数的5%。

(3) 苹果最新一款iPad2售价499美元，iPad2降幅高达29%。

5. 相继+VP　one after another，in succession

(1) 不到6天的时间，虐猫录像的制作、传播的组织者之一郭某，踩猫女王某，以及进行虐猫录像拍摄、贩卖的李某，就相继被网友用人肉搜索的方式，从茫茫人海中查出。

(2) 中国、印度和巴西等新兴市场国家相继成为影响世界经济发展的重要力量。

（3）为了抑制房价暴涨，北京、上海等城市相继出台限购政策。

词语搭配

1. 传播+ N.　Spread...

~文化 | ~消息 | ~信息 | ~知识 | ~谣言 | ~病毒

（1）很快这组视频和图片就通过转帖等形式在网上广泛地传播开来。

（2）埃博拉(Āibólā, Ebola)病毒在当地传播得很快。

（3）最早来到中国的外国人多是西方的传教士，他们不远万里来到这个东方古国就是为了传播西方的宗教文化。

2. 曝光+ N.　expose sth. and often used in passive sentences

~恋情 | ~丑闻 | ~案件

（1）事情曝光后，李某和王某分别在网上贴出了检讨书。

（2）狗仔的这组照片曝光了两位大明星的恋情。

（3）邓文迪与默多克(Rupert Murdoch)的婚姻在2013年结束了，据说是与女方的婚外情被曝光有关。

补充学习材料　阅读

人肉搜索不能侵犯个人隐私

思考题：

1. 这篇文章的作者认为隐私包含哪些信息？你同意他的观点吗？
2. “人肉搜索”可以起到哪些积极作用？请举例说明。
3. 在“人肉搜索”和“隐私权”这个问题上，作者的基本观点是什么？你同意吗？为什么？
4. 你认为什么样的语言算是“言论暴力”？

很久以前就听说过一种理论，说在这个世界上你想找到任何一个人，通过六个人就可以达到目标。互联网显然为上述理论的实现提供了更为便利的现代化手段，就连美国总统候选人之一的麦凯恩也开玩笑说他将借助谷歌，来寻找副总统竞选搭档。

“人肉搜索”的基本功能就是“找人”，通过网络来找到现实生活中真实的人，然后再通过网络将有关信息发布出来。有人借助这种手段找到了失散的亲友，也有人借此展开“网络大搜查”，将另一些人的个人资料在网上公布，用于攻击后者的某些观点或者行为。此类“人肉搜索”实为“攻击性搜索”。

应该承认，法律不可能涵盖社会生活的方方面面，在现实生活的某些深处一定存在着法律的真空区。这些部分通常只能依靠道德和社会舆论来约束。“人肉搜索”能够维护法律之外的那片天地，对那些不符合道德观念却不违法的行为起到震慑作用。

然而，“人肉搜索”虽然是公民言论自由和信息自由的表现形式之一，却不能以侵害他人的权利为代价。与对某种有争议之言行的道德谴责相比，普通公民的隐私权显然处于更高的地位，因为它受到法律的保护。公布公民个人信息(例如住址、家庭电话和移动电话、工作单位、收入状况、身份证号码和医疗记录等等)应当视为侵害他人隐私的行为。即便被搜索被攻击者的言行确有不妥，也不能成为侵害他们隐私权的正当理由，“道德审判”必须让位于个人隐私。即使被攻击者的行为涉嫌犯罪，也应由国家机关追究，不能由网民通过“网络审判”来进行。

人们之间有分歧，有纠纷是任何社会之常态。纠纷解决的规则化而非任意化，则是法治社会的最基本特征，也是文明与野蛮的根本区别之一。在一个“规则化”社会里，自由意味着做法律不禁止的事，而非任意妄为。以上现实世界的共识，同样适用于看似“虚拟”，实为现实世界之延伸的网络世界。

如果人们可以利用互联网的"匿名性"而不对自己的言行负责，理性就有极大的可能偏离正常轨道，原本正常的争议和批评就有可能演化为言论暴力；更为可怕的是，这种言论暴力往往以一种无需事先约定的群体性方式出现，如同无数条失控的小河，汇聚成滚滚洪水，不仅将任何"异己"瞬间淹没，而且随时可能直接摧毁社会赖以正常运作的制度之堤。

（本文改编自人民网，作者：刘文静，2008年6月23日

引用网址：http://media.people.com.cn/GB/40606/7412409.html）

生词表

1. 侵犯	qīnfàn	*v.*	violate
2. 理论	lǐlùn	*n.*	theory
3. 上述	shàngshù	*adj.*	above-mentioned
4. 候选人	hòuxuǎnrén	*n.*	candidate
5. 借助	jièzhù	*v.*	get help from
6. 搭档	dādàng	*n.*	partner
7. 失散	shīsàn	*v.*	be separated from and lose touch with each other
8. 攻击	gōngjī	*v.*	attack
9. 涵盖	hángài	*v.*	contain, cover
10. 真空区	zhēnkōngqū	*n.*	vacuum space
11. 舆论	yúlùn	*n.*	public opinion
12. 约束	yuēshù	*v.*	restrict
13. 震慑	zhènshè	*v.*	awe, frighten
14. 侵害	qīnhài	*v.*	infringe on
15. 代价	dàijià	*n.*	price, cost
16. 不妥	bù tuǒ		inappropriate
17. 审判	shěnpàn	*v.*	put (someone) to trial

18. 让位	ràng wèi		give place to
19. 涉嫌	shèxián	*v.*	be suspected of being involved in sth.
20. 机关	jīguān	*n.*	government organs
21. 追究	zhuījiū	*v.*	look into, investigate
22. 纠纷	jiūfēn	*n.*	dispute
23. 任意	rènyì	*adv.*	random, arbitrarily
24. 野蛮	yěmán	*adj.*	barbarous
25. 任意妄为	rènyì wàngwéi		unrestrained and reckless
26. 匿名	nìmíng	*adj.*	anonymous
27. 偏离	piānlí	*v.*	deviate
28. 轨道	guǐdào	*n.*	orbit
29. 演化	yǎnhuà	*v.*	evolve
30. 汇聚	huìjù	*v.*	assemble, get together
31. 滚滚	gǔngǔn	*adj.*	surging, billowing
32. 洪水	hóngshuǐ	*n.*	flood
33. 瞬间	shùnjiān	*n.*	in the twinkling of an eye
34. 淹没	yānmò	*v.*	submerge, flush
35. 摧毁	cuīhuǐ	*v.*	wreck, destroy
36. 赖以	làiyǐ	*v.*	depend on
37. 堤	dī	*n.*	dyke, embankment

课后练习

一、选择最合适的词语填空

1. 经济危机已经过去了，但对__________展开的讨论还在继续。

   A. 此　B. 该　C. 本　D. 这

2. 那个官员昨天通过当地媒体__________了火灾的一些细节。

   A. 披露　B. 讨论　C. 泄露　D. 交流

3. 听说好朋友出车祸的消息后，她的__________一直都很低落。

   A. 情感　B. 感情　C. 情绪　D. 感觉

4. 刘校长在会上说，学校决不__________任何人虐待动物。

   A. 安排　B. 曝光　C. 谢绝　D. 允许

5. 他去__________了，可能一个月后才回来。

   A. 度假　B. 假期　C. 放假　D. 请假

7. 一连五次都没有考好，我已经__________没有信心了。

   A. 到底　B. 终于　C. 最后　D. 彻底

8. 当人肉搜索从网络__________到现实世界时，谴责虐猫事件的人也成为"不道德的人"了。

   A. 延伸　B. 接力　C. 转移　D. 转载

9. 一些民间组织认为，政府不应该__________互联网上的人肉搜索。

   A. 牵挂　B. 奉献　C. 插足　D. 联络

10. 虽然我的电脑可以上网，却无法__________那些视频。

   A. 下载　B. 注册　C. 启动　D. 产生

二、用所给的词语和句型回答问题

1. 在你看来，为什么要禁止人肉搜索？（之所以……，是因为……）
2. 如果你被人肉搜索了，你会采取什么应对办法？（一旦）

3. 在网络时代为什么很难保护自己的隐私？（日益）
4. 如果你是一家广告公司老板，你会让王菲这样的人成为你的员工吗？（向……施加压力）
5. 发现丈夫有了小三后，姜岩做了什么事？（随后）
6. 人肉搜索有哪些好处？(……，再就是……)
7. 互联网出现以后，先后出现了哪些知名的大公司？（相继）
8. 人与动物有所区别的最重要标志是什么？ （与……相区别）
9. 在互联网产生之前，什么方式曾经是最重要的沟通方式？（一度）
10. 人们是如何知道姜岩自杀的原因的？（开放）

三、用所给的词语填空

拍摄　喷　愤怒　残忍　曝光　迅速　线索　一度　该　随后

有一位记者无意中________了一段视频，发现一个年轻男人正往别人车上________字。那个男人发现记者正在拍他以后，居然很________，还把记者________地打了一顿。________，这件事情在网上被________，并且________地传播开来，许多人主张人肉搜索打人者。有一些网友找到那位记者，希望他提供更多的关于打人者的________。记者却告诉人们，他开始也非常生气，________想号召网友搜索那个打人者，但他现在的生活却因________事件受到很多影响，因此他希望此事能尽快结束。

四、翻译

1. In 2008, a girl named Zhang Ya (张雅) posted a video of herself complaining about the amount of attention the earthquake victims were receiving on TV. Soon afterward, an intense online response caused the girl's identity to be exposed. Moreover, dozens of angry video responses and death threats spread on websites and blogs. Zhang was very anxious and frustrated. At one point, the police had to protect her from death threats.
2. At present, Internet users classify "human flesh searching" as the most powerful weapon against corruption. Once a corrupt official gets exposed, Internet users are able to find him and pull him out of a big crowd. Since 2013, officials who have been brought to trial as a result of "human flesh searching" number up to 20 or more people.

五、从句段到篇章：描述事件的发展过程

用中文描述一件事情的发生、发展过程时，可以用表示时间和先后顺序的词语来连接上下文，常见的有：

1. 时间词：一年前、2015年年底、几天之后、过了几个月、有一天、这个时候、此时

2. 表示事件开始：刚开始的时候、一开始、最初、起先、起初

3. 表示事件先后顺序：以后、从那以后、此后、随后、后来、于是、接着、最后、终于

4. 表示一个动作或事件结束后，下一个动作或时间发生的即时性：（刚）一……就……、不一会儿、不久、很快、马上、突然、随即

范文：

2009年10月，在台湾新竹，有两位女生把自己破坏公物的录像放到网上，立即在网上引起公愤，不久她们就被“人肉”出来。两个人身份信息被公开之后，受到社会舆论的谴责。最后两个女生向公众道歉悔过，还向有关部门赔了四万二千元的损失费。

练习一：请给你的同学讲述一下虐猫事件的过程。

练习二：请你描述一个人肉搜索的事件，可以自己在网络上做调查，也可以选用课文中的材料。

六、新闻报告

从网上查找最近的人肉搜索事件，阅读后，用PowerPoint做成演示文稿向全班同学报告这篇新闻。报告之前需要把这篇新闻中的关键词找出来，做一份生词表发给大家。

报告中，请包括以下内容：

（1）介绍事件由来及其影响

（2）公众对此事件的不同看法

（3）你个人的观点

七、专题调查与报告

针对本课话题，请你采访一个中国人，请他谈一谈对“人肉搜索”的看法，下次课上汇报你的采访结果。

采访问题参考：

（1）你听说过“人肉搜索”吗？你觉得什么是“人肉搜索”？

（2）互联网上有哪些著名的“人肉搜索”事件？

（3）你“人肉”过别人吗？你被“人肉”过吗？

（4）你认为为什么如今很多网民热衷于“人肉搜索”？

（5）你对“人肉搜索”持支持还是反对的态度？为什么？

八、辩论

中国2009年12月26日颁布的《中华人民共和国侵权责任法》明确指出，网络用户、网络服务提供者利用网络侵害他人民事权益的，应当承担侵权责任。而在次年四月，中国台湾《个人资料保护法》修正案获得通过，曾引发广泛争议的“人肉搜索”，却在台湾率先获得了法律认可。

- 辩论题：“人肉搜索”是否应该合法化？

九、讨论与写作：《道德的权限》

通过学习本章内容，我们不难发现这样一个规律，当一些不道德但又不受法律制裁的事情发生时，网民往往会使用“人肉搜索”，希望通过公众舆论对当事人进行道德上的审判和制裁。在网络上，曾有人发起了这样一个讨论——“法律之外，道德是否有无限的权力？”请写一篇800字的文章，和中国网民讨论这个问题。

动笔以前，请思考、讨论以下问题：

- 道德的约束力对一个社会是否重要？有哪些名人谈到过这个问题？
- 道德是一个绝对的概念吗？道德的标准是怎么形成的？一个社会在多大程度上应该有统一的道德标准？
- 当多数人以他们认可的道德标准来评判、约束少数人行为的时候，会有什么样的结果？
- 当你发现有不道德却又不违法的行为时，你是否会采取行动予以谴责？你判断的标准是什么？

专题二　非诚勿扰

主要内容

《非诚勿扰》是中国近年来最火爆的电视相亲节目之一，节目取材的灵感来自于英国真人秀节目Take Me Out。内容不仅限于两性交友，而且真实地展示不同群体对幸福观、财富观、婚恋观的态度与选择，因此节目自从播出以来就备受关注。从某种程度上讲，《非诚勿扰》节目是一个了解中国年轻人思想的窗口。

这一专题以阅读文章为主要学习材料，主课文《非诚勿扰，今夜我们不相亲》探讨《非诚勿扰》节目流行的多种社会原因。三个背景视频以《非诚勿扰》女嘉宾马诺的"拜金"言论为切入口，反映社会上对"拜金"主义的不同看法，以及官方对此类言行的立场。

学习目标

1. 了解当代中国年轻人的"婚恋观"以及对"拜金"言论的看法。
2. 描述一个电视节目，包括其内容、形式、社会反响等，并就节目内容阐述自己的观点。
3. 讨论与"拜金主义""社会宽容度""言论自由""媒体责任"有关的话题。

重点学习材料 阅读

非诚勿扰，今夜我们不相亲

思考题：

1. 文章中用了哪些数据说明《非诚勿扰》节目的火爆程度？
2. "拜金女"马诺为什么引起很多人的关注？如果美国有一个人在电视节目上发表类似马诺的言论，会不会引起同样的关注？
3. 本文作者为什么认为《非诚勿扰》节目的火爆说明中国社会比以前更宽容了？你同意他的观点吗？

如果你还认为《非诚勿扰》（2008）只是一部电影的名字，那就彻底out了。这部一年前票房收入超过3亿元的贺岁电影，如今早已被一档同名婚恋交友节目盖过了风头。

让我们先来看一看它到底有多火。

自年初开播以来，《非诚勿扰》的收视率接连攀升，江苏卫视频道副总监王培杰（Wáng Péijié）向媒体透露，该节目3月27日的全国平均收视率为2.48，超过收视老大《快乐大本营》（2.08），连续3周成为全国卫视综艺节目冠军。网络世界里，它同样是热门话题。在优酷视频网站，《非诚勿扰》连续多日占据搜索排行榜的第一位。百度《非诚勿扰》贴吧已经拥有超过51万名粉丝，发布帖子121万余条。有媒体报道称，《非诚勿扰》日网络搜索量（百度指数）超过22万次，是第二名节目搜索量的将近4倍。马诺（Mǎ Nuò），这位《非诚勿扰》里最具话题性的女嘉宾，现在已经有了个人网站，访问量超过309万次。

让马诺迅速蹿红并引发广泛争议的，是节目里这样一个片段：

一个爱骑自行车的无业男嘉宾问马诺："你喜欢和我一起骑自行车逛街吗？"马诺回答："我更喜欢坐在宝马里哭。"

宝马和单车，一个简单的对比却瞬间刺痛了无数人敏感的神经。有好几位男嘉宾专程来参加节目，以一种"为民除害"的大无畏姿态，宁肯牺牲自己，也要当面把这个"拜金女"骂得体无完肤。但也有人跳出来替马诺辩护：女人爱财有错吗？

"马诺现象引发讨论的本质就是两点：第一，我们可以真实表达自己吗？第二，我们可以拜金吗？在马诺的问题上，核心实质就是对于'真实'的碰撞。"《非诚勿扰》节目的心理顾问乐嘉（Lè Jiā）通过博客这样响应。

过去的电视相亲节目，男女嘉宾的目标很明确，就是为了找对象，为了结婚。不过，《非诚勿扰》显然不打算拷贝以往的速配模式，节目从一开始就宣称"只创造邂逅，不包办爱情"。事实证明，场面热闹话题不断，让相亲的结果变得似乎没那么重要了。一名男嘉宾从走上舞台的那一刻开始，就要同时面对24个不同年龄、容貌、学历、家境、职业的女性，迥异的婚恋观在舞台上激烈交锋。就像其粉丝评价的那样："情节"设置就像情景剧，两三分钟一个小高潮，七八分钟一个大高潮，完全遵循了电视剧的规律，很戏剧化。从男人的身高是不是爱情的障碍、结婚之后能不能和父母住在一起，到生活中该谁做饭该谁刷碗、谈过几次恋爱才算正常，再到要不要为了另一半而放弃自己现在的生活——种种争论，或宏大，或琐碎。

譬如，关于物质的讨论在这个平台上就一刻没停。月薪850元的穷小子甘愿为心爱的女孩抠下眼珠，但还是无法得到垂青；收入不够稳定的，被女孩们以各种各样的理由拒绝：没有责任感、不够踏实、不够努力、"不是我的菜"①；怀揣着600万元银行存款的"富二代"上台来一通显摆，却被众美女合力围攻：有什么可炫耀的？

“它不满足于温情斯文的相亲交友，甚至没打算促成任何一对男女，连装出这种态度都不肯，它要的是鲜明的话题性、凶狠的两性搏杀，以容纳那些困扰着人们的现实问题，金钱、房价、家庭关系、大男大女。它是撕破脸的、夸张的社会漫画。”4月7日，《南方都市报》以《一场浓烈的戏》为题，试图分析出这场狂欢背后的社会意义。

北京姑娘80后韩小姐作为这档节目的忠实粉丝，一集不落地看下来，她甚至对有的专场视频一再温习。在她看来，节目的意义远不仅仅成功地娱乐了大众，“节目就像一个平台，拜金女、富二代、外貌协会、全职主妇……这些略显刺激的字眼，一定程度上体现了时下青年男女的择偶观甚至是价值观，围绕着他们的争论，是社会心态的真实写照。”

“看看美女咯，还有人们各种各样的阴暗小心理。”46岁的国家机关工作人员汤女士这样解释她和身为北京某名牌高校教授的老公每周末追看《非诚勿扰》的原因，“没有必要认真，就当做娱乐节目看一看笑一笑也挺好。”

和曾经的选秀明星们一样，在《非诚勿扰》的贴吧里，几乎每个嘉宾都拥有自己的忠实“粉丝”，他们热切地讨论每个人的去留。一个铁杆粉丝这样留言：“这个节目的走红，反映出很多人心里缺乏一些东西。越是缺乏的时候，人们就越渴望去获取。正是因为对自身的迷茫，所以才想通过《非诚勿扰》节目里男女嘉宾的对话，更多地了解别人的态度。”

没有哪一种标准被视为绝对的正确，每个观点——哪怕是赤裸裸的“我爱宝马”“我爱美女”——被抛出来之后，赢得部分人支持的同时也必遭另一部分人的痛斥。资深媒体人蔡女士尽管个人极端厌恶这类节目的无厘头风格和过度炒作，但却肯定这类节目的存活意义，“能够直面人们状态各异的理念，迷茫也好，极端也罢，这档节目容留各种价值观相互纠结，直接撕扯，并且能为这一切提供一个展现的舞台。这类节目能够存留下来，也许是我们社会宽容度提高的最好注脚。”

（本文来源：《中国青年报》，作者方奕晗，2010年04月13日，有删改
引用网址：http://zqb.cyol.com/content/2010-04/13/content_3179321.htm）

生词表

1. 票房	piàofáng	*n.*	box office
2. 贺岁电影	hèsuì diànyǐng		new year's film
3. 档	dàng		measure word for shows or incidents
4. 收视率	shōushìlǜ	*n.*	audience ratings
5. 攀升	pānshēng	*v.*	to rise
6. 频道	píndào	*n.*	channel
7. 总监	zǒngjiān	*n.*	director
8. 透露	tòulù	*v.*	reveal
9. 快乐大本营	Kuàilè Dàběnyíng	*p. n.*	Happy Camp, a popular variety show in China
10. 综艺	zōngyì	*n.*	variety (shows)
11. 优酷	Yōukù	*p. n.*	a famous Chinese video sharing website
12. 占据	zhànjù	*v.*	occupy
13. 搜索	sōusuǒ	*v.*	search
14. 排行榜	páihángbǎng	*n.*	ranking
15. 百度	Bǎidù	*p. n.*	a famous Chinese search engine
16. 贴吧	tieba	*n.*	Baidu Paste Bar, the largest Chinese communication platform provided by Baidu
17. 粉丝	fěnsī	*n.*	fans
18. 帖子	tiězi	*n.*	online posts
19. 指数	zhǐshù	*n.*	index
20. 嘉宾	jiābīn	*n.*	honored guest

21. 蹿红	cuānhóng	*v.*	win success quickly
22. 广泛	guǎngfàn	*adj.*	widely
23. 片段	piànduàn	*n.*	part, segment
24. 宝马	Bǎomǎ	*p. n.*	BMW
25. 单车	dānchē	*n.*	bicycle
26. 刺痛	cìtòng	*v.*	prick
27. 敏感	mǐngǎn	*adj.*	sensitive
28. 神经	shénjīng	*n.*	psyche, nerve
29. 为民除害	wèi mín chú hài		get rid of an evil for the people
30. 大无畏	dàwúwèi	*adj.*	fearless, dauntless
31. 姿态	zītài	*n.*	attitude
32. 牺牲	xīshēng	*v.*	sacrifice
33. 拜金	bàijīn	*v.*	worship money
34. 体无完肤	tǐ wú wán fū		have cuts and bruises all over the body
35. 辩护	biànhù	*v.*	defend
36. 本质	běnzhì	*n.*	essence, nature
37. 实质	shízhì	*n.*	essence, gist
38. 碰撞	pèngzhuàng	*v.*	crash, clash
39. 响应	xiǎngyìng	*v.*	respond to
40. 对象	duìxiàng	*n.*	boy or girl friend, partner
41. 拷贝	kǎobèi	*v.*	copy
42. 速配	sùpèi	*n.*	speed dating
43. 邂逅	xièhòu	*v.*	meet by chance
44. 包办	bāobàn	*v.*	arrange
45. 迥异	jiǒngyì	*adj.*	totally different
46. 激烈	jīliè	*adj.*	intense, fierce
47. 交锋	jiāo fēng		cross swords, engage in battle

48. 情节	qíngjié	*n.*	plot
49. 设置	shèzhì	*n.*	setting
50. 情景剧	qíngjǐngjù	*n.*	melodrama, sitcom
51. 遵循	zūnxún	*v.*	follow, abide by, adhere to
52. 戏剧化	xìjùhuà	*n.*	dramatic
53. 障碍	zhàng'ài	*n.*	obstacle
54. 宏大	hóngdà	*adj.*	grand
55. 琐碎	suǒsuì	*adj.*	trivial
56. 物质	wùzhì	*n.*	material
57. 甘愿	gānyuàn	*v.*	do sth. willingly
58. 抠	kōu	*v.*	dig out
59. 垂青	chuíqīng	*v.*	(fml.) show appreciation for sb.
60. 踏实	tāshi	*adj.*	steady and dependable
61. 怀	huái	*n.*	chest, bosom
62. 揣	chuāi	*v.*	put sth. in one's clothes
63. 存款	cúnkuǎn	*n.*	bank savings
64. 富二代	fù'èrdài	*n.*	the second generation of the rich
65. 显摆	xiǎnbai	*v.*	show off
66. 围攻	wéigōng	*v.*	besiege, jointly attack sb.
67. 炫耀	xuànyào	*v.*	show off
68. 斯文	sīwén	*adj.*	refined
69. 凶狠	xiōnghěn	*adj.*	fierce and malicious
70. 搏杀	bóshā	*v.*	fight with a weapon
71. 容纳	róngnà	*v.*	accommodate
72. 撕破脸	sīpò liǎn		rip open the face
73. 浓烈	nóngliè	*adj.*	strong, thick
74. 狂欢	kuánghuān	*v.*	revelry, Carnival

75. 忠实	zhōngshí	*adj.*	faithful
76. 集	jí	*n.*	episode
77. 落	là	*v.*	miss, left out
78. 温习	wēnxí	*v.*	review
79. 外貌协会	wàimào xiéhuì		appearance association
80. 择偶	zé ǒu		select a mate
81. 围绕	wéirào	*v.*	centre on an issue
82. 心态	xīntài	*n.*	mentality, state of mind
83. 写照	xiězhào	*n.*	portrait
84. 阴暗	yīn'àn	*adj.*	dark, gloomy
85. 铁杆	tiěgǎn	*adj.*	loyal, reliable, die-hard
86. 迷茫	mímáng	*adj.*	confused, perplexed
87. 赤裸裸	chìluǒluǒ	*adj.*	naked, undisguised
88. 痛斥	tòngchì	*v.*	bitterly attack or rebuke
89. 资深	zīshēn	*adj.*	senior
90. 厌恶	yànwù	*v.*	abhor, be disgusted with , detest
91. 无厘头	wúlítóu		nonsensical humor
92. 炒作	chǎozuò	*v.*	publicity hype
93. 纠结	jiūjié	*v.*	intertwine, entangle
94. 撕扯	sīchě	*v.*	tear and pull
95. 舞台	wǔtái	*n.*	stage, arena
96. 宽容	kuānróng	*n.*	tolerance
97. 注脚	zhùjiǎo	*n.*	footnote

注释：

不是我的菜：网络流行语，意思是说某人或某事不是我喜欢的类型，不适合我的口味。"Not my dish" is an Internet buzzword which means that a certain person or thing is not to one's liking or taste.

重点句型与词汇

1. A被B盖过了风头　A was overshadowed by B

B盖过了A的风头　B overshadowed A

（1）这部一年前票房收入超过3亿元的贺岁电影，如今早已被一档同名婚恋交友节目盖过了风头。

（2）90年代，微软公司(Microsoft)是电脑业的龙头老大，但现在却被苹果公司盖过了风头

（3）韩国电视剧在女性群体中颇受欢迎，已经盖过了美剧的风头。

2. 占据……的位置／地位／第……位／　to occupy the position of /number X position

（1）在优酷视频网站，《非诚勿扰》连续多日占据搜索排行榜的第一位。

（2）五四运动在中国历史上占据重要地位。

（3）尽管中国经济的总量已经占据世界第二位，但其人均收入还是很低。

3. 最具/具有+……性（争议性、话题性、讨论性、代表性、娱乐性、挑战性） to be full of/to have +______–ness (nouns denoting a quality or condition) (i.e. controversial quality, conversational, discussion quality, representativeness, entertainment quality, challenging quality)

（1）马诺，这位《非诚勿扰》里最具话题性的女嘉宾，现在已经有了个人网站，访问量超过309万次。

（2）马诺是《非诚勿扰》里最具话题性、最具争议性、最具娱乐性的女嘉宾。

（3）蹦极是一项非常具有挑战性的运动，不见得适合所有人。

4. ……刺痛了sb.敏感的神经 to have pricked sb.'s sensitive psyche, hurt the feelings of sb.

（1）宝马和单车，一个简单的对比却瞬间刺痛了无数人敏感的神经。

(2) 这部电视剧里对第三者的描写，刺痛了社会上某些人敏感的神经。

(3) 这条大学毕业生薪水不如农民工的报道，刺痛了很多年轻人敏感的神经。

5. 以……(开放的/合作的/包容的/弱者的/胜利者的) 姿态 + VP　VP with ... attitude/manner (with open, cooperative, forgiving, weak, winning attitude/manner)

(1) 有好几位男嘉宾以一种“为民除害”的大无畏姿态把马诺这个“拜金女”骂得体无完肤。

(2) 改革开放后，中国以一种更加自信、更加开放的姿态展现在世界面前。

(3) 近年来，南海主权争端不断升级，专家呼吁各方应以合作姿态妥善解决南海问题。

6. Subj.宁可/宁愿/宁肯X，也不Y　Subj. would rather X than to ever Y

Subj.宁可/宁愿/宁肯X, 也要Z　Subj. would rather Z even if it means X

(1) 有好几位男嘉宾专程来参加节目，以一种“为民除害”的大无畏姿态，宁肯牺牲自己，也要当面把这个“拜金女”骂得体无完肤。

(2) 父亲生病后，小刘宁肯放弃在北京的工作，也要回家照顾老人。

(3) 中国有句老话：人宁可站着死，也不跪着生。

7. 事实证明，…… the facts prove that ...

(1) 事实证明，场面热闹话题不断，让相亲的结果变得似乎没那么重要了。

(2) 事实证明，贸易保护主义对双方经济发展都没有什么好处。

(3) 我当初被三所大学同时录取，经过再三考虑，我选择了布朗大学。事实证明，我当初的选择是正确的。

8. 遵循……的原则/规律/规定/ following/in accordance with….. principles/laws/rules

(1)《非诚勿扰》节目两三分钟一个小高潮，七八分钟一个大高潮，完全遵循了电视剧的规律，很戏剧化。

(2) 中美关系顺利发展，需要遵循相互尊重、平等互利、妥善处理敏感问题和有关分歧的原则。

(3) 发展经济必须从实际出发，遵循市场规律，不可一蹴而就。

9. 试图 + VP　Subj. attempts to VP

(1)《南方都市报》一篇文章以《一场浓烈的戏》为题，试图分析出这场狂欢背后的社会意义。

（2）iPhone为苹果公司带来巨大利润，微软试图推出一款能与之匹敌的产品，但没能成功。

（3）听到飞机出事的消息后，乘客家属情绪非常激动。机场工作人员试图让他们先冷静下来，但没能成功。

10. (Subj.) 围绕（着）……, (Subj.)VP　Surrounding……, Subj. VP

（1）围绕着他们的争论，是社会心态的真实写照。

（2）围绕人民币汇率的问题，中美双方进行了深入的讨论。

（3）大家围绕这篇文章的主题发表了自己的看法。

11. X也好，Y也好／也罢，+……

It doesn't matter if it is X or Y

（1）客观也好，极端也罢，这类节目能够存留下来，也许是我们社会宽容度提高的最好注脚。

（2）找工作也好，上研究所也罢，小明毕业以后做什么，都是他自己的事，你又何必为她操心呢？

（3）苦也好，乐也罢，都是他的个人选择，别人无须干涉。

词语搭配

1. 接连 + V.

~攀升 | ~创办 | ~发生 | ~受挫

（1）自年初开播以来，《非诚勿扰》的收视率接连攀升。

（2）王先生并不懂怎么做生意，接连创办了四家公司，都失败了。

（3）近几年，恐怖事件在全球各地接连发生，各国政府呼吁联合起来打击恐怖势力。

2. 引发+ N. / V.

~争议 | ~讨论 | ~关注 | ~危机 | ~纠纷 | ~矛盾

（1）让马诺迅速蹿红并引发广泛争议的是她在《非诚勿扰》中“在宝马里哭”的言论。

（2）2014年12月13日，中国首个国家公祭日(gōngjì rì, National Memorial Day)的举

行引发了国内外媒体的激烈讨论。

(3)《亲爱的》这部电影上映之后引发了社会各界对失踪儿童问题的广泛关注。

3. N. + 广泛

爱好~ | 题材~ | 兴趣~ | 内容~

(1) 让马诺迅速蹿红并引发广泛争议的是她在《非诚勿扰》中“在宝马里哭”的言论。

(2) 夏安来中国三年了，他的爱好广泛，除了喜欢打太极，还喜欢舞剑。

(3) 这次美术展览中的作品受到观众的一致好评，不仅因为其题材广泛，而且都出自近几年刚刚成长起来的年轻画家。

4. N. + 明确

目标~ | 主题~ | 态度~ | 观点~

(1) 过去的电视相亲节目，男女嘉宾的目标很明确，就是为了找对象，为了结婚。

(2) 这次会议的主题很明确，即呼吁大家，保护环境从小事做起。

(3) 近年来，很多大学毕业生的职业目标很明确，就是通过竞争激烈的公务员考试，成为一名国家机关的工作人员。

5. 极端 + V./Adj. ~厌恶 | ~排斥 | ~恶劣 | ~自私 | ~敏感

N. + 极端 想法~ | 行为~ | 观点~ | 性格~

(1) 资深媒体人蔡女士尽管个人极端厌恶这类节目的无厘头风格和过度炒作，但却肯定这类节目的存活意义。

(2) 极端自私的人让人讨厌。

(3) 有的人遇到困难时想不开，不知道如何变通，无论是想法还是行为，都很极端。

成语

1. 为民除害：替老百姓消除祸患。为：给，替；除：消除；害：祸患。

(1) 有好几位男嘉宾专程来参加节目，以一种“为民除害”的大无畏姿态批评马诺的拜金思想。

(2) 警察们经过几个星期的排查，终于摧毁（cuīhuǐ, destroy）了这个盗窃（dàoqiè, burglary）团伙，做了一件为民除害的好事。

(3)《水浒传》(Shuǐhǔ Zhuàn, *Outlaws of the Marsh*)中的很多人物都是为民除害的英雄角色。

2. 体无完肤：形容全身受伤，一般跟动词“打”“骂”“批评”搭配。肤：皮肤。

(1) 有好几位男嘉宾专程来参加节目，宁肯牺牲自己，也要当面把“拜金女”马诺骂得体无完肤。

(2) 因为没有做好充分的准备就上了法庭，张先生被对方律师驳斥得体无完肤。

(3) 这场网络口水战终于以一方将另一方骂得体无完肤落下帷幕(wéimù, heavy curtain)。

补充学习材料　视听理解

视频一　征婚女马诺宝马观惹非议

思考题：

1. 为什么马诺被网友称作“最刻薄拜金女”?
2. 马诺说“坐在宝马里哭”是什么意思?
3. 这句话引发了很大争议，马诺对自己的言论有何种解释?《非诚勿扰》节目主持人孟非又是怎么评价这句话的?

人物表

1. 马诺（Mǎ Nuò）:《非诚勿扰》节目女嘉宾。
2. 孟非（Mèng Fēi）:《非诚勿扰》节目主持人。

生词表

1. 卫视	wèishì	*n.*	satellite TV
2. 荧屏	yíngpíng	*n.*	TV screen

3. 凭借	píngjiè	*v.*	by virtue of
4. 新鲜	xīnxiān	*adj.*	fresh
5. 创意	chuàngyì	*n.*	creativity
6. 扣人心弦	kòu rén xīn xián		exciting, breath-taking
7. 环节	huánjié	*n.*	segment
8. 语出惊人	yǔ chū jīng rén		(remarks) astonishing
9. 首当其冲	shǒu dāng qí chōng		(fig.) be the first to bear the brunt
10. 模特	mótè	*n.*	model
11. 雷人	léirén	*adj.*	shocking
12. 恶毒	èdú	*adj.*	vicious, malicious
13. 刻薄	kèbó	*adj.*	mean
14. 揣测	chuǎicè	*v.*	speculate
15. 非议	fēiyì	*n.*	reproach, condemn
16. 开朗	kāilǎng	*adj.*	optimistic, sanguine
17. 直率	zhíshuài	*adj.*	frank
18. 大胆	dàdǎn	*adj.*	bold
19. 刺耳	cì’ ěr	*adj.*	harsh

视频二　马诺被男嘉宾骂哭

思考题：

1. 男嘉宾骆磊认为马诺不应该继续留在《非诚勿扰》节目当女嘉宾，他的理由是什么？
2. 为什么孟非说骆磊“有点儿替天行道的意思”？
3. 你支持不支持骆磊公开批评马诺的做法？为什么？
4. 视频结束时，马诺说“其实我不是大家想的那样”，你怎么理解这句话？

人物表

1. 马诺（Mǎ Nuò）：《非诚勿扰》节目女嘉宾
2. 骆磊（Luò Lěi）：《非诚勿扰》节目男嘉宾
3. 孟非（Mèng Fēi）：《非诚勿扰》节目主持人

生词表

1. 体谅	tǐliàng	*v.*	show understanding and sympathy for
2. 番	fān		kind, sort
3. 替天行道	tì tiān xíng dào		enforce justice on behalf of heaven
4. 诚心	chéngxīn	*n.*	wholeheartedness
5. 真诚	zhēnchéng	*adj.*	sincere
6. 流眼泪	liú yǎnlèi		shed tears
7. 位置	wèizhi	*n.*	position
8. 大款	dàkuǎn	*n.*	moneybags
9. 富豪	fùháo	*n.*	rich and powerful people
10. 保时捷	Bǎoshíjié	*p.n.*	Porsche
11. 鼻涕	bítì	*n.*	nasal mucus

视频三　《新闻联播》评论：媒体要切记社会担当

思考题：

1. 《新闻联播》对“某些”电视相亲类节目的评价是什么？
2. 《新闻联播》认为电视相亲类节目除了追求收视率之外，还应当注意哪些方面？
3. 《新闻联播》播放这条评论的目的是什么？

生词表

1. 担当	dāndāng	*n.*	responsibilities
2. 歪	wāi	*adj.*	askew, crooked
3. 宣扬	xuānyáng	*v.*	propagate, advocate
4. 炫富	xuàn fù		flaunt wealth
5. 低俗	dīsú	*adj.*	vulgar, low and coarse
6. 恶俗	èsú	*adj.*	vulgar
7. 追求	zhuīqiú	*v.*	pursuit
8. 背离	bèilí	*v.*	deviate from
9. 核心	héxīn	*n.*	core
10. 刹住	shāzhù	*v.*	stop, put on the brakes
11. 引导	yǐndǎo	*v.*	guide, lead
12. 喜闻乐见	xǐ wén lè jiàn		be delighted to see and hear

课后练习

一、选择最合适的词语填空

1. 随着关注度的提高，那位女歌手的支持率迅速__________。

   A. 蹿红　　B. 攀升　　C. 炫耀　　D. 欢迎

2. 目前，关于是否同意外国企业进入中国的金融领域，各方还有很多__________。

   A. 争议　　B. 搏杀　　C. 围攻　　D. 痛斥

3. 感谢张老师__________了自己宝贵的科研时间来参加我们的会议。

   A. 刺痛　　B. 消费　　C. 纠结　　D. 牺牲

4. 喝咖啡会让你更有__________，工作效率会更高。
   A. 神经　　B. 精神　　C. 心态　　D. 姿态
5. “我爱宝马”是__________的拜金主义思想。
   A. 大无畏　　B. 撕破脸　　C. 无厘头　　D. 赤裸裸
6. 律师在为罪犯__________时强调双方并没有任何身体上的接触。
   A. 辩护　　B. 撕扯　　C. 交锋　　D. 碰撞
7. 谈判双方在工厂设备所有权的问题上看法__________，由此引发了争吵。
   A. 铁杆　　B. 踏实　　C. 激烈　　D. 迥异
8. 这部描写战争的电影表现出“国家利益高于一切”的__________主题。
   A. 宏大　　B. 高潮　　C. 资深　　D. 宽容
9. 只有__________科学规律，才能解决发展经济与保护环境两者之间的矛盾。
   A. 围绕　　B. 遵循　　C. 响应　　D. 邂逅
10. 小偷__________打开这户人家的窗户，但没有成功。
   A. 期望　　B. 试图　　C. 甘愿　　D. 垂青
11. 他把2万块钱__________在怀里，小心地回到家里。
   A. 抠　　B. 落　　C. 揣　　D. 带
12. 一项研究证明，那些从小兴趣__________。爱探究的孩子，长大后往往有更出色的表现。
   A. 广泛　　B. 踏实　　C. 忠实　　D. 宏大
13. 相亲之前，她的__________非常明确：一定要找一个“高富帅”结婚。
   A. 心态　　B. 姿态　　C. 态度　　D. 神经
14. 这一场大雨__________了七天，长江以南地区都变成了水的世界。
   A. 连续　　B. 持续　　C. 连接　　D. 接连

二、用所给的词语和句型回答问题

1. 为什么有人说马诺是“拜金女”？（宁肯……，也不……）
2. 在你们国家，媒体最近常常讨论哪方面的话题？（引发……讨论）
3. 美国过去哪档节目最流行？现在呢？（盖过……的风头）
4. 为什么中国五六十年代实行的计划经济行不通？（遵循……原则／规定／规律）
5. 你认为中文老师应该给高年级的学生准备什么样的学习材料？（具有……性）
6.《南方都市报》为什么要发表《一场浓烈的戏》的文章？（试图）
7. Lawrence Summers 是一位杰出的经济学家，也很有领导才能，为什么被迫辞去

了哈佛校长的职位？（刺痛……敏感的神经）

8. 有钱人一定比穷人更快乐吗？（事实证明，……）
9. 最近有什么好电影吗？可否给我介绍一下？比如这部电影的主题是什么？（围绕……）
10. 我的女朋友想和我分手，我是应该接受还是拒绝？（A也好，B也罢……）

三、用所给的词语填空

敏感　包办　瞬间　体无完肤　炒作　邂逅

让人感到意外的是，女嘉宾竟然在讨论时说她支持父母_______婚姻，因为现在的年轻人很难有机会_______自己的“另一半”。_______的媒体对此迅速进行了_______，甚至有人把女嘉宾骂得_______。对婚姻的讨论也_______占据了很多网上论坛的主要位置。

注脚　厌恶　择偶　忠实　迷茫　容纳　复杂

马诺的拜金思想固然反映出当代中国社会_______的一面，很多人也_______像她这样的炒作行为，但同时却还有许多人成了马诺的_______粉丝，在网络上替她辩护。我们不必对此感到_______或难以理解。其实，价值观的分化正是社会进步的_______，它说明社会的宽容度在提高，可以_______不同的思想与观念，也说明年轻人在_______方面有了不同于过去的新思想。

四、翻译

1. Even though it is extremely challenging to investigate criminal behavior, as long as we adhere to scientific regulations, we will be able to analyze the psychology behind the shady actions of certain people.
2. Even though people who are against the program “*You Are The One*” have fearlessly denounced it, the program remains the most talked about program and has long occupied the top spot on rating lists. Male and female guests on the show with extreme ideas have ridden on the wave of the program’s rising popularity to become network stars. Once again it proves that whether or not people support or are against a program, as long as it is able to catch the attention of its audience, even if it might cause some sensitive viewers to prickle, it can still be considered a success.

五、从句段到篇章：介绍一个电视节目

在讨论一个具有争议性的话题时，往往需要全面分析各方的不同看法，作为自己发表观点的基础。下面这段文字改编自第二段视频，文中阐述了不同人针对中国对非投资所持的正反两种意见。

基本结构	常用句式和词汇
节目性质、基本信息	**常用句型：**……是……打造/制作的一档……节目；由……制作的……；……与……联合打造； **常用词汇：**新闻；财经；体育；文化娱乐；生活；谈话；军事；教育；科技；少儿；老年；选秀；真人秀
节目内容和精彩之处	**常用句型：**……最为突出的特点是……；……方面给人留下深刻印象；……(就)在于……；节目功能：政治宣传；思想教育；文化传播；大众娱乐；生活服务；新闻分析 **常用词汇：**市场化；参与性；互动性；生活化；平民化可观；理性；夸张；幽默；滑稽；气氛热烈；真实；深刻；雷人；刺激；感人；发人深省
观众反映与分析	**常用句型：**……引起……的关注/反感/不满/讨论/气愤；……创下……的收视率；……红遍……；……的社会反响强烈/一般；得到……的好评；起到……的作用；之所以……，是因为……；满足……的需要；受到……的青睐 **常用词汇：**收视率/收视冠军；超高人气；关注度；转播；点播；点评；网络点击率；老少皆宜；少儿不宜；暴力；色情；宣扬；寓教于乐；喜闻乐见；真知灼见；粉丝；审美观；价值观

范文：关于电视真人秀《爸爸去哪儿》的介绍

《爸爸去哪儿》是这两年红遍中国的一个亲子户外真人秀节目。这档节目是湖南卫视参考韩国MBC电视台的《爸爸！我们去哪儿?》节目，结合中国国情，聘请知名制作人谢涤葵、洪涛及其各自团队联合打造的，在2013年1月首次播出。

节目基本信息

节目中，五位明星爸爸在72小时的户外体验中，单独照顾子女的饮食起居，同时还要与孩子完成节目组设置的一系列任务，如农村放羊、野外爬山、上船捕鱼等等。老爸们的明星身份自然是节目走红的一大因素，但除了他们的明星光环外，每个人的个人魅力和为“父”之道成为真正吸引观众的要素。除此之外，五个孩子也都聪明可爱、各有特点，挣足了眼球，成为比他们老爸还受欢迎的“星二代”。

内容介绍

明星父子们在特殊状态下的艰苦日子、难以预料的故事情节、父子间的真挚感情使《爸爸去哪儿》获得了电视的高收视率、网络视频的高点击率和社会的高关注度。节目第一季主人

公之一王诗龄的母亲李湘在2013年10月底为女儿开通新浪微博，每条微博转发都上千条，评价更是接近上万条，至2014年1月粉丝数量便已经突破五百万；其母李湘的微博粉丝也超千万。在都市快节奏的生活中，这个亲子节目使父母和孩子有机会共享天伦之乐，也让天下无数的爸爸反思自己在孩子成长过程中的作用和教育方式。因此，节目成功并不只是因为秀了一下“星爸”和“星二代”的生活八卦，而是为了给很多80后父母们展示出一部生活教育百科全书。

分析节目火爆的原因

练习：请介绍一个你自己最喜欢的电视节目，分析这个节目成功或失败的原因，以及对社会的影响。

六、新闻报告

自改革开放以来，短短三十几年，中国的经济迅猛发展，中国人富了。于是，“炫富”“仇富”“富二代”“高富美、白富帅”这些跟“富”相关的网络热词一次次成为社会新闻关注的焦点。请选其中一词作为关键词在网上搜索相关新闻，用PowerPoint做成演示文稿向全班同学报告这篇新闻。报告之前需要把这篇新闻中的关键词找出来，做一份生词表发给大家。

报告中，请讨论以下内容：

☆ 你所选的关键词的含义

☆ 与这个词相关的一条新闻

☆ 这条新闻所反映的社会心态

☆ 你个人对这条新闻或这种社会现象的看法

七、专题调查与报告

针对本课话题，请你采访你认识的中国人和美国人，请他们谈一谈他们的择偶标准，特别是择偶时对于“财富”的要求。下次课上汇报你的采访结果。

采访问题参考：

☆ 请描述一下你的“梦中情人”是什么样的人

☆ 你选择伴侣时最看重的三个标准是什么？

☆ 你认为你自己最大的三个优势是什么？

☆ 据你了解，你父母那一代人和现在的年轻人在择偶标准上有哪些不同之处？

☆ 你对收入有要求吗？如果你有两个人选：甲很穷，需要你贴补他，但其他方面综合评分高达95分；乙能保证你的物质生活，但其他方面只有60分，你会选择哪一个？

☆ 你认为男性或女性对上一个问题会有不同的答案吗？

八、辩论

马诺因一句"宁愿坐在宝马车里哭也不愿坐在自行车上笑"而一夜之间成为社会热议的焦点。有人批评她的现实，认为她赤裸裸的拜金主义言论骇人听闻，污染了社会。有人赞赏她的直白，认为在这样一个现实的社会里，追求财富并没有错，她不过是说出了很多人心中的真实想法。

- **辩论题**1："拜金"有错吗？
- **辩论题**2：马诺应该说"实话"吗？
- **辩论题**3：社会舆论有权批评某个人的价值观吗？

九、讨论与写作

（一）中国社会，你宽容吗？

三十年前，中国人的价值观可以说是大同小异。三十年后，随着经济的快速发展和对外文化交流机会的增多，中国年轻一代的观点也和老一辈人大相径庭，他们个性张扬，言行大胆，有时"语不惊人死不休"。有人说，这是中国社会更加宽容的表现。你同意这个说法吗？在你看来，中国社会宽容吗？

动笔以前，可以思考、讨论以下问题：

- 请举例说明中国社会是否是一个宽容的社会。
- 评价一个社会宽容度的标准是什么？一个社会宽容与否表现在哪些方面？
- 社会宽容度跟哪些因素有关？

（二）《媒体的责任》

非诚勿扰刚开播的时候，虽然收视率上取得了巨大成功，但其社会影响饱受非议。最终，迫于各方面的压力，节目组不得不做出整顿。人们发现类似马诺、袁媛（Yuán Yuán）这样拜金或者恶毒的女嘉宾从舞台上消失了，节目也不再公开男嘉宾的收入。《非诚勿扰》回归相亲节目的本质，弘扬真善美，传播正能量。非诚勿扰的这个变化让大家思考大众媒体的责任是什么？是否应担任道德的卫士？

动笔以前，可以思考、讨论以下问题：

- 你对《绝命毒师》（*Breaking Bad*） 的热播怎么看？这样的节目是否会对青少年有不良影响？
- 美国最近有哪些有争议的电视节目？
- 美国联邦通信委员会（Federal Communications Commission） 如何监管电视节目？如果我们假设非诚勿扰是在美国播出的，节目组是否会因为社会责任而放弃高收视率？
- 电影、电视对人们的思想观念有多大影响力？我们是否应以“维护社会公德”为理由对媒体加以约束和监督？

视频一文本

征婚女马诺宝马观惹非议

2010年的1月份，一档全新的交友节目《非诚勿扰》出现在江苏卫视晚间档的荧屏上。凭借着新鲜的创意、扣人心弦的环节使这档节目迅速成为了全国的收视冠军。而那些语出惊人的女选手们也都成为了网络热议的人物。

首当其冲的就是11号马诺，一个二十二岁的平面模特，来自北京。

男选手：以后，你愿不愿意经常陪我一块儿骑单车？

马诺：我还是坐在宝马里哭吧。

这些话一出口，很快就被网友评价为“雷人”“恶毒”“最刻薄拜金女”。

市民一：反正网上对她评价不是很好吧。

马诺，她为何总是语出惊人？她又是否真的像众多人揣测的那样，是“抱着成名的目的”而来呢？

记者：网上有很多关于你的新闻，你自己上网去看吗？

马诺：我不看。

记者："宁愿坐在宝马车里面哭"，大家都有一些争议，而且也有一些非议，你自己是怎么想的呢？

马诺：我觉得这是一句冷笑话吧，大家没有必要太认真，因为有的人理解的可能不一样吧。

马诺说她的性格向来开朗、直率，有什么就说什么。"宁愿坐在宝马车里边儿哭"也是她当时的一种直接表达，并没有想太多。

而对于女嘉宾们大胆、刻薄的言论，尤其是马诺的那句"名言"，节目主持人孟非认为，他们只是表达了他们心里想说的，是一种"真实的表达"。

孟非：我觉得有很多人有可能都这么想，但是未必都会说出来，她说出来了，所以很多人觉得刺耳。但是很多人你想一想，你在做选择的时候，会跟她一样，还是不一样？这个答案在自己心里。

视频二文本

马诺被男嘉宾骂哭

骆　磊：每天我看完这个节目，上网看网友留言。你说，网友其实……全国这么多网友，他们上完一天班也非常累，但是他们回到家后还要开开电脑说你两句。你说是不是？

马　诺：不是，那……

骆　磊：你要体谅别人呀。

孟　非：我刚才特别想说，他刚才对马诺说的这番话，有点替天行道的意思。你有没有这种感觉？

骆　磊：非常有。而且我觉得我还有几句话想告诉马诺。其实我个人认为，你其实不应该留在这里。如果我是你，我肯定不会留在这里。因为现在《非诚勿扰》它当中有一个"诚"字，我觉得是要（有）诚心，她是很真诚地来到这个节目，想寻找自己的另一半。而你提出的要求像什么"在宝马里面流眼泪"，或者怎么样，我觉得像我们这种正常的小青年，不是家里很有钱的话，没有办法满足到你这样的高要求。所以呢，我觉得你应该让出这个位置，让那些更加真诚的女孩子可以到这个节目来寻找她们的另一半。然后，我还想建议你一下，就是这个节目其实不适合你，像你说的这些条件呢，应该适合选美，因为下面坐的不是大款，就是富豪。不要说你在宝马里面流眼泪，就算你坐在保时捷里面流鼻涕，都是可以的。谢谢。

主持人：马诺你要说话吗？

马　诺：其实我不是大家想的那样。对不起。（马诺离开舞台）

视频三文本

《新闻联播》评论：媒体要切记社会担当

现在播送本台评论——媒体要切记社会担当。近来一些地方卫视婚恋交友等节目，为了高收视率，越走越歪。一经播出引起各界高度关注。在一些相亲类节目中，有的宣扬和炒作“拜金女”“炫富男”等低俗、恶俗内容，很不健康。组织者单纯追求收视率和知名度，没有尽到媒体责任，背离了社会主义核心价值体系，此风应该刹住！

电视相亲类节目，有社会需求，但必须正确引导，不能“赢”了收视，丢了责任。媒体工作者切记社会担当，才能做出高品质、健康向上的文化节目，才能让屏幕清新健康，让观众喜闻乐见。

专题三　环境保护

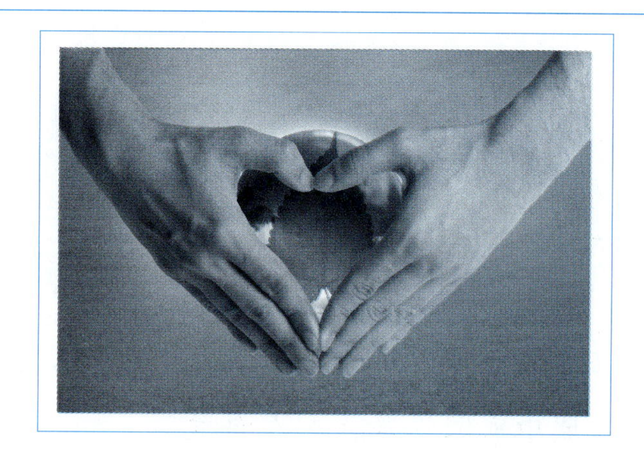

主要内容

中国经济高速发展的代价之一是对自然环境的破坏。中国政府怎样破解环境污染的困局？政府、企业、老百姓应承担起怎样的责任？发展中国家能否实现经济发展和环境保护的“双赢”？这些问题是这一专题探讨的内容。

本专题以视频内容为主。第一个视频以太湖水污染为例，分析了中国水体污染的根本原因；第二个视频介绍了政府治理空气污染的相关措施以及市民的反馈；第三个视频介绍了中国官方对环境问题的立场和态度。补充阅读文章探讨了处于社会转型中的中国需要建立什么样的消费观和发展观。

学习目标

1. 了解并描述中国环境污染的相关问题，如现状、原因及治理对策。
2. 结合国情，介绍某一新法规、政策及其产生的影响。
3. 讨论“经济发展”与“环境保护”两者之间的关系，以及一个国家为了保护环境应鼓励什么样的发展观和消费观。

重点学习材料　视听理解

视频一　中国水污染，不是天灾而是人祸

思考题：

1. 为什么中国水污染不是天灾而是人祸？
2. 太湖水污染在监管方面有什么困难？

2007年5月29日，沉默无言了数年的蓝藻全面爆发，“太湖水美”的歌谣一去不返，无锡城中家家水臭，人人自危。

哪里还有干净之水

“你家的水臭不臭？”在那段蓝藻困扰无锡城的时间里，这句话无疑是出现频率最高的问候语。而这臭味的罪魁祸首就是在太湖里疯狂生长的蓝藻。近年来蓝藻俨然成为破坏水体的一大杀手：安徽巢湖岌岌可危，云南滇池早已被蓝藻所吞没，南京玄武湖出现了蓝藻造成的“黑水”现象，同样武汉市内湖面上漂浮着由于蓝藻肆虐而致死的20万斤死鱼……愈演愈烈的水污染突发事件，已经从农村蔓延到了城市，从偶然变成了常态。

原因

1. GDP崇拜之痛

长期以来，中国普遍存在着“唯GDP崇拜”的观念。GDP也许涵盖着所有，却忽略了环境；它也许代表着增长，却不等于科学发展。

2. 监管：九龙混杂之乱

以太湖蓝藻事件为例。太湖流域处于长三角发展的黄金中心点，地跨江苏、浙江两省，苏州、无锡、常州、湖州和浙江等等大中城市围绕其周

围。这种天然的行政区隔，为周边诸城环保部门的监管带来了难度，也为他们的责任推诿提供了条件。而最终的结果，就造成太湖人人用，人人污，人人弃之不管，太湖俨然成了一个难以顾及的管理盲区。

3. 观念：落后自大之哀

长期以来，我们对于环境保护，始终没有予以足够的重视，加之极端的“人类中心主义理论”，造成了人与自然不能和谐相处。自大的人类征服了自然，无度地向自然索取。也许人类是有感情的动物，而环境的报复则是无情的。如果还是坚持这么走下去，那么，在我们还没有等到中华真的崛起的那一天，我们的自然环境就已经被我们糟蹋得无法再去承载经济社会的正常运行了。

地名表

1. 太湖	Tàihú	Lake Tai, a large lake in Eastern China
2. 无锡	Wúxī	a major city in Jiangsu province
3. 安徽	Ānhuī	Anhui Province
4. 巢湖	Cháohú	Lake Chao, the largest lake in Anhui Province
5. 云南	Yúnnán	Yunnan Province
6. 滇池	Diānchí	Lake Dian, a large lake in Yunnan province
7. 南京	Nánjīng	Nanjing, capital of Jiangsu province
8. 玄武湖	Xuánwǔhú	Lake Xuanwu, a famous lake in Nanjing
9. 武汉	Wǔhàn	Wuhan, the capital of Hubei province
10. 长三角	Chángsānjiǎo	the Yangtze River Delta
11. 江苏	Jiāngsū	Jiangsu Province
12. 浙江	Zhèjiāng	Zhejiang Province
13. 苏州	Sūzhōu	a major city in Jiangsu province, adjacent to Shanghai
14. 常州	Chángzhōu	a prefecture-level city in Jiangsu province
15. 镇江	Zhènjiāng	a prefecture-level city in Jiangsu province

16. 湖州	Húzhōu	a prefecture-level city in Zhejiang province
17. 嘉兴	Jiāxīng	a prefecture-level city in Zhejiang province

生词表

1. 天灾	tiānzāi	*n.*	natural disaster
2. 人祸	rénhuò	*n.*	man-made misfortunes
3. 沉默	chénmò	*v.*	keep silent
4. 蓝藻	lánzǎo	*n.*	cyanobacteria, blue green alga
5. 爆发	bàofā	*v.*	erupt, burst (out)
6. 歌谣	gēyáo	*n.*	ballad, folk song
7. 人人自危	rénrén zì wēi		everyone feels insecure
8. 频率	pínlǜ	*n.*	frequency
9. 问候语	wènhòuyǔ	*n.*	greetings
10. 罪魁祸首	zuì kuí huò shǒ		chief criminal, fig. main cause of a disaster
11. 俨然	yǎnrán	*adv.*	just like
12. 水体	shuǐtǐ	*n.*	waters, body of water
13. 岌岌可危	jíjí kě wēi		in imminent danger
14. 吞没	tūnmò	*v.*	swallow up
15. 漂浮	piāofú	*v.*	float
16. 肆虐	sìnüè	*v.*	wreak havoc, to devastate
17. 突发	tūfā	*v.*	burst out suddenly
18. 蔓延	mànyán	*v.*	spread, extend
19. 偶然	ǒurán	*adv.*	incidentally, occasionally, by chance
20. 常态	chángtài	*n.*	normal state
21. 崇拜	chóngbài	*v.*	worship, admire
22. 监管	jiānguǎn	*v.*	oversee, take charge of, supervise
23. 流域	liúyù	*n.*	river basin, drainage area
24. 跨	kuà	*v.*	step across, stride over, straddle

25. 行政	xíngzhèng	*n.*	administration
26. 区隔	qūgé	*n.*	segmentation
27. 推诿	tuīwěi	*v.*	blame others, unload one's responsibility
28. 盲区	mángqū	*n.*	blind zone, dead zone
29. 自大	zìdà	*adj.*	arrogant
30. 哀	āi	*n.*	sorrow
31. 予以	yǔyǐ	*v.*	give, grant
32. 极端	jíduān	*adj.*	extreme
33. 和谐	héxié	*adj.*	harmonious
34. 征服	zhēngfú	*v.*	conquer
35. 无度	wúdù	*adj.*	excessive
36. 索取	suǒqǔ	*v.*	ask for, demand, extort
37. 报复	bàofù	*v.*	retaliate, revenge
38. 无情	wúqíng	*adj.*	merciless, ruthless
39. 崛起	juéqǐ	*v.*	rise abruptly (to a towering position)
40. 糟蹋	zāota	*v.*	waste, spoil
41. 承载	chéngzài	*v.*	bear the weight of an object

注释：

1. "太湖水美"的歌谣：中国有一首著名的民歌《太湖美》，歌中赞美了太湖的美景。A popular ballad that praises the beautiful scenery of Lake Tai.
2. 人类中心主义理论：这种理论的主要观点为人类是世界的中心和主宰，所有活动都以满足人类需求为目的。Anthropocentrism takes as its central idea, the human as the center of the universe such that all activities revolve around fulfilling the needs of humans.

重点句型与词汇

1. 无疑 + VP　VP beyond doubt, undoubtedly

(1) “你家的水臭不臭”，在那段蓝藻困扰无锡城的时间里，这句话无疑是出现频率最高的问候语。

(2) 这篇论文中的某些观点无疑会遭到一些人的反对。

(3) 社会上流行的“男人四十一朵花，女人四十豆腐渣”的说法，对女性来说无疑是一种极大的歧视和侮辱。

2. 由于……而 + V　V. due to

(1) 武汉市内湖面上漂浮着由于蓝藻肆虐而致死的20万斤死鱼。

(2) 数据显示，2010年，中国有120万人由于户外空气污染而过早死亡。

(3) 这届政府由于在环境保护方面无所作为而常常受到批评。

3. 愈……愈……　more...more...

(1) 愈演愈烈的水污染突发事件，已经从农村蔓延到了城市，从偶然变成了常态。

(2) 在比赛中，中国队虽然一开始失利，但后来愈战愈勇，终于取得了最后的胜利。

(3) 债务对任何一家公司来说，都像是一个压在身上的包袱：债务愈积愈多，包袱也就愈压愈重。

4. (原因1)，加之 (原因2)，结果

(reason 1), in addition (reason 2), consequence

(1) 长期以来，我们对于环境保护，始终没有予以足够的重视，加之极端的“人类中心主义理论”，造成了人与自然不能和谐相处。

(2) 太湖处于长江三角发展区的中心，很多公司在此建厂，加之地方政府监管不力，因此污染情况十分严重。

(3) 欧洲的高福利与低就业、高债务与低增长的“两高两低”症状，加之不断加重的债务危机、日益上升的失业人数和社会动荡，令欧盟贸易保护态度越发明显。

词语搭配

1. 全面+ V.

~爆发 | ~发展 | ~分析 | ~考虑 | ~总结

(1) 2007年5月29日，沉默无言了数年的蓝藻全面爆发，“太湖水美”的歌谣一去不返。

(2) 学校不只是向学生传授知识，而应该帮助学生在品德、智力、体质等方面全面发展。

(3) 我们要对经济现象进行全面分析，不能仅从单一角度去讨论发生的原因。

2. 难以 + V.

~溯及 | ~忍受 | ~想象 | ~发现 | ~接受 | ~相信

(1) 太湖的水人人用，人人污，人人弃之不管，太湖俨然成了一个难以溯及的管理盲区。

(2) 淘宝网推出“双十一”大型促销活动，众多商品价格之低令人难以想象。

(3) 我的同屋从来不洗澡的坏习惯让我难以忍受。

3. 予以 + V.

~重视 | ~警告 | ~考虑 | ~表扬 | ~支持

(1) 长期以来，我们对于环境保护，始终没有予以足够的重视。

(2) 当地政府应当对这家污染环境的工厂予以警告和处罚。

(3) 大学应该对低收入家庭的学生的助学金申请予以充分考虑。

4. V / N. + 无度

挥霍~ | 饮食~ | 生活~ | 嗜酒~ | 花钱~

(1) 自大的人类征服了自然，无度地向自然索取。

(2) 这个败家子挥霍无度，几年之内，就花光了父母的所有积蓄。

(3) 一些年轻女孩在遭遇分手的打击后饮食无度，导致体重暴增。

成语

1. 罪魁祸首：犯罪的头目，也指灾祸的主要原因。

(1) 这臭味的罪魁祸首就是在太湖里疯狂生长的蓝藻。

（2）当前汽车废气已成为世界城市污染的罪魁祸首。

（3）国际油价连连下跌是俄罗斯国内经济动荡的罪魁祸首。

2. 岌岌可危：形容地位或状况十分危险，快要灭亡。

（1）近年来蓝藻俨然成为破坏水体的一大杀手：安徽巢湖岌岌可危，云南滇池早已被蓝藻所吞没。

（2）因为经济不景气，失业率不断攀升，物价飞涨，据政治分析家预测，该国总统的地位岌岌可危。

（3）西班牙皇家马德里队(Real Madrid Club)在联赛中屡屡战败，西甲积分榜第一的位置岌岌可危。

视频二　记者调查石家庄市民对限行的看法

思考题：

1. 石家庄市民对“限行”“摇号”等措施有哪些不同看法？
2. 新浪网友对“限行”的态度是什么？持反对态度的人，对此措施提出了哪些质疑？
3. 在你看来，“摇号”和“限行”是否可以有效治理城市空气污染、交通拥堵问题？你觉得有没有更好的解决办法？

对于用限行和摇号这种方式来治理污染，石家庄市民和网友们都有哪些看法呢？我们来看记者调查。

市民一：我觉得挺好。

记者：为什么呢？

市民一：车太多了，好多会开车的也好，不会开车的新手也好，都要上路。车太多了。

市民二：（得）节能减排是吧，（因为）现在PM2.5这么高。

但也有人认为这种方式会影响大家的出行便利，而且不一定能达到预想的效果。

市民三：我会觉得很不方便，因为我家附近坐公交车不方便，打车也不方便，我只能开车。

市民四：对我倒没有太大的损失，不过我担心实行这个政策会让一些人再买一辆车。

对于究竟应该采取哪种方式才能根治污染，也有市民提出了自己的建议。

市民五：我觉得个人只是一方面，因为治理环境污染需要全社会共同参与进来。企业这一块我觉得是一个重头。

在网上，这个话题同样引起热议。在新浪网上发起的如何看待限行措施的调查中，大约两成多的网友对此表示支持，约七成的网友持反对态度。有网友提出了四个疑问：一是单双号限行有没有开过听证会？二是"北上广"都没有靠限行解决问题，石家庄为什么那么肯定能改善环境？三是即便真限行后有半年不开车，车险等费用是否也应减免？四是：限购成为更多家庭购买第二辆车的理由，路上车更多，如何应对？

生词表

1. 限行	xiànxíng	*v.*	traffic control
2. 摇号	yáo hào		license plate lottery
3. 节能减排	jié néng jiǎn pái		energy saving and emission reduction
4. 效果	xiàoguǒ	*n.*	effect
5. 损失	sǔnshī	*n.*	loss
6. 根治	gēnzhì	*v.*	solve (a problem) fundamentally
7. 听证会	tīngzhènghuì	*n.*	public hearing
8. 车险	chēxiǎn	*n.*	automobile insurance
9. 减免	jiǎnmiǎn	*v.*	reduce and exempt
10. 应对	yìngduì	*v.*	cope with, deal with

注释：

1. 限行：指的是为了解决交通拥堵问题和减少汽车尾气污染，而采取限制某些机动车上路行驶的一种交通管理措施。通常是采用尾号限行的办法，即根据汽车车牌号码最后一位数字或字母来规定禁止上路的汽车。"Traffic Control" refers to the traffic management methods used to limit certain vehicles from using the roads in order to solve traffic congestion and to reduce pollution from car exhaust. This is normally based on the last digits on the car license plate. Cars are prohibited based on the last digit or letter of the car license plate.
2. 摇号：原本指一种采用随机方式选择号码的办法。本文中指购车摇号，即为了解决交通拥堵和环境污染问题，采用摇号的方式来分配购车指标，以便达到限制机动车的目的。License plate lottery is originally referred to a method of randomly choosing a number. In this article it refers to the lottery for the purchase of cars, which aims to solve traffic congestion and environmental pollution by using a lottery system to decide the quota of cars that can be bought in order to achieve the purpose of limiting the number of vehicles.
3. "北上广"：即北京、上海和广州的合称，这三个城市是中国发展水平最高的一线城市，但同时也面临着房价高、交通拥挤、生活压力大等突出问题。"Bei Shang Guang" refers to Beijing, Shanghai, and Guangzhou collectively. These three cities are developing at the highest level in China, but simultaneously face high property prices, traffic congestion, high stress levels, and other problems.

重点句型与词汇

1. ……是一个重头　an important component or central part

（1）我觉得个人只是一方面，因为治理环境污染需要全社会共同参与进来，企业这一块我觉得是一个重头。

（2）汉语水平考试语法是一个重头，你得好好准备。

（3）在中国对欧盟的出口商品中，纺织品（fǎngzhīpǐn, tertile）是一个重头。

2. 一成　one tenth

（1）在新浪网上发起的如何看待限行措施的调查中，大约两成多的网友对此表示支持，约七成的网友持反对态度。

（2）现在工作不太好找，大学毕业生一毕业就能找到工作的不足三成。

（3）金融危机发生后，不到一个月的时间，这个公司股票的价值就跌掉了二成。

3. 即便／即使……也……　even if ...

（1）即便真限行后有半年不开车，车险等费用是否也应减免？

（2）小王每天都练一小时的瑜伽，即便是去外地出差也从不间断。

（3）老钱是个爱管闲事的人，即使跟他没有关系的事情，他也喜欢管。

词语搭配

1. 治理 + N. / V.

~污染 | ~国家 | ~……的问题

（1）对于用限行和摇号这种方式来治理污染，石家庄市民和网友们都有哪些看法呢？

（2）当下极为重要的任务是建立一套完善的政治经济体制来治理国家，保障社会稳定。

（3）世界各国都在研究如何有效治理汽车尾气污染的问题。

2. 达到 + N.

~效果 | ~目标 | ~标准 | ~目的 | ~规模

（1）有人认为这种方式会影响大家的出行便利，而且不一定能达到预想的效果。

（2）为了达到在下次奥运会上争金夺银的目标，运动员们在赛前进行了多次高强度的封闭式训练。

（3）政府应该采取严格的措施，使所有化工厂的废气排放达到国家规定的标准。

3. 看待+ N.

~限行措施 | ~问题 | ~传统 | ~结果 | ~现象 | ~趋势

（1）在新浪网上发起的如何看待限行措施的调查中，大约两成多的网友对此表示支持。

（2）凡事都有利有弊，要以辩证的眼光看待问题，才能把握全局。

（3）留学生去国外留学，应虚心学习，不能总以批判的眼光看待对方的传统。

4. 对……表示 + N.

~支持 | ~怀疑 | ~欢迎 | ~理解 | ~赞同 | ~反对 | ~不满

(1) 大约两成多的网友对此表示支持。

(2) 这个公司宣称今年能够达到减排的目标，不少网友对此表示怀疑。

(3) 巴西总统对中国国务院总理的到访表示热烈欢迎。

5. 减免 + N.

~……的费用 | ~债务 | ~学费

(1) 即便真限行后有半年不开车，车险等费用是否也应减免？

(2) 许多非洲国家在会上再次强烈呼吁发达国家采取进一步措施，减免非洲国家债务。

(3) 中国政府出台了多项政策减免贫困大学生的学费，使许多原本上不起学的孩子能够接受一流的高等教育。

6. 应对 + N.

~挑战 | ~灾难 | ~危机 | ~问题

(1) 限购成为更多家庭购买第二辆车的理由，路上车更多，如何应对？

(2) 地震发生后，救援部队第一时间赶赴灾区，帮助当地人民应对灾难。

(3) 国际合作对于应对人类面临的挑战是非常重要的。

视频三　中国面临发展与环境保护双重挑战

思考题：

1. 解振华列举了哪些数据说明中国还属于发展中国家？
2. 气候变化国际公约对发展中国家有什么要求？
3. 视频最后，解振华指出："作为一个发展中国家，既要发展，又要减排，只有一条路。""这条路"指的是什么？请具体说明。

（解振华，曾任国家环境保护局局长：）首先中国是一个发展中国家，我们人均GDP只有3700多美金，在世界上的排序还是在一百位左右。按照联合国的贫困标准，我们还有1.5亿人处在贫困线的标准以下。中国在面临着要发展经济、改善民生、提高人民生活水平的同时，还要应对气候变化，减缓温室气体的排放速度，以及提高国家的适应能力，应该说，面临着非常繁重的既要发展又要保护环境，还要应对气候变化的多重任务。

按照气候变化国际公约的要求，发展中国家在得到发达国家资金、技术支持的情况下，要在国内采取可持续发展的行动，来减缓温室气体的排放。中国是在没有得到发达国家资金、技术支持的情况下，利用我们本国的资源自主自愿地来进行减排，应该说，这一点表明了中国政府对气候变化的重视，也是我们应对气候变化所做出的贡献，所以在十一五期间我们确定了单位GDP的能耗要降低20%左右。又进一步规定，在降低能耗的基础上要降低碳的强度，提出到2020年非化石能源，也就是零碳能源、新能源占一次能源的15%，森林的碳汇要有大幅度地增加，这是中国政府为了应对气候变化、体现负责任的态度所做出的贡献。

如何来实现这个目标呢？作为一个发展中国家，既要发展又要减排，现在看，只有一条路，就是要走绿色经济、低碳发展这条路，所以我们在这次五中全会上已经确定中国要走绿色经济、低碳发展的道路，要转变我们的发展方式，要调整我们的经济结构、产业结构、能源结构来做到既发展经济，又能够积极地应对气候变化。

生词表

1. 双重	shuāngchóng	*adj.*	double, dual
2. 挑战	tiǎozhàn	*n.*	challenge
3. 排序	páixù	*n.*	sequencing
4. 贫困	pínkùn	*n.*	poverty

5. 民生	mínshēng	*n.*	people's livelihood, people's well-being
6. 减缓	jiǎnhuǎn	*v.*	slow down
7. 温室气体	wēnshì qìtǐ		greenhouse gases
8. 排放	páifàng	*v.*	emit, emission
9. 繁重	fánzhòng	*adj.*	heavy, burdensome
10. 公约	gōngyuē	*n.*	treaty, international agreement
11. 减排	jiǎnpái	*v.*	reduce carbon emission
12. 贡献	gòngxiàn	*n.*	contribution
13. 能耗	nénghào	*n.*	energy consumption
14. 碳	tàn	*n.*	carbon
15. 碳汇	tànhuì	*n.*	carbon sink, carbon credits
16. 低碳	dītàn	*n.*	low- carbon

注释：

1. 十一五期间：从1953年开始，中国政府每五年制定一个发展计划，第一个五年计划称为“一五”。2006年至2010年属于“十一五期间”，2011年至2015年属于“十二五”期间。The five-year plans are a series of economic development initiatives that began in 1953. The first five-year plan was termed “First Five”. Years of 2006—2010 belong to the “Eleventh Five” period. Years of 2011—2015 belong to the “Twelfth Five” period.
2. 碳汇：是指从空气中清除二氧化碳的过程、活动和机制。主要是指森林吸收并储存二氧化碳的多少，或者说是森林吸收并储存二氧化碳的能力。“Carbon Sink” refers to the carbon dioxide removal process, activity, and mechanism. It primarily refers to a natural or artificial reservoir that accumulates and stores some carbon-containing chemical compound for an indefinite period, such as a forest's ability to absorb and store carbon dioxide.

重点句型与词汇

1. 处在/处于……之间/以上/以下/以内/以外　be situated in a certain position or situation

(1) 按照联合国的贫困标准，我们还有1.5亿人处在贫困线的标准以下

(2) 荷兰环境部发言人告诉记者，荷兰26%土地处于海平面以下。

(3) 统计数据显示，石家庄去年一年中有272天处于三级以上污染程度。

2. 在……的同时，……　while, at the same time ...

(1) 中国在面临着要发展经济、改善民生、提高人民生活水平的同时，还要应对气候变化，减缓温室气体的排放速度，以及提高国家的适应能力。

(2) 在娱乐节目中，各地方台的主持人在越来越低龄化的同时，中性化倾向也变得越发流行。

(3) 很多国家在取得经济发展的同时，在环境上也付出了沉重的代价。

3. 既A又B还C　not only A and B, but also C

(1) 中国面临着既要发展又要保护环境，还要应对气候变化的多重任务。

(2) 这种菜既可以生吃，又可以熟食，还可以做调味品，因此销路很好。

(3) 如果你既不锻炼，又常吸烟，还想长寿，那就只有企求上帝的帮助了。

4. 在……的基础上，……　on the basis of ...

(1) 在降低能耗的基础上要降低碳的强度，提出到2020年非化石能源，也就是零碳能源、新能源占一次能源的15%。

(2) 外交部发言人指出中方希望在平等互利的基础上与美国继续发展战略伙伴关系。

(3) 朋友间的友情应该是建立在诚实和信任的基础上的。

5. 走……道路　take the road of ...

(1) 我们在这次五中全会上已经确定中国要走绿色经济、低碳发展的道路。

(2) 改革开放后，中国开始摆脱计划经济的束缚，走上了市场经济的道路。

(3) 在发展经济的同时一定要重视环境保护，走可持续发展的道路。

词语搭配

1. 采取 + N.

~行动 | ~措施 | ~办法 | ~方式

（1）发展中国家在得到发达国家资金、技术支持的情况下，要在国内采取可持续发展的行动，来减缓温室气体的排放。

（2）北京市政府先后采取了“限行”“摇号”等各种的措施，但交通堵塞问题还是十分严重。

（3）为解决春运拥堵的问题，铁路部门采取了网上提前购票等办法，以方便老百姓春节期间出行。

2. 利用 + N.

~资源 | ~优势 | ~时间 | ~机会

（1）中国是在没有得到发达国家资金、技术支持的情况下，利用我们本国的资源自主自愿地来进行减排。

（2）他从小就生活在中英双语环境里，上了大学以后又学习了法文。毕业的时候，他利用在语言方面的优势，在外交部找到了一份非常好的工作。

（3）在准备期末考试时，学生应合理利用时间，提高复习效率。

3. 表明+ N. / V.

~立场 | ~观点 | ~意图 | ~态度

（1）这一点表明了中国政府对气候变化的重视，也是我们应对气候变化所做出的贡献。

（2）这位演讲者以自己的亲身经历表明了“逆境比顺境更有利于人成长”这一观点。

（3）通过这次投票，他表明了自己在枪支管制问题上的立场。

4. 大幅度 + V.

~增加 | ~减少 | ~提高 | ~降低 | ~上升 | ~下降

（1）森林的碳汇要有大幅度的增加，这是中国政府为了应对气候变化、体现负责任的态度所做出的贡献。

（2）我们需要大幅度降低煤炭在能源结构中的比重，大幅度提高清洁能源的比重。

（3）改革开放后，中国经济的快速发展使得人民的收入水平大幅度上升了。

5. 实现 + N.

~目标 | ~价值 | ~理想 | ~现代化 | ~城镇化 | ~工业化

（1）如何来实现这个目标呢？作为一个发展中国家，既要发展又要减排。

（2）人要实现自我价值，就要树立健康的人生价值观，正确认识和处理个人与社会的关系。

（3）你现在成为什么样的人，取决于你过去为实现你的理想所做出的种种努力。

6. 转变 + N.

~发展方式 | ~观念 | ~态度 | ~职能 | ~角色

（1）中国要走绿色经济、低碳发展的道路，要转变我们的发展方式。

（2）随着网络的发展，人们消费观念转变了，购物方式也在悄然发生变化。

（3）消息人士称，德国政府已经转变态度，支持希腊退出欧元区。

7. 调整 + N.

~结构 | ~方案 | ~心态 | ~方法

（1）要调整我们的经济结构、产业结构、能源结构来做到既发展经济，又能够积极地应对气候变化。

（2）北京市调整了公共交通的收费方案，地铁起步价由两元上涨至三元。

（3）有句话说：先处理心情再处理事情。及时调整心态，才更有利于你各方面的发展。

补充学习材料 阅读

用绿色文化观倡导环境友好型社会建设

思考题：

1. 什么是“可持续发展”？这篇文章的作者认为“可持续发展”和社会道德规范、公民自我约束的社会风尚有什么关系？
2. 请谈谈你观察到的中国“豪”文化。
3. 在梁从诚看来，为什么中国要谨慎发展汽车工业？
4. 很多人认为，中国政府要大力鼓励消费，因为消费直接带动生产。读了这篇文章以后，如果碰到持这种观点的人，你会对他说什么？

各国发展经验证明，保护人类赖以生存的环境，实现可持续发展，不仅需要相关的治理技术及产品、经济与环保政策的支撑，更需要重新建立社会道德规范，形成公民自我约束的社会风尚。今天，中国人应该具有什么样的发展观、消费观，乃至社会道德观念？日前，记者为此采访了全国政协委员、自然之友会长梁从诫。

话题从“豪”字说起。梁从诫说，现在“豪”成为一个时髦词，“豪宴”“豪饮”“豪宅”“豪车”，不一而足。其实也不奇怪，改革开放后，人们纷纷摆脱贫困，追求富裕。但是部分先富阶层和青年人受西方影响，崇尚奢侈消费及其文化，鄙视中低收入阶层。甚至有人提出，要批判中国传统的节俭道德观，声称它不利于推动社会消费、拉动市场内需等。

随着生活富裕程度的提高，我们应建立什么样的消费观？梁从诫认为，我们当然不能回到“越穷越革命”的时代中去，适度的市场消费需求可以刺激生产的增长。但必须看到问题的另一方面，即我们的消费结构建立在什么样的经济基础之上。中国当前面临资源严重短缺的局面。在支持工业的45种资源矿产中，有25种严重短缺，包括水、石油、铁矿石和一些有色金属。同时环境污染严重，我国二氧化碳排放量较大，部分国土面积是酸雨区，污染物排放已超过环境容量极限。建立在这样经济基础上的"豪华"文化，又有什么好处？

我们应有什么样的发展观？比如，很多城市把发展私人轿车作为支柱产业，我国有13亿人口，需要多少私人轿车？需要多大的汽车生产能力？要消耗多少能源和资源？这些汽车所需油料是否有充足的供应，修路、修停车场大面积挤占土地，汽车拥堵等造成的一系列问题怎么解决？

还有建立社会不同阶层群体公平、区域公平和代际公平的问题。我国的自然资源，无论是土地、矿产、水资源等，人均水平都非常有限，而资源是会消耗殆尽的。因此，少数人浪费自然资源，意味着更多的人将丧失平等享有自然资源的权利，这值得我们高度警惕。

目前，中共中央提出树立科学发展观、建立资源节约型和环境友好型社会，这是一项立足国情、高瞻远瞩的重大决策。梁从诫认为，近年来，政府着力打造循环和节能型经济，环保及有关部门和各地民间环保组织共同联手，媒体造势，创造了良好的舆论氛围。但也应该看到，中国处于社会转型时期，要使科学发展观、绿色文明价值观真正深入人心，变成人们共同遵守的行为准则，还有很长的路要走。

（本文选自《中国环境报》，2005年11月17日
引用网址：http://env.people.com.cn/GB/35525/3865277.html）

▶ 人物表

梁从诫 （Liáng Cóngjiè）：（1932年8月4日—2010年10月28日），出生于北京，中国知名环保人士、环保组织"自然之友"(Friends of Nature)创始人兼会长，被誉为"中国民间环保第一人"。

生词表

1. 支撑	zhīchēng	*n.*	support
2. 规范	guīfàn	*n.*	standard, norm
3. 约束	yuēshù	*v.*	restrain
4. 风尚	fēngshàng	*n.*	prevailing custom or practice of society at a specific time
5. 乃至	nǎizhì	*conj.*	and even
6. 政协	zhèngxié	*n.*	abbreviation for “中国人民政治协商会议” Chinese People’s Political Consultative Conference
7. 委员	wěiyuán	*n.*	committee member
8. 时髦	shímáo	*adj.*	fashionable
9. 豪	háo	*adj.*	bold and unconstrained
10. 鄙视	bǐshì	*v.*	look down
11. 批判	pīpàn	*v.*	criticize
12. 节俭	jiéjiǎn	*adj.*	thrifty
13. 内需	nèixū	*n.*	domestic market demand
14. 矿产	kuàngchǎn	*n.*	minerals
15. 短缺	duǎnquē	*n.*	shortage
16. 铁矿石	tiěkuàngshí	*n.*	iron ore
17. 有色金属	yǒusè jīnshǔ		non-ferrous metal
18. 二氧化碳	èryǎnghuàtàn	*n.*	carbon dioxide
19. 排放量	páifàngliàng	*n.*	emissions, discharge volume
20. 酸雨	suānyǔ	*n.*	acid rain
21. 容量	róngliàng	*n.*	capacity
22. 极限	jíxiàn	*n.*	limit
23. 挤占	jǐzhàn	*v.*	take sth. by force, occupy
24. 殆尽	dàijìn	*v.*	almost gone

25. 警惕	jǐngtì	*v.*	be on guard against
26. 立足	lìzú	*v.*	have one's feet firmly planted at
27. 高瞻远瞩	gāo zhān yuǎn zhǔ		look far ahead and aim high
28. 循环	xúnhuán	*v.*	cycle
29. 节能	jiénéng	*v.*	energy conservation
30. 联手	liánshǒu	*v.*	jointly
31. 氛围	fēnwéi	*n.*	atmosphere

课后练习

一、选择最合适的词语填空

1. 水污染__________已经成为中国人必须面对的民生问题了。
   A. 俨然　　B. 偶然　　C. 突发　　D. 常态
2. 地球是__________人类所有希望的地方，保护环境是每一个人的责任。
   A. 应对　　B.承载　　C. 利用　　D. 索取
3. 由空气污染产生的种种恶果正在向中国农村__________。
   A. 蔓延　　B. 涵盖　　C. 溯及　　D. 顾及
4. 现在还没有哪一种药物可以__________艾滋病。
   A. 治理　　B. 征服　　C. 根治　　D. 控制
5. 在世界环保大会上，发达国家和发展中国家互相__________环保责任，这实在是令人遗憾的结果。
   A. 推诿　　B. 忽略　　C. 弃之不管　　D. 粗放
6. 事实证明，这些环保新举措是非常__________的，值得推广。
   A. 效应　　B. 有效　　C. 效果　　D. 效率

7. 这款新产品的质量__________欧美标准，很值得在中国市场上推广。

A. 落实　　B. 达到　　C. 实现　　D. 采取

8. __________资源和创造新能源是中国经济未来能够持续发展的根本保障。

A. 节能　　B. 减排　　C. 节约　　D. 减免

9. 2008年经济危机爆发后，冰岛等国家的经济遭到严重破坏，连法国、英国这样的西方大国的经济也__________。

A. 人人自危　　B. 岌岌可危　　C. 罪魁祸首　　D. 触目惊心

10. 经济发展的速度下降虽然__________了保护环境方面的压力，但同时也带来了失业问题。

A. 调整　　B. 减缓　　C. 减免　　D. 转变

二、用所给的词语和句型回答问题

1. 环境污染给中国带来哪些负面影响？（由于……而……）
2. 教育对治理污染有什么重要意义？（无疑是）
3. 为什么污染的问题日益严重？（无度）
4. 在你看来，导致空气污染的最主要原因是什么？（罪魁祸首）
5. 我们可以怎样治理污染？（利用）
6. 对于一个国家来说，是不是应该先发展经济，再保护环境？（在……的基础上）
7. 有人认为污染主要是发达国家导致的，所以保护环境是发达国家的责任，你同意吗？（……也好，……也好，……都……）
8. 有哪些原因导致了温室气体的不断增加？（……，加之……，……）
9. 只要减免企业的税费，他们就会负起保护环境的责任吗？（即便……，也……）
10. 你认为当前人类与自然的关系是不是很和谐？（处于）

三、用所给的词语填空

爆发　索取　天灾　应对　承载　监管　肆虐

1. 对于环境污染，与其说是__________，倒不如说是人祸。在社会发展中，人类总是向自然无度地__________，而各国政府不是找不到很好的__________措施，而是对那些高污染企业缺少有效的__________，结果各地污染事件不断__________，随意__________人类赖以生活的环境。

贡献　排放　崇拜　崛起　调整　适应　采取

2. 中国如果要再次__________，就必须放弃对经济发展的__________思想，__________多种措施节能减排，实现可持续发展的目标。换句话说，中国的企业应该意识到，只要他们减少了温室气体的__________，就等于为中国的环境保护事业做出了__________。因此，那些高能耗的企业必须__________绿色经济的发展要求，不断__________自己的发展思路。

四、翻译

1. The rapid development of the economy, coupled with imperfect environmental laws have caused China's environmental problem to become increasingly serious. Major water bodies are at risk. It is imperative that China's environmental pollution problem be resolved.
2. Whether it's strengthening supervision over businesses or implementing traffic control, they are all doubtlessly policies by government to solve pollution.
3. In order to develop the economy, improve the living standards of the people, and not destroy the environment, government must turn away from GDP worshipping and take the path to a green economy, also significantly decrease the use of crude oil and coal.

五、从句段到篇章：结合国情介绍某一法规或政策

介绍一项新措施、新法规或新政策时，往往要先解释一下其产生的社会、历史背景，最后再指出新措施、新法规或新政策的作用、影响力等。本章第三段视频向我们介绍的中国减排新规划及其政策制定的背景便是很好的例子。我们再看一条有关2014年新修订的《环境保护法》的新闻：

我国的环保部门一直处于一个“尴尬”角色。由于违法成本低，刑事追责执行难，环保部门对违规企业的处罚根本难以达到震撼效果。在新的发展形势下，已颁布实施25年的《环境保护法》与现有社会的发展和新理念不适宜，存在着操作性不强、执法疲软等实际问题。

新《环保法》产生的背景，介绍了制定新法规的必要性

新环保法确定了建立社会诚信档案，公开环境违法企业信息、加强社会公众监督的目标。新《环境保护法》规定：政府环境保护主管部门和其他相关部门，应将企业事业单位的环境违法信息记入社会诚信档案，及时向社会公布违法者名单，社会组织可依此对其进行公益诉讼。

介绍新法规的具体内容

新《环境保护法》实施后，环保组织机构拥有了对污染环境、破坏生态的行为提起诉讼的权利。另一方面，公民和其他组织发现任何污染的行为，都可以向环境保护主管部门举报。今后，不仅环保公益组织将被赋予更多的权力，广大的社会公民们都有权进行举报，大家一起向污染宣战，对违法排污企业零容忍。

说明新法规的作用和影响力

下面是一些常常会用到的词语和表达法：

解释背景	**描述问题与现象** 1)随着……的发展，…… ；2)存在着……的问题/现象；3)面临……问题/困难 **引用调查与研究成果** 4)根据……研究，……；5)在研究中/调查中发现，…… **说明目的** 5)为了满足……的需要，……；7)为了应对……，……；8)针对……，……；9)……，旨在……；10)颁布了有关……的政策
介绍内容	**介绍结构** 1)……包括……部分 ；2)……由……部分组成；3)……是……的重要组成部分/核心/宗旨 **介绍具体内容** 4)确定了……的目标；5)在……中规定：……；6)并进一步明确…… **其他常用的词语：** 7)立足点/立足于；8)着眼于；9)重视；10)强调
说明影响与评价	**影响与结果** 1)随着新规则的实施，……；2)起到了……的作用；3)发生……变化；4)具有……意义/影响；5)……的作用/意义……显现出来 **评价** 6)在sb.看来，……；7)舆论认为，……；8)实践证明，……

练习：请介绍一项你们国家近年颁布的新政策或新规定。

六、新闻报告（全班轮流，根据班级人数每次可指定一或两名同学完成）

从网上查找最近有关雾霾的新闻。阅读后，用PowerPoint做成演示文稿向全班同学报告这篇新闻。报告之前需要把这篇新闻中的关键词找出来，做一份生词表发给其他同学。

报告中，请回答以下问题：

（1）目前北京雾霾污染的现状

（2）雾霾造成的危害

（3）政府近年来针对雾霾问题采取的措施

七、专题调查与报告（全班轮流，根据班级人数多少每次可指定一或两名同学完成）

针对本课话题，请你采访一个中国人，请他谈一谈对“绿色生活”的看法，下次课上汇报你的采访结果。

采访问题参考：

（1）你如何理解“绿色生活”这个概念？

（2）你平常观察到哪些不环保的做法？你为环保做了哪些贡献？

（3）你认为中国在环保方面有哪些进步？在哪些方面有待改进？

（4）你认为如何培养公民的环保意识？请举例说明。

八、辩论

近年来，中国环境污染问题日益突出：部分地区连降酸雨；燃煤污染和汽车尾气造成中东部地区大面积雾霾；工业废水和生活污水造成的水体污染令人触目惊心……污染问题已经严重威胁到公众的日常生活。一些地方政府提出“生态优先，保护第一”的口号。然而，自从改革开放以来，发展经济，提高人民生活水平一直是政府的首要任务。很多人认为应该以发展经济为先，因为环保产业是建立在强大的经济实力基础上。没有经济作为基础，环保产业将无从下手。那么究竟是发展第一，还是保护环境第一呢？

- 对于发展中国家来说，发展经济优先还是保护环境优先？

九、讨论与写作 《写给中国环境保护部的一封信》

环境污染是经济发展的必然衍生物，很多发达国家都经历过这样的阶段，比如伦敦、洛杉矶在五六十年代也曾出现过很严重的空气污染问题。中国政府采取各种措施治理污染、减少排放的同时，也应学习和借鉴其他国家的先进经验和做法。请你以一名外国学生的身份，给中国环境保护部(Ministry of Environmental Protection)写一封信，介绍一下你们国家有哪些有效的政策措施是中国可以借鉴的，帮助中国的环保事业出谋划策。

动笔以前，请思考、讨论以下问题：

- 举例说明你在中国观察到的环境污染问题。
- 在你们国家，历史上是否也出现过类似的问题？政府采取了哪些有效的措施？这些措施，哪些是针对企业行为的？哪些是提高公众环保意识的？
- 你认为哪些经验、做法值得中国政府借鉴？

专题四　男孩危机

主要内容

“男女平等”好像是个老生常谈的话题。在现代社会，中国人的两性观念是什么？对学校教育和家庭教育有何影响？如今很多男孩子的家长认为自己的孩子正在遭遇“男孩危机”。“男孩危机”指的是什么？是否真的存在？“男孩危机”背后所反映的社会心理是什么？这些问题是这一专题探讨的内容。

本专题以阅读文章为主要学习材料，配有三个背景视频材料，包括对“男孩危机”提出者的采访以及有关男孩危机的调查。

学习目标

1. 了解中国传统性别观念及其正在发生的变化，分析独生子女政策、教育体制、大众文化等因素对年轻一代“性别意识”的影响。
2. 用数据描述某一变化或趋势，并就问题的焦点进行评述。
3. 探讨性别意识与社会发展之间的关系。

重点学习材料 阅读

男孩不如女孩优秀，是现实还是幻觉

思考题：

1. 什么是“男孩危机”？
2. 哪些因素导致了“男孩危机”？
3. 读了这篇文章以后，你觉得中国存在“男孩危机”吗？

几乎在每一部青春校园片里，男孩都被描绘为教育制度的反叛者，他们挑衅老师、欺负女生、顽皮淘气、千方百计地逃离课堂。这种叛逆理所当然地被理解为是青春期和荷尔蒙的混合骚动。可是，有人说，或许现在这个社会依然是属于男人的，但它已经不属于男孩了。

最早提出“男孩危机”这个说法的人是中国青少年研究中心副主任、著名教育专家孙云晓，他在2010年出版的《拯救男孩》一书里列举出一连串的数据证明“男孩危机”不是一个伪命题。比如，从1999到2008年这十年中，全国高考状元男女比例发生了翻天覆地的变化。男生的比例一路滑坡，从1999年的66.2%滑到2008年的39.7%，女生则由33.8%上升至60.3%。大学的国家级奖学金获得者中男生的弱势也非常明显，男女总体比例接近1∶2。在这一大堆令人触目惊心的统计数字后，孙云晓提出了“今日男孩为什么从小学、中学到大学全面落后”的疑问。自此，“男孩危机”等字眼频频见诸报端，引发社会担忧。今年两会期间，全国人大代表、上海市教育发展基金会理事长王荣华“旧话重提”，并针对“男孩危机”提出改进学校教育的若干建议。

事实上，“男孩危机”不是中国特有现象，世界多个国家都出现了类似情形。比如，前几年英国社会学家发现该国男生不仅在学业上，还在诸如社会交往等方面，明显落后于女生。对此，教育专家的解释是，人类知识积累到现阶段，所有希望攀登知识高峰的个体，都必须从熟记、熟练开始，并持续相当长一段时间。女生因其先天资质，在这一赛程中具有优势，因此，导致男生落败的不是学校教育模式，而是人类知识的传承方式更适合女生。

就中国学生而言，男生包括学业在内的综合表现不如女生，应该还有更多社会因素的作用。比如，如今的青少年以独生子女居多，父母乃至祖父母关爱呵护过度，许多男孩因为缺乏挫折和磨炼，性格懦弱甚至脆弱。上海的金杨中学为此专门做了调研，写了调研文章，文章的副标题是“初中男生呈现弱势的原因及对策探析”。文章点出了男生的几大弱点：“初中男生学习成绩逊色于女生；竞选场上男生难与女生抗衡；男生吃零食的现象日渐严重；男生的课堂表现差强人意。”

如果说由于社会原因，男生已然阳刚气不足，那么女生的“雄起”，则更让男生退避三舍。传统的“重男轻女”观念在独生子女的父母那里变成“生男生女一个样”，将女儿当儿子养，“望子成龙”不成，不妨“望女成龙”。不少男孩家长认为学校开始“重女轻男”，在女孩子身上投入更多，因为她们在应试方面有更好的表现。老师也更偏爱女孩子，因为女孩子成绩好，乖巧，而男孩子则“输在起跑后的第一阶段”。

可以看出，“男孩危机”的焦虑很大程度上来自于女孩突飞猛进的发展。

然而，在很多非成绩绝对主导的竞争面前，女孩往往处于弱势地位，骄人的成绩并不一定带来好的职业生涯发展空间。女大学生、女研究生就业难的问题再现了这一社会现实。面对这样的事实，需要我们思考的是：

为什么女孩的优势会止于就业？深入挖掘问题背后的原因，不排除女性需要承担特殊的生理责任而影响了自己的职业发展这个因素，但问题的本质还是体现出男性价值观下社会对女性的总体认识和评价。一句话，传统的性别观念使然。

传统的性别观念常常被“男强女弱”“男高女低”这样一些思想占据着，人们很执着地相信很多重要的工作只有男人才能胜任。除此之外，人们总是假设工作对女性的重要性要次于婚姻和母亲角色，“男性追求事业上的成就，女性追求家庭的幸福”成为中国人的生活理想。

然而社会发展了，时代不同了，面对这一无法逆转的大趋势，需要改变的是我们的性别观念以及对女性的认识和评价，不能因为女孩在教育中展现出优势就产生“男孩危机”的焦虑。仔细思考，“男孩危机”的思想也许暴露了人们的“男子汉”情结和对“男子汉精神”的眷恋。这种情结和眷恋不过是传统男性价值观的一厢情愿罢了，而现代社会是“男女共治”的社会。社会的变化其实在告诉我们，需要改变的不是男女之间力量的抗衡，而是我们的性别观念。

著名教育家朱永新在给《拯救男孩》所作的序中提到：“其实，男孩子也好，女孩子也罢，都是大自然的神奇产物，都是这个世界上不可缺少的生命。男孩子有男孩子的优势，女孩子有女孩子的强项。从差异心理学的角度看，男孩子与女孩子的差异，远远小于男孩子与男孩子、女孩子与女孩子之间的差异。”教育需要面对的不仅仅是性别差异，还有来自家庭背景、资质条件和性格类型等多方面的差异。而教育的使命是让每一个学生都能够成才，使每一个学生的天性都得到充分自由的发展，最终把每一个学生培养成人。这才是“男孩危机”现象背后需要深入思考的问题，正如朱永新给“男孩危机”的回答：“需要拯救的不仅是男孩，更加需要拯救的，是我们的教育。”这句话表达出在“男孩危机”的讨论中对教育殊途同归的期待。

注：本文改编自以下两篇文章

1.《男孩不如女孩出色，是现实还是幻觉》，作者：顾俊，2012年03月22日《中国教育报》，引用网址：http://paper.jyb.cn/zgjyb/html/2012-03/21/content_61849.htm

2.《教育公平视野下对"男孩危机"的性别解读》，作者：胡晓红，左孟华；《东北师范大学学报》2010年第6期。

生词表

1. 幻觉	huànjué	*n.*	illusion
2. 描绘	miáohuì	*v.*	describe
3. 挑衅	tiǎoxìn	*v.*	provoke
4. 欺负	qīfu	*v.*	bully
5. 顽皮	wánpí	*adj.*	naughty
6. 淘气	táoqì	*adj.*	naughty
7. 千方百计	qiān fāng bǎi jì		make every attempt to do sth.
8. 逃离	táolí	*v.*	flee
9. 叛逆	pànnì	*n.*	rebelliousness
10. 理所当然	lǐ suǒ dāngrán		goes without saying
11. 青春期	qīngchūnqī	*n.*	puberty
12. 荷尔蒙	hé'ěrméng	*n.*	hormone
13. 混合	hùnhé	*v.*	mix up
14. 骚动	sāodòng	*v.*	disturbance
15. 列举	lièjǔ	*v.*	list
16. 一连串	yìliánchuàn	*adj.*	a series of
17. 伪命题	wěimìngtí	*n.*	false proposition
18. 状元	zhuàngyuan	*n.*	number one scholar
19. 翻天覆地	fān tiān fù dì		the whole world is turned upside down
20. 滑坡	huápō	*v.*	landslide
21. 弱势	ruòshì	*n.*	disadvantage, weakness
22. 触目惊心	chù mù jīng xīn		be shocked at the sight of

23. 疑问	yíwèn	*n.*	doubt
24. 频频	pínpín	*adv.*	frequently
25. 报端	bàoduān	*n.*	newspapers headlines
26. 引发	yǐnfā	*v.*	trigger
27. 担忧	dānyōu	*v.*	worry
28. 若干	ruògān	*pron.*	some, several
29. 类似	lèisì	*adj.*	similar
30. 解释	jiěshì	*n.*	explanation
31. 积累	jīlěi	*v.*	accumulate
32. 攀登	pāndēng	*v.*	climb
33. 资质	zīzhì	*n.*	qualifications
34. 传承	chuánchéng	*v.*	inherit
35. 呵护	hēhù	*v.*	to baby sb.
36. 挫折	cuòzhé	*n.*	frustration
37. 磨炼	móliàn	*v.*	put oneself through the mill, temper oneself
38. 懦弱	nuòruò	*adj.*	cowardly, weak
39. 脆弱	cuìruò	*adj.*	fragile
40. 对策	duìcè	*n.*	the way to deal with a situation
41. 探析	tànxī	*v.*	analysis on
42. 逊色	xùnsè	*adj.*	be inferior to
43. 抗衡	kànghéng	*v.*	act as a counter weight to
44. 零食	língshí	*n.*	snacks
45. 差强人意	chāqiáng rényì		just passable
46. 退避三舍	tuì bì sān shè		retreat about thirty miles as a condition for peace
47. 焦虑	jiāolǜ	*n.*	anxiety
48. 突飞猛进	tū fēi měng jìn		make a spurt of progress
49. 骄人	jiāorén	*adj.*	remarkable

50. 生涯	shēngyá	*n.*	career
51. 挖掘	wājué	*v.*	excavate
52. 排除	páichú	*v.*	exclude
53. 承担	chéngdān	*v.*	bear
54. 胜任	shèngrèn	*v.*	be competent for
55. 逆转	nìzhuǎn	*v.*	reverse
56. 情结	qíngjié	*n.*	complex, love knot
57. 眷恋	juànliàn	*n.*	nostalgic attachment to
58. 一厢情愿	yì xiāng qíng yuàn		wishful thinking
59. 序	xù	*n.*	preface
60. 差异	chāyì	*n.*	difference
61. 类型	lèixíng	*n.*	type
62. 使命	shǐmìng	*n.*	mission
63. 充分	chōngfēn	*adv.*	try one's utmost
64. 拯救	zhěngjiù	*v.*	save, rescue
65. 殊途同归	shū tú tóng guī		reach the same goal by different means

注释：

雄起：“雄”表示男性，“雌”表示女性。而男性被认为更有力量，“雄起”的意思就是“强大起来”，古代指崛起。它也是四川方言，1994年，四川的足球队比赛时，球迷喊出“四川队雄起”的口号，从此“雄起”就流行起来。本文用“雄起”表达“女孩子超过男孩子”，有幽默的意味。“xióng” denotes male, while “cī” denotes female. Since the masculine is viewed as stronger, “to man up” means to become bigger and more powerful. The ancient use of the term was “to rise up.” It is a term in the Sichuan dialect. In 1994, during a Sichuan football team game, the football fans yelled the slogan, “Sichuan team man up.” Since then, the term “man up” has gained popularity. In the article, the use of “man up” to describe girls outdoing or outperforming boys adds a tone of irony and humor.

重点句型与词汇

1. 见诸…… be seen in (some type of media)

（1）“男孩危机”等字眼频频见诸报端，引发社会担忧。

（2）一时间，网友对“虐猫女”的声讨见诸各大论坛头条。

（3）在中国，反对转基因食品的声音不绝于耳，但在美国对转基因食品的报道还未见诸报道。

2. “于”的用法：

（1）表示处所 in, at, on

处于 ‖ 止于

1）1. 然而，在很多非成绩绝对主导的竞争面前，女孩往往处于弱势地位，骄人的成绩并不一定带来好的职业生涯发展空间。

2. 有一个问题值得我们思考：为什么女孩的优势会止于就业？

2）面对女孩的崛起，一些教育专家、学者及家长认为一定要采取措施，改变男孩在各方面处于弱势的局面。

3）我毕业于北京大学。

（2）表示对象 to

（不）利于 ‖ 倾向于

1）前几年英国社会学家发现该国男生不仅在学业上，还在诸如社会交往等方面，明显落后于女生。

2）孙云晓认为，我们的教育体制实际上是不利于男孩子发展的。

3）现在的女性找伴侣都倾向于比自己大10岁、20岁的，因为这样给她们安全感。

（3）表示比较 to indicate comparison

次于 ‖ 小于 ‖ 倾向于

1）a. 人们总是假设工作对女性的重要性要次于婚姻和母亲角色。

b. 从差异心理学的角度看，男孩子与女孩子的差异，远远小于男孩子与男孩子、女孩子与女孩子之间的差异。

c. 初中男生学习成绩逊色于女生，这是一个普遍现象。

2）在传统社会里，人们对男孩的关注远远大于女孩。

3）有研究表明，不论是机械记忆还是理解记忆，女性都优于男性。

3. 就……而言　As far as A is concerned, taking A into consideration...

（1）就中国学生而言，男生包括学业在内的综合表现不如女生，应该还有更多社会因素的作用。

（2）这篇文章的观点一般，但就写作风格而言，属于上乘之作。

（3）这两个商业计划书都不错，但就成本而言，第二个的可行性更高一些。

4.（以）……居多　be in the majority

（1）如今的青少年以独生子女居多，父母乃至祖父母关爱呵护过度，许多男孩因为缺乏挫折和磨炼，性格懦弱甚至脆弱。

（2）中小学教师女性居多的现象十分普遍，因此很多男孩家长担心孩子在学校缺少男性榜样。

（3）本次电影节参展的电影虽然以英文电影居多，但也包括少数华语电影。

5.（不过是）……罢了　only (used at the end of the sentence)

（1）"男孩危机"的思想也许暴露了人们的"男子汉"情结和对"男子汉精神"的眷恋，这种情结和眷恋不过是传统男性价值观的一厢情愿罢了。

（2）李老板为人非常谦虚，总是说他的成功不过是巧合罢了。

（3）小王不停地提反对意见，不过是为了引起你的注意罢了，别放在心上。

6. 不可 + disyllabic word　cannot, should not, must not

（1）男孩子也好，女孩子也罢，都是大自然的神奇产物，都是这个世界上不可缺少的生命。

（2）今天是周末，下午开会的时间不可太长。

（3）"虐猫女"的行为是不可原谅的，应该受到法律的制裁。

7. 远远 + disyllabic verb

远远 + monosyllabic adj. 于　far and away

（1）从差异心理学的角度看，男孩子与女孩子的差异，远远小于男孩子与男孩子、女孩子与女孩子之间的差异。

（2）这笔买卖的利远远大于弊。

（3）要解决这家公司的债务危机，一百万美金远远不够。

（4）这辆车很漂亮，但价钱远远超过我能承受的范围。

词语搭配

1. 提出+ N.

~疑问 | ~异议 | ~观点 | ~建议 | ~问题 | ~要求

(1) 在这一大堆令人触目惊心的统计数字后，孙云晓提出了“今日男孩为什么从小学、中学到大学全面落后”的疑问。

(2) 西方教育体制鼓励学生基于事实提出自己的观点，不必完全赞同教授或课本上的说法。

(3) 主席开会前已经征求了他的意见，所以在会上他并没有提出任何异议。

2. 具有 + N.（多用于抽象事物）

~优势 | ~资格 | ~潜力 | ~劣势 | ~能力 | ~意义 | ~风格

(1) 女生在应试方面具有先天优势。

(2) 在调查这家医院的过程中，调查组人员发现只有一半的医生具有正式的行医资格。

(3) 经过三个月的试用期之后，经理认为他具有成为一名优秀销售人员的潜力。

3. 缺乏+ N. / V.

~挫折 | ~磨炼 | ~了解 | ~经验 | ~资源 | ~信心 | ~能力 | ~信任

(1) 如今的青少年以独生子女居多，父母乃至祖父母关爱呵护过度，许多男孩因为缺乏挫折和磨炼，性格懦弱甚至脆弱。

(2) 大学生就业难很大程度上是因为刚走出校园的学生缺乏工作经验及社会阅历。

(3) 越来越多的年轻观众对京剧缺乏了解，不懂得欣赏京剧的美。

4. 排除 + N.

~因素 | ~障碍 | ~可能性 | ~风险

(1) 深入挖掘问题背后的原因，不排除女性需要照顾家庭而影响了自己的职业发展这个因素。

(2) 我们需要努力排除影响中美关系发展的障碍才能让两国关系得到长远的发展。

(3) 为了应对乌克兰危机，美国白宫发言人称不排除美国单方制裁俄罗斯的可能性。

5. 承担+ N.

~责任 | ~风险 | ~工作 | ~后果

(1) 女性需要承担特殊的生理责任，为此可能会影响自己的职业发展。

(2) 成功的企业家不仅要能承担风险，还应有远见。

(3) 他在期末考试时作弊被当场抓住，只能自己承担后果。

6. 追求 + N.

~成就 | ~幸福 | ~理想 | ~金钱 | ~地位 | ~自由 | ~平等 | ~名誉

(1) "男性追求事业上的成就，女性追求家庭的幸福"成为中国人的生活理想。

(2) 民主法治、公平正义和自由平等是人类追求的共同理想和目标。

(3) 很多人花费了一生的时间追求金钱和地位，却忘了自己最初的梦想。

成语

1. 千方百计：形容为了达到某种目的，想尽一切办法，用尽一切计谋。方：方法；计：计谋。

(1) 他们挑衅老师、欺负女生、顽皮淘气、千方百计地逃离课堂。

(2) 为了孩子的前途，中国父母千方百计地让孩子上好大学。

(3) 为了不受父母控制，他千方百计地从家里搬了出去。

2. 理所当然：从道理上说应该是这样。当然：当然如此。

(1) 男孩子的这种叛逆理所当然地被理解为是青春期和荷尔蒙的混合骚动。

(2) 赡养老人是理所当然的事。

(3) 小李做事常常不考虑别人的感受，认为别人帮助他都是理所当然的，难怪他没有朋友。

3. 翻天覆地：形容变化巨大而彻底。覆：翻过来。

(1) 从1999到2008年这十年中，全国高考状元男女比例发生了翻天覆地的变化。

(2) 改革开放三十年间，深圳发生了翻天覆地的变化，以前只是一个小渔村，而现在已成为中国经济发展最迅速的经济特区。

(3) 随着国民经济水平的提高，人们的生活水平发生了翻天覆地的变化。

4. 触目惊心：看到某种严重的情况后引起内心的震惊，形容情况或问题严重。触目：目光接触到的；惊心：内心感到震惊。

(1) 在这一大堆令人触目惊心的统计数字后，孙云晓提出了“今日男孩为什么从小学、中学到大学全面落后”的疑问。

(2) 这家商店昨天晚上发生了火灾，损失惨重，现场让人触目惊心。

(3) 地震之后，居民房屋损坏严重，人员伤亡惨重，现场触目惊心。

5. 差强人意：大体上还能让人基本满意，但并不完美。差：稍微，大体上；强：振奋，使满意。

(1) 男生的课堂表现差强人意。

(2) 你的这几篇论文我都看过了，别的都不行，只有这一篇还算差强人意。

(3) 他工作很努力，甚至牺牲了很多休息的时间，可是业绩方面还是差强人意。

6. 突飞猛进：形容事业、学问进步非常快，也形容发展特别迅速。突、猛：速度快。

(1)“男孩危机”的焦虑很大程度上来自于女孩的突飞猛进的发展。

(2) 去年我在中国留学一年，口语水平突飞猛进。

(3) 改革开放以后，深圳从一个小渔村变为大都市，经济上取得了突飞猛进的发展。

7. 殊途同归：通过不同的道路走到同一个目的地。比喻采取不同的方法而得到相同的结果。殊：不同的；途：道路；归：归宿，结果。

(1) 这句话表达出在“男孩危机”的讨论中对教育殊途同归的期待。

(2) 我们两个一个是在国外读的MBA，一个是在国内读的MBA，现在都在上海的一家企业当部门经理，也算是殊途同归吧。

(3) 许多宗教的信仰方式虽然不同，但其教义殊途同归，都是劝人为善。

补充学习材料　视听理解

视频一　男女生成绩存差异，引发“男孩危机”

思考题：

1.“男孩危机”指的是什么？

2. 上海社会科学院周海望副所长为什么要进行这项调查？他从调查问卷的实际数据中得出了什么结论？

3. 记者为什么选择在开心网和人人网这两个网站上发起有关“男孩危机”的投票？

4.“80后”和“90后”的投票结果有何不同？请具体说明。

5.“80后”“90后”这两组人群投票结果的不同说明了什么问题？

6. 在你看来，哪些因素可能导致中小学期间，女孩成绩高于男孩成绩？

人物表

周海望（Zhōu Hǎiwàng）：上海社会科学院城市与人口发展研究所副所长。

生词表

1. 社会科学院	shèhuì kēxuéyuàn		Academy of Social Sciences
2. 范围	fànwéi	*n.*	range
3. 数理化	shùlǐhuà	*n.*	math, physics and chemistry
4. 投票	tóu piào		vote, poll
5. 佼佼者	jiǎojiǎozhě	*n.*	the leader
6. 录取线	lùqǔxiàn	*n.*	admission line

视频二　孙云晓谈“男孩危机”

思考题：

1. 孙云晓是怎么从生理发育角度解释当前女生成绩优于男生的趋势的？
2. 中国青少年研究中心和北京师范大学教育学院合作进行的调查中发现男女生在学习方式上存在哪些差异？对于这样的看法，你同意吗？
3. 北京大学教育学院康健教授为什么认为当前衡量好学生的标准比较单一？
4. “温室里的花朵”指的是什么人？这个比喻说明了什么？
5. 视频中提到很多中小学限制像“春游”这样的室外大型的、运动型的活动。原因是什么？
6. 孙云晓呼吁“运动第一，学习第二”。你怎么理解这句话？他说的有道理吗？

人物表

1. 孙云晓（Sūn Yúnxiǎo）：青少年教育专家，《拯救男孩》作者。
2. 康健（Kāng Jiàn）：北京大学教育学院教授。

生词表

1. 综合	zōnghé	*adj.*	comprehensive
2. 素质	sùzhì	*n.*	quality
3. 发育	fāyù	*v.*	development, growth
4. 放大	fàngdà	*v.*	amplify
5. 充满	chōngmǎn	*v.*	be filled with
6. 失败感	shībàigǎn	*n.*	sense of failure
7. 阴影	yīnyǐng	*n.*	shadow
8. 擅长	shàncháng	*v.*	be good at
9. 显著	xiǎnzhù	*adj.*	significant
10. 实验	shíyàn	*n.*	experiment

11. 操作	cāozuò	*v.*	operate
12. 体验	tǐyàn	*v.*	experience
13. 衡量	héngliáng	*v.*	measure
14. 单一	dānyī	*adj.*	single
15. 春游	chūnyóu	*v.*	springtrip
16. 限制	xiànzhì	*v.*	limit
17. 乖巧	guāiqiǎo	*adj.*	well behaved
18. 释放	shìfàng	*v.*	release
19. 途径	tújìng	*n.*	way, channel
20. 温室	wēnshì	*n.*	greenhouse
21. 扭转	niǔzhuǎn	*v.*	reverse
22. 呼吁	hūyù	*v.*	appeal
23. 人格	réngé	*n.*	personality, moral quality
24. 忠于职守	zhōngyú zhíshǒu		be loyal to their duties
25. 顽强	wánqiáng	*adj.*	tenacious
26. 拼搏	pīnbó	*v.*	go all out in work
27. 崇尚	chóngshàng	*v.*	uphold，advocate
28. 荣誉	róngyù	*n.*	honor

视频三　男孩女性化问题引起关注

思考题：

1. 这段视频里出现了很多跟性别有关的词汇，比如“男子汉大丈夫”“伪娘”“娘娘腔”“花样美男”。请在互联网上搜索出这些词的含义。
2. 大部分在北京青少年成长基地的男孩子存在什么样的“问题”？
3. 请介绍一下王锐的情况。
4. 根据视频，母亲、独生子女家庭、社会审美导向与男孩女性化问题有什么关系？

人物表

1. 王锐（Wáng Ruì）：北京青少年成长基地病人。
2. 陶然（Táo Rán）：北京青少年成长基地主任。

生词表

1. 定位	dìngwèi	*v.*	position
2. 阳刚	yánggāng	*adj.*	masculine
3. 伪娘	wěiniáng	*n.*	cross dresser
4. 娘娘腔	niángniangqiāng	*n.*	sissy
5. 阴盛阳衰	yīn shèng yáng shuāi		stronger women and feebler men
6. 南五环	Nánwǔhuán	*p.n.*	the south 5th ring road
7. 基地	jīdì	*n.*	base
8. 晨练	chénliàn	*v.*	morning exercises
9. 矫治	jiǎozhì	*v.*	correction
10. 抿嘴	mǐn zuǐ		bite one's lips slightly
11. 掩	yǎn	*v.*	cover
12. 露	lù	*v.*	show, reveal
13. 更有甚者	gèng yǒu shèn zhě		what is more
14. 反锁	fǎnsuǒ	*v.*	counter lock
15. 美少女战士	Měishàonǚ Zhànshì	*p.n.*	Sailor Moon, a Japanese Cartoon series
16. 柔美	róuměi	*adj.*	gentle, mellifluous
17. 偷偷	tōutōu	*adv.*	secretly
18. 高跟鞋	gāogēnxié	*n.*	high-heeled shoes
19. 化妆	huàzhuāng	*v.*	put on makeup
20. 事无巨细	shì wú jù xì		take part in all kinds of work, no matter how big or trivial
21. 压缩	yāsuō	*v.*	compress

22. 冒险	mào xiǎn		adventure
23. 探索	tànsuǒ	*v.*	explore
24. 案例	ànlì	*n.*	case
25. 领	lǐng	*v.*	take care of (children)
26. 审美	shěnměi	*v.*	aesthetic
27. 导向	dǎoxiàng	*v.*	steering, orientation
28. 花样美男	Huāyàng Měinán	*p.n*	Boys Over Flowers, a Korean TV series
29. 多元	duōyuán	*adj.*	multivariant, multielement

课后练习

一、选择最合适的词语填空

1. 我认为，有些娱乐性媒体常常过度＿＿＿＿＿“伪娘”的现象，无非是为了提高自己节目的收视率。

   A. 说明　　B. 渲染　　C. 挖掘　　D. 命题

2. 飞机＿＿＿＿＿高度飞行以后，情况反而更危险了。

   A. 降低　　B. 减少　　C. 滑坡　　D. 退化

3. 他小时候常常被哥哥＿＿＿＿＿，可他从来也没觉得哥哥是一个坏人。

   A. 反叛　　B. 挑衅　　C. 冲突　　D. 欺负

4. 医生花了三个小时才把老张＿＿＿＿＿过来。

   A. 保护　　B. 抢救　　C. 拯救　　D. 呵护

5. 上次考试失败对他来说是一个巨大的＿＿＿＿＿，因为他成绩一直很好，因此他最近每天都闷闷不乐的。

A. 挫折　　B. 磨炼　　C. 锻炼　　D. 焦虑

6. 别人叫他做什么就做什么，从来都不反抗，真__________！

A. 懦弱　　B. 脆弱　　C. 悲观　　D. 骄人

7. 这个城市的环境污染__________，已经到了不宜居住的地步。

A. 千方百计　　B. 触目惊心　　C. 天翻地覆　　D. 突飞猛进

8. 你不能因为他是美国人，就__________地认为他很了解美国的历史。

A. 退避三舍　　B. 望子成龙　　C. 理所当然　　D. 殊途同归

9. 与老虎比起来，狼更__________用合作的办法追捕羊群。

A. 擅长　　B. 胜任　　C. 执著　　D. 占据

10. 虽然这次篮球比赛中国队失败了，但他们在球场上的表现一点也不__________于美国队。

A. 抗衡　　B. 逆转　　C. 逊色　　D. 传承

二、用所给的词语和句型回答问题

1. 你认为中国当前存在的最严重的问题是什么？（触目惊心）
2. 当前算不算是世界和平的时期？为什么？（频频）
3. 如果中国经济发展一直依靠出口，你觉得将来能否健康发展下去？（转型）
4. 90年代后的互联网发展得怎么样？（突飞猛进）
5. 有人认为中国已经是一个发达国家，你同意这样的看法吗？为什么？（就……而言，……）
6. 在你看来，女权主义者的根本目的是什么？（追求）
7. 就性格而言，独生子女有哪些缺点？（缺乏，承担）
8. 美国家庭一般有几个孩子？（以……居多）
9. 现代社会中，哪些东西对我们的生活至关重要？（不可缺少）
10. 你认为以后真的会出现以女性为中心的社会吗？（不过是……罢了）

三、用所给的词语填空

望子成龙　转型　青春期　引发　焦虑　担忧　脆弱

_______的孩子正处在性格_______时期，这一时期的孩子常常很_______，碰到一点小挫折就会非常伤心，甚至_______自己的未来。另外，中国的父母哪个不______？结果过多的要求带给孩子很大压力，会让他们内心充满______，不利于孩子的成长。因此，如何教育“大孩子”______了社会的广泛讨论。

列举　挫折　疑问　品质　殊途同归　承担　若干

在家庭教育的问题上，父母常常有很多______，比如孩子碰到______而感到难过时怎么引导？对此，儿童心理教育专家给出______建议。比如，父母可以让懦弱的孩子______自己的优良______，从而建立起自信心。而对于有叛逆心理的孩子来说，父母应该告诉孩子要勇于______责任。其实，在家庭教育的问题上，很多方法______，都能带给孩子积极的影响。

四、翻译

1. In China, at the mention of puberty sex education, many people will withdraw themselves. Teachers naturally believe that this is the responsibility of parents, but parents believe that this matter is the duty of educators.
2. Parents who lack education experience often cause harm to their children. Incidents of this kind frequently appear in newspaper headlines. This shows the thinking of the viewpoint that “having a kid naturally makes you a parent,” exposing it as only wishful misconception.
3. Ever since 1978, China’s economy has undergone massive changes; people’s way of thinking is also vastly different than before. This shows that reform and revolution often reach the same goal by different means; both can change society and transform people’s ideologies and outlook.

五、从句段到篇章：通过引用调查数据进行有理有据的论述

在分析或论述中，引用某一调查数据来证明自己的观点，会大大提高文章的说服力。比如视频一中，作者为了证明男女生成绩存在差异，引用了好几组数据。这样的论述通常分三步进行：

基本结构	常用句式和词汇
1. 简要介绍这个调查的出处和目的，包括调查者或调查机构、调查时间、调查范围等。	不久前、上周、上个月、最近 对/就……问题进行调查/统计 / 采访 以问卷/对话方式进行调查
2. 列举相关数据，具体解释调查的结果。	**引入数据：** 调查/统计结果如下；在调查中发现；调查数据显示； **比较数据：** A大 / 小 / 高 / 低于B； A相当于B的……分之……；与……比起来；相比而言 **表示变化与发展：** 上升；下降；增加；减少；一路上涨/下滑；跌幅达到；涨幅达到；大幅度+V；多达；仅有；不足；超过； **数据形式：** 百分之……；……分之……；半数；……成；绝大多数；极少数；……以上/以下
3. 总结这个调查反映说明的问题，做进一步讨论。	从上述分析可知；就……而言；……说明了……；可以得出……的结论；由此可知；总的来说；总体而言；总之

范文：

年份	男状元比例	女状元比例
2000	60.00%	40.00%
2012	49.38%	50.62%

中国校友会网2000—2012年中国高考状元性别构成情况

不久前，中国校友会网对2000—2012年中国各省市高考状元中男女比例做了一次统计。女状元略多于男状元，“半边天”的高考成就令人刮目相看。统计发现，女状元从2000年最低的40.00%上升到2012年的51.84%；而男状元比例则从2007年的60.00%下降至2012年的49.38%，跌幅明显。总体而言，2000年以来全国高考状元“阴盛阳衰”趋势明显，这说明男性高考竞争力下降。

练习：下面的图表是麦可思（Mycos.com）研究院2011年进行的一次关于中国大学毕业生就业情况的调查。请介绍下面这个调查中的两个结果，男女大学毕业生的就业率及平均薪水差异，分析这一调查反映出的问题。

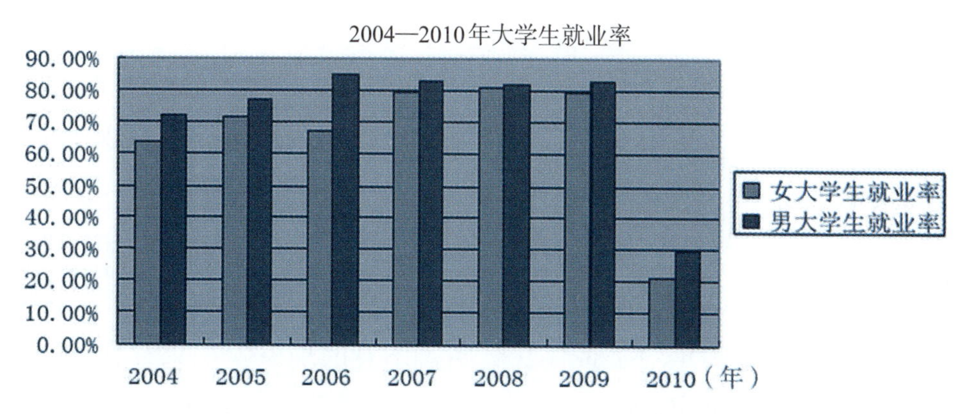

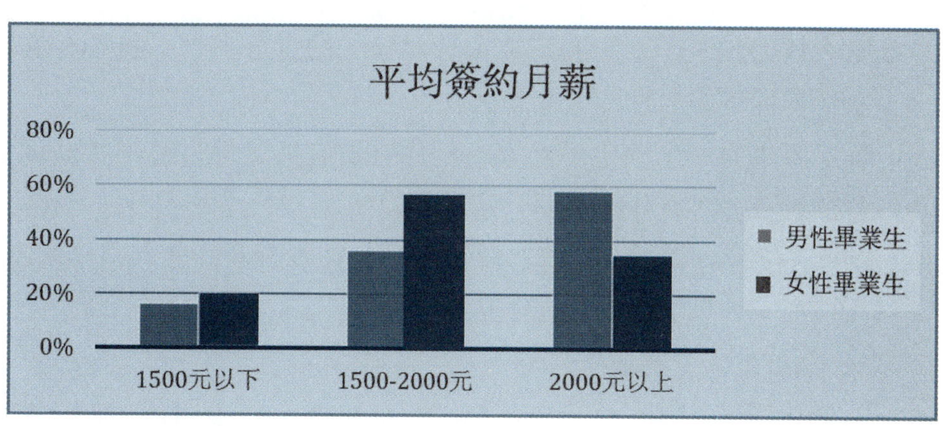

六、新闻报告

1. 在我们讨论中国的“男孩危机”这个问题时，“男孩女性化”在日本、韩国也普遍存在，甚至成为了一种时尚。很多在年轻人中流行的男性艺人或乐团成员都是一些“娇媚”的男孩子。请从网上查找一篇和这个现象有关的新闻，用PowerPoint做成演示文稿向全班同学报告这篇新闻。报告之前需要把这篇新闻中的关键词找出来，做一份生词表发给大家。

2. 近几年，一些和性别有关的新词频频出现，比如“伪娘”“纯爷们”“女汉子”“萌妹子”，在网络上广泛使用。请选其中一词作为关键词在网上搜索并阅读一篇相关新闻，用PowerPoint做成演示文稿向全班同学报告这篇新闻。报告之前需要把这篇新闻中的关键词找出来，做一份生词表发给大家。

报告中，请讨论以下内容：

☆ 这个关键词的由来

☆ 通过相关新闻，解释这个词的含义

☆ 这条新闻所反映的社会心态

☆ 你个人对这条新闻或这个关键词的看法

七、专题调查与报告

针对本课话题，请你采访你认识的中国人，从“男孩危机”这个问题讲起，谈谈独生子女家庭对中国青少年成长带来了什么样的影响。下次课上汇报你的采访结果。

采访问题参考：

☆ 现在中国青少年中是否存在着阴盛阳衰的现象？如果存在，这是不是一个危机？为什么？

☆ 有人认为独生子女家庭造成家长对孩子的过分呵护，特别是影响到男孩子男性气质的发展，你怎么看？

☆ 你是否来自一个独生子女家庭？你有没有被父母过分呵护？你父母对你的教育方法有什么不同？请举例说明。

☆ 独生子女往往被过分溺爱，除此之外，还有哪些问题？请举例说明。

八、辩论

对于中国的“男孩危机”这个问题，有的人认为问题的根源在于中国的教育制度，因为无论是教学内容还是教学方式，都不符合男孩的生理、心理特征；有人则认为责任主要在家长，是家长过于溺爱、呵护孩子，造成他们人格的软弱、不独立，没有“男子汉”的气概。因此，一些教育专家提出“分性教育”的概念，比如在学校里多为男孩子开设体育课和一些重视创造能力、动手能力的课程；在家里，父亲要多跟孩子互动，帮男孩子树立正确的性别意识。

- **辩论题：**“分性教育”是否有益于男孩的成长

九、讨论与写作：《性别》

在当今这个崇尚个性与自由的年代，传统两性定义似乎有些不合时宜了：男人何必非要高大威武、事业有成，女生也不再一味温柔可人、宜家宜室。对于两性的界定越来越模糊、灵活，也许有一天，两“性”不再那么有“别”。这对于社会有着深刻的影响，有人认为这是人性的解放，有人担心会天下大乱。请写一篇800字作文，讨论你对性别差异的看法。

动笔以前，可以思考、讨论以下问题：

- 在你们国家，近几十年来，性别观念是否发生了变化？
- 性别模糊、中性性别、性别转换是否越来越普遍？
- 这种趋势产生的背景、原因是什么？
- 性别观念与社会发展两者之间有怎样的联系？
- 在你们国家，公众舆论对这个问题有怎样的评价？你个人的观点是什么？

视频一文本

男女生成绩存差异，引发“男孩危机”

首先来关注一个现在比较热门的话题——“男孩危机”，意思是指男生在学业、心理、事业能力等方面都弱于女孩子的现象。这个话题源自于不久前的一项调查，来关注一下。

前不久，上海社科院城市与人口发展研究所的周海望副所长开展了一次问卷调查，范围涉及小学三年级至初中三年级。原本的研究目的是比较上海市外地孩子与本地孩子的成长情况，但整理近1500份问卷调查数据过程中，他却发现了一个意想不到的结论：女孩的各科成绩均好于男生。英语成绩的差异最为明显，接近8分。就连一向被认为是男孩强项的数理化，女孩的分数也超过了男生，其中化学的平均成绩比男孩高出了6分。

就此话题，记者联系了青少年比较关注的开心网和人人网，联合发起了一次投票。仅仅5天的时间，在开心网参与投票的人数就达到了百万人次。其中对此观点表示认同的达到了80%，没有感觉的占到了10%，不同意此观点的占到了10%。人人网将投票的范围细分到了80后和90后专区，针对不同的人群展开了调查。“80后”普遍感觉小学时女生的成绩好于男生，占到了42.2%；而“90后”对这一现象有着更为强烈的认同感，表示强烈认同的有58.3%，同意此观点的占到了82.6%。一位上海的网友评论，儿子现在读初二是这样的，成绩佼佼者全是女生，儿子甚至说中考的录取线男生应该比女生低10分。

视频二文本

孙云晓谈“男孩危机”

那么学校内女生平均成绩高于男生是否等同于女生的综合素质优于男生呢？造成这一结果的原因又是什么呢？

(孙云晓：)“问题在于说，为什么男生普遍被感觉到成绩不好？这是值得思考的问题。”

采访中很多家长表示，生理发育上的差别也是造成学习成绩差异的原因之一。重要的是，我们应该如何看待这个差异。

(孙云晓:)“一个五岁男孩的大脑语言区的发育水平，只相当于三岁半的女孩。因此，男孩子至少在小学阶段落后，是一个特点，不是缺点。真正的问题是我们把这个特点变成了缺点，放大了这个缺点，这就是会让男孩子从小就充满了失败感。这种失败感如果不克服、不解决，会像阴影一样伴随他很长时间。”

前不久，中国青少年研究中心和北京师范大学教育学院合作，调查了全国范围内多所重点中学，发现男女生在擅长的学习方式上存在着显著的差异。

(孙云晓:)“女生最擅长的学习方式有三种：第一，语言的沟通；第二，阅读；第三，聊天。明显地看出女生擅长的是语言的表达、交流、沟通。那么男生最擅长的学习方式是四种：第一是运动；第二，实验操作；第三是使用计算机；第四是参与体验。”

而当前衡量好学生的评价标准也较为单一，学习成绩几乎决定了一切，课外活动已经少得可怜。北京大学教育学院康健教授曾经担任过八年北大附中校长的职务，对此深有体会。

(康健:)“学校现在比较重考试、重高考，所以学校的教育范围越来越有限。比方说那些游学的项目、实践的项目，甚至包括春游这样一些室外的大型的、运动型的，这样一些活动，都被限制了，都被限制其实也是会给男生和女生造成影响。”

“贪玩”——几乎所有男孩家长都会这么评价自己的孩子，女孩相对乖巧听话。而以运动作为学习方式的课程在学校里已经越来越少，这让孩子们找不到释放自己、证明自己的途径，也被动地成为了温室里的花朵。如何扭转这一局面呢？孙云晓呼吁“运动第一、学习第二”。

（孙云晓：）“所谓的运动第一并不是就是四肢发达，它实际上是人格培养第一。他长大的过程是个社会化过程，他最需要培养健康人格，比方说团队合作、忠于职守、顽强拼搏、崇尚荣誉，所有这些指标最容易在运动当中培养，运动是青少年社会化最有效的途径。”

视频三文本

男孩女性化问题引起关注

我们经常说“男子汉大丈夫”，这是我们对男性社会角色的一个普遍定位，但是现在在很多中小学校还有幼儿园，男孩子不像男孩子，缺乏阳刚之气。男孩女性化的现象是不容忽视的，像“伪娘”“娘娘腔”“阴盛阳衰”这样的词汇也越来越多地出现在人们的视线当中，甚至有专家把这个现象称作是“男孩危机”。

早上八点，在北京南五环外的中国青少年成长基地，孩子们正在晨练，他们的年龄从12岁到20岁不等。从外表上看，这些男孩子们和正常人没有什么区别，但心理医生告诉我们，在这里接受矫治的七十多名男孩，一半以上都有女性化倾向。一名十九岁的大一男孩王锐就给医生留下了深刻印象。

“最开始的时候只是发现这个孩子行为上比较女性化，比如头发比较长，说话的时候喜欢抿嘴，笑的时候会掩着嘴巴，不让自己的牙露出来。更有甚者，是他喜欢跟人靠在一起，无论男孩女孩。”小时候，王锐的爸爸经常不在家，妈妈因为工作忙，也很少管他，他经常被反锁在家里，当时的“美少女战士”等动画片和布娃娃就成了他童年最大的玩伴。“当他发现那些东西，就比如说女性的这种特征特别柔美、特别好的时候，他就开始偷偷在家趁父母不在的时候，试妈妈的高跟鞋，穿妈妈的衣服，还会偷偷给自己化妆。在那种情况下，爸妈也没有观察到。”

中国青少年成长基地主任陶然通过近十年的调查发现，近87%的孩子缺少父爱。由于很多家庭受到传统分工限制，母亲在管教孩子方面事无巨细，而这些正好压缩了男孩子发展冒险、探索精神和创造力的空间。

“我们在这里做很多案例的时候，有些孩子，有百分之六七十的孩子，‘我妈这么说的’，从来没有在他的内心世界，‘我爸爸对我有什么要求’，都是妈妈。”

“现在小男孩爱哭，现在也可能跟妈妈在一起，时间太长了也有可能，所以说父亲应该多领一领，会有影响，会有积极的影响。”

另外，男孩女性化也有许多社会因素。“可能和现在的一种审美导向有一定的关系，我现在接触的孩子都是十几岁的孩子，他们可能比较喜欢一些，现在有个词比较流行，叫‘花样美男’。当然这也是一种美，但我们说美是多元的，应该更有一种阳刚之气的这种东西，如果更多的话，可能会更好一些。”

经济篇

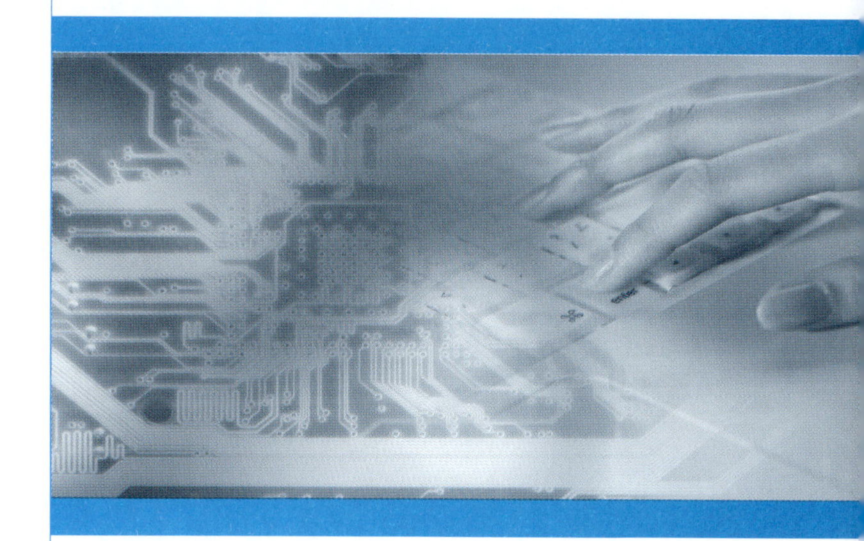

专题五　本土化

主要内容

面对竞争日益激烈的中国市场，如何满足中国消费者的差异性需求，最大限度地实现国际化与本土化的有机结合，这是摆在所有跨国公司面前的一道难题。如今的本土化已不仅仅限于“很中国”的广告语或是产品包装，而是扩大到基于中国本地市场的产品、技术、商业模式、流程管理等多个方面的创新。本专题重点讨论了中国市场环境的变化以及跨国公司在中国实施本土化战略的内涵。学习本专题内容，既可以了解中国的消费文化，又能引发学习者对外国企业在中国未来发展道路的思考。

本专题以阅读文章《洋品牌的中国本土化之路》为主要学习材料，这篇文章具体讲述了肯德基等几家外企的中国本土化案例。三个背景视频中，两个讨论了中国市场和政策变化，另一个谈的是百思买在华投资失败的情况，为学生深入了解本土化问题提供了更多信息。

学习目标

1. 了解近年来跨国公司在中国市场遇到的挑战，政府相关政策的调整，以及在不断变化的市场环境下，本土化的深层内涵。
2. 学习介绍一款产品，包括产品的设计理念、市场定位、营销策略等方面。
3. 分析外国企业在中国本土化的成功案例，就本土化与国际化之间的辩证关系进行评述。

重点学习材料 阅读

洋品牌的中国本土化之路

思考题：

1. 什么是“本土化”？
2. 为什么“本土化”对跨国公司进入外国市场至关重要？
3. 本文从哪四个方面阐述了“本土化”的内涵？

21岁的王蓉（Wáng Róng）差不多每天早上都要从肯德基购买一份中国式的早餐——油条、香菇鸡肉粥。她走出快餐店，迎着北京清晨被蒙在雾霾之中的太阳，不管别人的眼光，总是大声地说出：“王蓉，你要加油。”然后走进地铁站。王蓉的目的地是国贸CBD，在那里，她将开始一天的工作。

这就是中国年轻一代日常生活中的一幕。王蓉告诉记者，她已经习惯了走进肯德基买早餐，这和她小时候在胡同里吃到的味道一样。事实上，王蓉的习惯，恰恰说明肯德基在中国本土化的成功。从肯德基1987年进入中国，80后、90后这一代中国年轻人已经习惯了肯德基、麦当劳等国外餐饮巨头在他们身边开设的店面。在生活中，这是年轻人聚会的场所，他们会在微信里面沟通：“去哪里见？”朋友们大多时候会回复在某某地方的肯德基。当然，这个约见的地点也可能会是麦当劳，或是星巴克。在中国的繁华商业区，肯德基那标志性的戴着眼镜的白胡子老爷爷的旁边不远处，往往就是麦当劳叔叔的招牌，而星巴克的充满后现代风格的美人头像标志，也在另一个地点迎接你的到来。

商务部研究院国际市场研究部副主任白明告诉记者，在这些洋品牌提供的服务中，中国味道越来越浓。“包括肯德基在内的国际知名品牌，通过几十年的努力，培养了中国年轻人的消费方式。到他们有下一代的时候，也会潜移默化地影响到他们的孩子，这是国外品牌在中国本土化成功的例子。这已经是一种生活层面的影响结果。”

中国庞大的市场对于任何一家国际公司都具有强烈的吸引力，据不完全统计，世界500强企业有490家已在中国投资。对于国际著名跨国公司占领全球市场，推动全球战略而言，中国市场的重要性不言而喻。而“国际化”和“本土化”是一个问题的两个方面，实现国际化是终极的战略目标。为达到这一目标，必须适应各国目标消费者的差异性需求，最大限度地实现国际化与本土化的有机结合，做到“思考全球化，行动本土化”。这也就意味着谁更了解市场，谁更熟悉东道国的文化习俗、行为方式，谁就能在激烈的市场竞争中占据领先地位 。

作为世界上人口最多的国家，中国从来都是个复杂的市场，如果说这些年来有什么变化，就是它现在变得更复杂了。每一个进入中国的跨国企业，必须要过本土化这一关。跨国公司本土化失败者不在少数，但成功的也为数众多，秘密何在？

跨国公司进入中国市场，第一个要诀即是品牌本土化，使消费者对其产品产生情感共鸣。在企业开展国际化营销的众多要素中，品牌具有深厚的文化内涵和情感内涵，是最需要本土化的内容。跨国公司在中国的成功，在相当大的程度上可以说是品牌营销的成功，使国际知名品牌在中国深入人心、赢得广大消费者认同的结果。从品牌名称的翻译到品牌形象代言人的挑选，从广告语的创意到品牌的宣传推广策略，跨国公司都应致力于与中国的文化、社会习俗以及消费者的价值观念等相适应。

“讨好”中国年轻人是肯德基扎根中国，实施本土化战略的重要一环。2011年，由肯德基与土豆网联合出品了由一帮90后自编、自演的《青春万万岁》微电影。在电影上演之前，肯德基还在网络上广泛征集“我议90后”视频作为影片的开放式结尾。不限年龄，不限职业，任何人都可以使用手机、相机、DV，自拍一段“我议90后”的1分钟视频。自从“征集令”发出之后，肯德基收到了来自全国的4000多条消费者视频，最终制成了《你说我说90后》的宣传片。在这个不到3分钟的片子里，导演、律师、歌手、学生、媒体人等各个职业的60后、70后、80后，还有90后都在谈论着90后，也引发了这些不同年龄段的人们追忆着自己的青春。麻辣的语言、犀利的观点不断迸发，使该片在一天间就博得了近30万的点击量[1]。肯德基品牌总经理韩骥麟（Hán Jìlín）谈到这次微电影的拍摄时说，90后的孩子对肯德基这个品牌有着不一样的情感，他们是真正意义上吃着肯德基长大的一代。社会上许多人对90后的解读总是带着批判的味道，而肯德基想为他们做些事情，认真聆听，平等对话。电影是90后喜欢的一种方式。然后呢？肯德基掏出大把钞票，协助他们实现这个梦想。再然后呢？90后们更爱肯德基。

本土化经营的第二个要诀是人力资源的本土化。人才的本土化是跨国公司最根本的本土化经营措施。市场营销专家王吉鹏（Wáng Jípéng）认为，本土化不能简单套用西方的模式，人力资源开发的研究需要本土化，尤其是具有中国特色的人力资源开发和管理。阿尔卡特中国有限公司董事长戴伯松（Dài Bósōng）在谈到其公司在本土化方面的作为时曾说过：“一旦发现中方雇员能够胜任工作，我们就让外方雇员离开。在中国的外方雇员都有一项使命，就是要培训出最能取代他们的中方雇员。”

跨国公司在华开拓市场，在中国本土化程度高的公司大都在中国投资数十亿元至百亿元不等，进入中国市场的跨国公司纷纷争抢国内人才、重金聘请中国CEO等人力资源，本土化手段已成为这些公司在中国取胜的秘

1 视频链接：www.tudou.com/programs/view/6tIzAKN_atM/

密武器。在白明看来，如果人才不本土化，则很难理解中国市场，容易造成市场策略失误。

本土化第三个要诀，是产品研发制造本土化。北京企业研究所所长贺阳（Hè Yáng）告诉记者，实际上，许多跨国公司在经营中十分注重产品研发与制造的本土化，使产品更贴近中国消费者的实际需求。和大多数跨国公司一样，西门子医疗刚落户中国的时候，绝大部分销售额来自于一线城市。这家重视技术而稍显严肃的百年公司很长时期的战略是“One fits all”，一款产品适应全球。但当西门子发现中国二三线市场逐渐具有更强消费能力后，他们增加了更多本土研发力量。为更好覆盖中国三四线城市，它在中国研发中心推出了SMART概念产品。所谓SMART，即Simple（简单易用）、Maintenance-friendly（维护方便）、Affordable（价格适当）、Reliable（可靠耐用）、Timely-to-market（及时上市）。2007年，西门子医疗的第一台符合“SMART”理念的CT机SOMATOM Spirit问世，它的售价是200万~300万元，不到高端CT机的一个零头，符合中国县级医院的心理价位，其操作难度也不会像大型医疗设备那样让县级医师望而却步。按照这个售价，每个病人接受CT检查的费用只需要170元人民币左右。SOMATOM Spirit之所以有非常优越的性价比，是因为西门子中国研发团队根据中国现有的工业零配件基础，设计研发了这款机型，其80%的零部件是在中国采购的，这就极大地降低了成本。在西门子中国的构想中，通过满足各级医疗机构——从顶尖医疗机构、专科医院到综合医院，从城市社区医院到乡村诊所的不同需求，中国将成为西门子医疗销售的第三大市场。

本土化第四点要诀，也是让跨国公司执行本土化战略最彻底的是营销渠道的本土化。企业进行跨国经营最大的困扰是没有自己的产品营销渠道。外国企业要在中国市场参与竞争，就必须解决营销渠道的适地性，这离不开对中国市场消费文化的了解和把握。

对在中国开展营销活动的跨国公司而言，不可能将其在母国市场或其他国市场成功高效的分销渠道“出口”到中国，而只能采用本土化策略，在中国建立自己的分销渠道网络。跨国公司还得根据自己所在行业、产品的特点、消费者购买行为特点和购买模式以及竞争态势等因素，制定分销渠道策略。

改革开放初期，面对国内尚未开发的大片市场，中国政府带着讨好的姿态，以减免各种税收的超国民身份待遇，向跨国公司敞开大门。三十年之后，已成为世界第二大经济体，拥有全球最高的奢侈品消费量的中国开始用平等、挑剔，甚至是带着些许傲慢的目光打量跨国公司。2010年，中国政府取消在华外商投资企业、外国企业及外籍个人城市维护建设税和教育费的减免，中国境内所有内外资企业统一全部税制，这意味着外资享受“超国民待遇”时代正式终结。与此同时，中国的本土企业也变得更成熟，更凶猛。然而，没有人想放弃中国，因为过去十年，这里仍是发展最快，变化最迅速的市场，和回春乏术的欧美经济比起来，中国区业务漂亮的成绩单仍是众多优秀跨国公司财务报表上突出的亮点。由此，中国是“战略重点”“第二故乡”，需要“加大投入”等字眼近几年又越来越频繁地出现在各大跨国公司领导人的计划表中。事实证明，无论多么“高大上”的国际跨国公司，要想立足中国，都得以更加中国化的方式加入与本土企业的“中国巷战”，因为他们知道这里仍然是赢得未来二十年发展的关键。

（本文根据人民网2014年5月19日同名文章改编，作者：孟繁勇

引用网址：http://yuqing.people.com.cn/n/2014/0519/c358832-25034088.html）

生词表

1. 本土化	běntǔhuà	*v.*	localization
2. 油条	yóutiáo	*n.*	deep-fried dough sticks
3. 香菇鸡肉粥	xiānggū jīròu zhōu		mushrooms and chicken porridge
4. 雾霾	wùmái	*n.*	fog and haze
5. 眼光	yǎnguāng	*n.*	sense of judgment, vision
6. 幕	mù	*n.*	(of a play) act, which is divided into scenes
7. 胡同	hútòng	*n.*	lane, alley
8. 巨头	jùtóu	*n.*	tycoon, magnate
9. 聚会	jùhuì	*v./n.*	get-together, party
10. 微信	wēixìn	*n.*	WeChat, a popular mobile and voice messaging communication app.
11. 沟通	gōutōng	*v.*	communicate
12. 回复	huífù	*v.*	reply
13. 繁华	fánhuá	*adj.*	flourishing , bustling
14. 胡子	húzi	*n.*	beard
15. 招牌	zhāopai	*n.*	sign
16. 后现代	hòuxiàndài	*n.*	post modern
17. 标志	biāozhì	*n.*	sign, symbol
18. 迎接	yíngjiē	*v.*	meet, welcome
19. 商务部	shāngwùbù	*n.*	the Ministry of Commercc
20. 潜移默化	qián yí mò huà		exert a subtle influence (on sb.'s thinking, character, etc.) unconsciously
21. 层面	céngmiàn	*n.*	level, layer
22. 庞大	pángdà	*adj.*	huge
23. 占领	zhànlǐng	*v.*	occupy, conquer

24. 推动	tuīdòng	*v.*	promote, push forward
25. 战略	zhànlüè	*n.*	strategy
26. 不言而喻	bù yán ér yù		self-evident, it is goes without saying
27. 终极	zhōngjí	*adj.*	ultimate
28. 需求	xūqiú	*n.*	demand, need
29. 限度	xiàndù	*n.*	limit
30. 东道国	dōngdàoguó	*n.*	host country
31. 领先	lǐngxiān	*v.*	be in the lead
32. 为数众多	wéi shù zhòngduō		numerous
33. 要诀	yàojué	*n.*	important tricks of the trade
34. 共鸣	gòngmíng	*n.*	resonance, same feeling aroused by a certain feeling of another person
35. 营销	yíngxiāo	*n.*	marketing
36. 要素	yàosù	*n.*	essential factor, key element
37. 形象	xíngxiàng	*n.*	image
38. 代言人	dàiyánrén	*n.*	spokesperson
39. 推广	tuīguǎng	*v.*	popularize, expand the use or acting scope of a thing
40. 讨好	tǎohǎo	*v.*	bow and scrape, be obsequious
41. 环	huán	*n.*	link
42. 土豆网	Tǔdòu Wǎng	*p. n.*	a Chinese video sharing website
43. 出品	chūpǐn	*v.*	produce
44. 自编	zìbiān	*v.*	self-designed
45. 自演	zìyǎn	*v.*	self-acted
46. 微电影	wēidiànyǐng	*n.*	micro film
47. 征集	zhēngjí	*v.*	collect
48. 追忆	zhuīyì	*v.*	recall, look back
49. 麻辣	málà	*adj.*	spicy and hot
50. 犀利	xīlì	*adj.*	sharp, incisive

51. 迸发	bèngfā	*v.*	burst forth, burst out
52. 点击	diǎnjī	*v.*	click on
53. 解读	jiědú	*v.*	interpretation, understanding
54. 聆听	língtīng	*v.*	listen to sb. respectfully
55. 掏	tāo	*v.*	pull out, fish out
56. 人力资源	rénlì zīyuán		human resources
57. 套用	tàoyòng	*v.*	apply mechanically
58. 开发	kāifā	*v.*	develop (new products)
59. 阿尔卡特	Ā 'ěrkǎtè	*p. n.*	Alcatel
60. 重金	zhòngjīn	*n.*	huge sum of money, high price
61. 聘请	pìnqǐng	*v.*	hire
62. 失误	shīwù	*n.*	error or mistakes resulting from carelessness or incompetence
63. 研发	yánfā	*v.*	research and development
64. 贴近	tiējìn	*v.*	press close to, nestle up against
65. 西门子	Xīménzǐ	*p. n.*	Siemens
66. 落户	luò hù		settle down
67. 严肃	yánsù	*adj.*	serious
68. 款	kuǎn	*clf.*	measure word
69. 覆盖	fùgài	*v.*	popularize
70. 概念产品	gàiniàn chǎnpǐn		conceptual product
71. 耐用	nàiyòng	*adj.*	durable
72. 理念	lǐniàn	*n.*	philosophy
73. 高端	gāoduān	*adj.*	high-end
74. 零头	língtóu	*n.*	fractional amount (less than a specific unit, such as computing and packing units, etc.)

75. 望而却步	wàng ér què bù		hang back at the sight of sth. dangerous or difficult
76. 性价比	xìngjiàbǐ	*n.*	performance price ratio
77. 零配件	língpèijiàn	*n.*	spare parts
78. 机型	jīxíng	*n.*	model
79. 采购	cǎigòu	*v.*	make purchases for an organization or enterprises
80. 成本	chéngběn	*n.*	cost
81. 构想	gòuxiǎng	*n.*	conceived idea
82. 渠道	qúdào	*n.*	channel
83. 母国	mǔguó	*n.*	the home country
84. 分销	fēnxiāo	*n.*	distribution
85. 态势	tàishì	*n.*	state, posture
86. 敞开	chǎngkāi	*v.*	open wide
87. 经济体	jīngjìtǐ	*n.*	economic entity
88. 奢侈品	shēchǐpǐn	*n.*	luxury goods
89. 挑剔	tiāoti	*v.*	picky, fastidious
90. 傲慢	àomàn	*adj.*	arrogant
91. 打量	dǎliang	*v.*	look at sb. up and down, measure with the eye
92. 凶猛	xiōngměng	*adj.*	fierce
93. 回春乏术	huí chūn fá shù		the sickness is too deeply rooted in the body for human art to do anything
94. 财务报表	cáiwù bàobiǎo		financial statement
95. 巷战	xiàngzhàn	*n.*	street battle
96. 关键	guānjiàn	*n.*	the crucial part of a matter, decisive factor

重点句型与词汇

1. 恰恰　just, exactly

（1）事实上，王蓉的习惯，恰恰说明肯德基在中国本土化的成功。

（2）他为自己找了许多不能上课的理由，这恰恰证明他是故意不来上课的。

（3）你们本来是好朋友，却为了一点小矛盾变成了敌人，这恰恰是我最不愿看到的。

2. 对（于）sb.而言，…… to / for sb., …

（1）对于国际著名跨国公司占领全球市场，推动全球战略而言，中国市场的重要性不言而喻。

（2）对学习汉语的美国学生而言，最困难的莫过于汉字的书写。

（3）对于单恋的人而言，爱情常常是单方面的感觉。

3. 最大/最小/最低 + 限度（地）+ V　verb to the greatest/least/lowest possible limit/ V到 + 最大/最小/最低 + 限度　verb to the maximum/minimum/lowest

（1）跨国企业必须适应各国目标消费者的差异性需求，最大限度地实现国际化与本土化的有机结合。

（2）为了照顾生病的妈妈，她现在已经把工作时间减至最低限度。

（3）你必须全力以赴，最大限度地去争取面试机会，这样才有可能进入“世界500强”工作。

4. 谁……谁（就）……　whoever... must/will...

（1）这也就意味着谁更了解市场，谁更熟悉东道国的文化习俗、行为方式，谁就能在激烈的市场竞争中占据领先地位 。

（2）富士康(Foxconn)的管理非常严格，谁不遵守公司的规章制度，谁就会被立即解雇。

（3）明年去海外进修的名额只有一个，谁更努力工作，谁的机会就会更大一些。

5. 过……关　pass the obstacle/stage of ...

（1）每一个进入中国的跨国企业，必须要过本土化这一关。

（2）中国有句俗话是“英雄难过美人关”，这句话似乎在其他国家也是成立的。

（3）一个政府官员只有过了“金钱关”与“人情关”，才能真正做到为人民服务。

6. ……不在少数　... are in no small number

（1）跨国公司本土化失败者不在少数，但成功的也为数众多，秘密何在？

（2）传统的中国人都认为女性应该以家庭为重，但是随着经济的发展和女性社会地位的提高，如今我身边高学历、高收入的单身女性不在少数。

（3）每当开学的时候，随处可见自己拖着行李来学校报到的学生，而家长开车来送的也不在少数。

7. ……何在？　where lies the ...?

（1）跨国公司本土化失败者不在少数，但成功的也为数众多，秘密何在？

（2）你既然已经跟你的男朋友分手了，现在又不停地给他发短信，我不明白你这么做的用意何在。

（3）冷战结束后，中东地区的局势日益动荡，原因何在？

8. 致力于　committed to

（1）从广告语的创意到品牌的宣传推广策略，跨国公司都应致力于与中国的文化、社会习俗以及消费者的价值观念等相适应。

（2）这个非盈利组织致力于在全球范围内增强人们保护野生动物的意识。

（3）苹果公司一直致力于将最佳的计算机使用体验带给全世界的消费者。

9. 纷纷 + V.　V. One after another, one by one

（1）进入中国市场的跨国公司纷纷争抢国内人才、重金聘请中国CEO等人力资源。

（2）圣诞前夕，各大商家纷纷开展促销活动，刺激消费。

（3）随着中国赴海外留学生人数的增多，美国许多高校负责人纷纷表示在未来的几年里要扩招中国留学生。

10. ……；与此同时，……　meanwhile, at the same time

（1）2010年，外资享受“超国民待遇”时代正式终结；与此同时，中国的本土企业也变得更成熟，更凶猛。

（2）华为公司在中国全力占领农村市场；与此同时，他们也开始制订进入欧美市场的战略。

（3）过去十年里，国际“热钱”大量涌入中国的资本市场；与此同时，金融危机的风险也大大增加。

11. 事实证明，……　It goes to show that.../It has been proven...

(1) 事实证明，无论多么“高大上”的国际跨国公司，要想立足中国，都得以更加中国化的方式加入与本土企业的“中国巷战”。

(2) 事实证明，批评你的人，并不一定是你的敌人；称赞你的人，也不一定是你的朋友。

(3) 事实证明，发行货币一方面能刺激经济，但同时也会造成严重的通货膨胀。

12. 立足(于)+place　based upon, established in

(1) 事实证明，无论多么“高大上”的国际跨国公司，要想立足中国，都得以更加中国化的方式加入与本土企业的“中国巷战”。

(2) 一个国家要想走在世界前列，必须立足于本国的科技创新。

(3) 解决跨文化交际的矛盾和冲突，首先得立足于对不同文化差异的深入了解。

词语搭配

1. 回复 + N.

~邮件 | ~短信

(1) 他们会在微信里面沟通，“去哪里见?”朋友们大多时候会回复，“在某某地方的肯德基”。

(2) 收到短信后请立即回复。

(3) 他每天都有大量的邮件需要回复。

2. 培养 + N.

~消费习惯 | ~兴趣 | ~心态 | ~人才 | ~孩子 | ~能力 | ~品格

(1) 包括肯德基在内的国际知名品牌，通过几十年的努力，培养了中国年轻人的消费方式。

(2) 爸爸给我买了一套世界名曲的光盘，希望培养我对古典音乐的兴趣。

(3) 培养一种自信的积极心态会让人受益匪浅。

3. 占据+N.

~地位 | ~市场份额 | ~优势 | ~榜首 | ~位置

(1) 谁更熟悉东道国的文化习俗、行为方式，谁就在激烈的市场竞争中占据领先地位 。

（2）十年前，摩托罗拉（Mótuōluólā, Motorola）手机在中国占据很大的市场份额，但现在已经难以找到它的踪影了。

（3）只有凭借先进的生产技术和管理方法，我们的本土企业才能在激烈的国际竞争中占据优势。

4. 深厚的+ N.

~内涵 | ~感情 | ~友情 | ~功底

（1）在企业开展国际化营销的众多要素中，品牌具有深厚的文化内涵和情感内涵，是最需要本土化的内容。

（2）我国的剪纸艺术属于民俗文化的范畴，其中蕴含着深厚的文化内涵。

（3）绝大多数的海外华人对家乡仍怀有深厚的感情。

5. 讨好 + N.

~中国年轻人 | ~消费者 | ~老师 | ~外国人

（1）“讨好”中国年轻人是肯德基扎根中国，实施本土化战略的重要一环。

（2）降价并不一定是讨好消费者最有效的方法。

（3）没有人愿意承担这种费力不讨好的任务。

6. 征集 + N.

~意见 | ~志愿者 | ~创意 | ~方案

（1）在电影上演之前，肯德基还在网路上广泛征集“我议90后”视频作为影片的开放式结尾。

（2）在制定新的交通管制条例之前，有关部门应该先向市民广泛征集意见。

（3）2008年奥运会在北京举行之前，各大高校广泛征集志愿者来为大会提供各种免费服务。

7. 贴近 + N.

~……的需求 | ~市场 | ~用户 | ~现实 | ~生活 | ~百姓 | ~潮流

（1）许多跨国公司在经营中十分注重产品研发与制造的本土化，使产品更贴近中国消费者的实际需求。

（2）作为销售公司，我们产品的理念就是永远贴近市场、贴近用户。

（3）许多新兴画家的作品过于抽象，既不贴近现实，也不贴近生活。

8. 稍显 + Adj.

~严肃 | ~吃力 | ~疲惫 | ~紧张

(1) 这家重视技术而稍显严肃的百年公司很长时期的战略是“One fits all”，一款产品适应全球。

(2) 这次爬山，张老师只用了半个小时，他的学生却稍显吃力。

(3) 王先生看到他妻子稍显疲惫的神色，便主动承担了所有的家务。

9. 推出 + N.

~（新）产品 | ~冬装系列 | ~新作 | ~机型 | ~品牌

(1) 为更好覆盖中国三四线城市，它在中国研发中心推出了SMART概念产品。

(2) 古奇(Gucci)将举办时装发布会，推出他们最新的冬装系列。

(3) 苹果公司平均每两年就会推出新的手机机型，来刺激消费者的购买欲望。

10. 符合 + N.

~理念 | ~条件 | ~国情 | ~规定 | ~标准 | ~需求 | ~期望

(1) 2007年，西门子医疗的第一台符合“SMART”理念的CT机SOMATOM Spirit问世。

(2) 我哥哥想参军，虽然身体很好，但是身高不符合条件。

(3) 政府应当制定符合国情的经济发展战略来保障社会的稳定繁荣。

11. 研发 + N.

~机型 | ~（新）武器 | ~药品 | ~产品 | ~软件 | ~新技术

(1) 西门子中国研发团队根据中国现有的工业零配件基础，设计研发了SOMATOM Spirit这款机型，其80%的零部件是在中国采购，这就极大地降低了成本。

(2) 那个国家私自研发核武器的举动遭到世界各国的批评。

(3) 这家药厂每年都投入巨大资金用来研发新药。

12. 赢得 + N.

~发展 | ~尊敬 | ~民心 | ~信任 | ~sb.的心 | ~客户 | ~胜利

(1) 要想立足中国，都得以更加中国化的方式加入与本土企业的“中国巷战”，因为他们知道这里仍然是赢得未来二十年发展的关键。

（2）要想赢得别人的尊敬，首先需要尊敬别人。

（3）政府官员只有全心全意为人民服务，才能赢得民心。

成语

1. 潜移默化：形容人的思想、品德、气质等在受到影响后不知不觉地起了变化。潜：暗中；默：不发出声音。

（1）通过几十年的努力，肯德基培养了中国年轻人的消费方式。到他们有下一代的时候，也会潜移默化地影响到他们的孩子。

（2）父母的言行每时每刻都对孩子品德的培养产生潜移默化的影响。

（3）良好的企业文化会使员工潜移默化地接受企业所推崇的价值观。

2. 不言而喻：不用解释也能理解。

（1）对于国际著名跨国公司占领全球市场，推动全球战略而言，中国市场的重要性不言而喻。

（2）战争对经济的负面影响不言而喻，但奇怪的是，还有一些人认为战争是经济发展的推动力。

（3）人力资源在现代企业和其他类型组织中的重要性和作用是不言而喻的。

3. 望而却步：形容遇到危险或困难而害怕退缩。却步：向后退。

（1）西门子SOMATOM Spirit这款机型其操作难度不会像大型医疗设备那样让县级医师望而却步。

（2）"北上广"这三个一线城市的房价高得让人望而却步。

（3）由于缺少必要的基础设施，再加上周边地区频发恶性抢劫事件，投资商对开发这一地区望而却步。

4. 回春乏力：比喻没有能力、办法来改变大局。

（1）和回春乏术的欧美经济比起来，中国区业务漂亮的成绩单仍是众多优秀跨国公司财务报表上突出的亮点。

（2）王先生的肾（shèn, kidney）病已到晚期，再高明的医生现在也是回春乏力。

（3）虽然美联储（Měiliánchǔ, The Federal Reserve System）近几年连连降息，但是美国的房市依旧回春乏力。

补充学习材料　视听理解

视频一　跨国公司在华现状

思考题：

1. 从视频来看，外国企业在中国所处的环境有什么变化？
2. 视频中提到的外国企业在中国的日子越来越不好过的原因有哪些？
3. 面对中国市场环境的变化，外国企业有什么样的选择？

生词表

1. 疼痛	téngtòng	*n.*	pain
2. 收益	shōuyì	*n.*	profit
3. 优越	yōuyuè	*adj.*	superior, advantageous
4. 代名词	dàimíngcí	*n.*	synonym, byword
5. 吃香	chīxiāng	*adj.*	very popular, well-liked, in great demand
6. 和尚	héshang	*n.*	monk
7. 经	jīng	*n.*	scripture
8. 放缓	fànghuǎn	*v.*	slow down, slacken
9. 白热化	báirèhuà	*v.*	(situation or emotion) reaches a climax, fever-pitch
10. 逐鹿中原	zhú lù Zhōngyuán		chase the deer over the Central Plains—try to seize control of the empire
11. 重围	chóngwéi	*n.*	tight encirclement

12. 智能手机	zhìnéng shǒujī		smart phones
13. 一席之地	yì xí zhī dì		(fig.) a very small place or a very small position
14. 蜂拥而上	fēng yōng ér shàng		swarm onto like bees
15. 一掷千金	yí zhì qiān jīn		stake a thousand pieces of gold on one throw; (fig.) spend money like water
16. 提醒	tíxǐng	*v.*	remind
17. 运营	yùnyíng	*v.*	operate
18. 顾虑重重	gùlǜ chóngchóng		be full of worries
19. 彭博商业周刊	Péngbó Shāngyè Zhōukān	*p. n.*	Bloomberg Business Week
20. 犹豫不决	yóuyù bù jué		hesitate, remain undecided
21. 贿赂	huìlù	*v.*	bribe
22. 诱人	yòurén	*adj.*	attractive
23. 消费额	xiāofèi'é	*n.*	amount of consumption, expenditures
24. 撤出	chèchū	*v.*	evacuate, withdraw
25. 把握	bǎwò	*v.*	grasp, hold
26. 策略	cèlüè	*n.*	strategy
27. 机遇	jīyù	*n.*	opportunity

注释：

1. 高大上：即"高端、大气、上档次"，简称"高大上"。2013年后开始流行的一句网络用语，意思是有品位，有档次，有时也做反讽使用。"Tall Big Up" is an abbreviation for "high-end, big-atmosphere, top-grade"; internet lingo that gained popularity after 2013 meaning to have taste and "grade"; sometimes used in an ironic and sarcastic fashion.

2. 外来的和尚好念经：就念经来说，本地的和尚不一定不如外地来的和尚，但由于人们对本地和尚比较了解，对外来和尚不太了解，因而对外来和尚心存神秘、充满期待，所以常常错误地认为外来和尚念经比本地和尚念得好。现在这句俗语多用于贬义，意思是有些人做事或处世不相信身边熟悉的人，而是盲目地信奉外人。Foreign monks chant well: On the topic of chanting, local monks do not necessarily pale in comparison to foreign monks, but because people are more familiar with local monks, and not so familiar with foreign monks, they view foreign monks with an air of mystery and are full of anticipation. Hence they often mistakenly believe that foreign monks recite chants better than local monks. Now this idiom is mostly used derogatorily. It points to people who do not believe those closest to them but blindly believe outsiders.

视频二　百思买在华五年，“水土不服”正式退出

思考题：

1. 百思买是什么时候进入中国市场的？五年后，退出中国的最主要的原因是什么？
2. 视频中提到的造成百思买亏损的原因有哪些？
3. 百思买给中国本土企业带来怎样的积极影响？

生词表

1. 百思买	Bǎisīmǎi	*p. n.*	Best Buy
2. 水土不服	shuǐ tǔ bù fú		find oneself in an unaccustomed climate
3. 零售商	língshòushāng	*n.*	retailer
4. 进军	jìn jūn		(of troops) march, advance
5. 著称	zhùchēng	*v.*	famous, celebrated
6. 亏损	kuīsǔn	*v.*	loss, deficit
7. 卖场	màichǎng	*n.*	store, mall
8. 王道	wángdào	*n.*	the kingly way

9. 份额	fèn'é	*n.*	(market) share
10. 国美	Guóměi	*p. n.*	Gome, a large electrical appliance retailer in China
11. 苏宁	Sū'níng	*p. n.*	Suning, a large electrical appliance retailer in China
12. 永乐	Yǒnglè	*p. n.*	China Paradise, a large electrical applicant retailer in China.
13. 互动	hùdòng	*v.*	interaction
14. 吃力	chīlì	*adj.*	strenuous, exhausted
15. 优惠	yōuhuì	*adj.*	discount
16. 照搬	zhàobān	*v.*	copy indiscriminately
17. 居高不下	jū gāo bú xià		stubbornly high
18. 驻	zhù	*v.*	(of troops) be stationed, encamp
19. 签订	qiāndìng	*v.*	conclude and sign
20. 代销	dàixiāo	*v.*	sell goods on a commission basis
21. 买断	mǎiduàn	*v.*	buy out
22. 开销	kāixiāo	*n.*	expense
23. 样机	yàngjī	*n.*	floor sample
24. 购销	gòuxiāo	*v.*	purchase and sell
25. 消化	xiāohuà	*v.*	digest
26. 库存	kùcún	*n.*	stock, inventory
27. 张杨路	Zhāngyáng Lù	*p. n.*	Zhang Yang Road
28. 立于不败之地	lì yú bú bài zhī dì		remain invincible

视频三 外资企业"超国民待遇"正式终结

思考题：

1. 改革开放初期，中国为什么给予外国企业"超国民待遇"？
2. 以2008年为例，国企、民企和外企在税收方面有什么不同？
3. 视频中提到中国对外贸易的现状是"顺差在中国，污染在中国，利润在欧美"，这句话是什么意思？

生词表

1. 超国民待遇	chāo guómín dàiyù		super national treatment
2. 终结	zhōngjié	*v.*	terminate
3. 外籍	wàijí	*n.*	foreign nationality
4. 征收	zhēngshōu	*v.*	levy, collect
5. 附加费	fùjiāfèi	*n.*	surcharge, additional charge
6. 税制	shuìzhì	*n.*	tax system
7. 一视同仁	yí shì tóng rén		treat equally without discrimination
8. 地租	dìzū	*n.*	rent
9. 关税	guānshuì	*n.*	customs duty, tariff
10. 国企	guóqǐ	*n.*	state-owned enterprises
11. 民企	mínqǐ	*n.*	private enterprises
12. 累计	lěijì	*v.*	add up, amount to
13. 低廉	dīlián	*adj.*	low-priced
14. 效率	xiàolǜ	*n.*	efficiency
15. 加工	jiāgōng	*v.*	process, turn raw materials or semi-finished products into products according to required standards

16. 比重	bǐzhòng	*n.*	proportion
17. 逆差	nìchā	*n.*	deficit in foreign trade
18. 顺差	shùnchā	*n.*	surplus in foreign trade
19. 打造	dǎzào	*v.*	make (metal works), create
20. 所得税	suǒdéshuì	*n.*	income tax

课后练习

一、选择最合适的词语填空

1. 会议结束后，我们又在网上__________了大家的建议，希望可以圆满解决这个问题。

   A. 讨好　　B. 赢得　　C. 征收　　D. 征集

2. 30年前，外企在中国就像个漂亮的姑娘，引起许多人的仔细__________。

   A. 解读　　B. 聆听　　C. 打量　　D. 挑剔

3. 中国在非洲__________吸引外资的经验，一些国家也开始实行“超国民待遇”的政策。

   A. 推出　　B. 推广　　C. 研发　　D. 开发

4. 虽然这是一部科幻电影，但它所表达的主题非常__________当前美国平民百姓的生活。

   A. 回复　　B. 迎接　　C. 沟通　　D. 贴近

5. 一个很让人难以理解的结果是：两个人在相互批评中居然建立了__________的感情。

   A. 深厚　　B. 凶猛　　C. 傲慢　　D. 犀利

6. 其实赢得顾客的好感并没什么__________，他不过是做到了诚信经营、尊重顾客而已。

A. 根本　B. 关键　C. 要诀　D. 要素

7. “自由与平等”是现代社会中最重要的__________，也是国家管理者必须提供的“日常用品”。

A. 形象　B. 理念　C. 创意　D. 构想

8. 在环境科学家看来，地球的承载能力是有__________的，因此必须限制人口的增长规模。

A. 限度　B. 终极　C. 高端　D. 极端

9. 针对网民的质疑，马诺昨日在自己的博客上进行了__________，她强调自己并不是为了炒作才说“宁可坐在宝马里哭”的。

A. 共鸣　B. 回应　C. 回答　D. 回复

10. 成功人士往往从小就__________了良好的学习习惯和生活习惯。

A. 培养　B. 养成　C. 获得　D. 获悉

11. 很少有人打开电视专门看广告，但广告却__________地对人们产生了深刻的影响。

A. 不言而喻　B. 潜移默化　C. 回春乏力　D. 望而却步

12. 近日，联想集团__________京沪两地的消费者到其工厂参观。

A. 聘请　B. 邀请　C. 请求　D. 请示

13. 该公司的CEO认为，在市场竞争中，最了解公司产品的人往往不是你的朋友，而__________是你的对手。

A. 恰恰　B. 纷纷　C. 屡屡　D. 偏偏

14. 消极的人常常报怨生活给了他太多艰辛，其实能来到这个世界上的人都是幸运的，都担负着为人类进步而奋斗的伟大__________。

A. 命运　B. 目的　C. 使者　D. 使命

二、用所给的词语和句型回答问题

1. 当前经济形势下，大学毕业无法立即就业的人多不多？（不在少数）
2. 统一税收对外国企业和中国本土企业有什么影响？（对sb.而言）
3. 如今全球市场变幻莫测，什么样的跨国企业能立于不败之地？（谁……谁就……）
4. 在市场竞争日益激烈的情况下，外企采取了什么样的应对举措？（纷纷）
5. 读了这篇文章以后，你认为什么是本土化？（立足于）

6. 为了满足各国消费者的需要，跨国公司应该怎样做？（最大限度V.）
7. 经济危机会给经济发展带来负面影响，对社会稳定有没有影响？（与此同时）
8. 你最喜欢哪一家非盈利组织(fēi-yínglì zǔzhi, NGO)？这个组织的目标是什么？（致力于）
9. 有人说父母是孩子最好的老师，你怎么理解这句话（潜移默化）
10. 一个国家的领导人，怎样做才能让老百姓拥护他？（赢得）

三、用所给的词语填空

推动　为数众多　东道国　繁华　征集　经济体　不言而喻

作为2008年奥运会的______，中国为开幕式______了很多方案。最终确定的方案既表现了中国历史的悠久，也表现了现代城市的______。为了宣传奥运会精神，中国政府还邀请了______的明星作为代言人助阵奥运会宣传活动。当然，奥运会对于______经济发展的作用是______的，到2010年，中国已经成为了世界第二大______。

望而却步　营销　奢侈品　讨好　聘请　标志　性价比

意大利是众多______的发源地。这些产品______都不高，价格大都让人____，绝非一般的“草根们”消费得起的。而一些有钱的中国人喜欢把价格昂贵的东西当作社会地位显赫的______，因此中国市场对意大利商家来说至关重要。为了吸引中国消费者，商家的______策略是花重金______名人为其产品代言，甚至在商品中增加一些中国元素以______中国消费者。

四、翻译

1. The increasing competitiveness of the market precisely points to the fact that China’s economy is maturing. This requires foreign companies that have enjoyed “super citizen treatment” to pass the obstacle (challenge) of localization.
2. It has been proven that only by developing products that are relevant to people’s daily lives can one garner a long-term foothold in the Chinese market.
3. Such aspirations as “whoever can earn money wins” may indeed incite people to work hard, but such it goes without saying that it also promotes “money worshipping.”

4. This store has been committed to providing affordable necessities for low-income people; at the same time, the boss donates 5% of the profits to the community each year to provide minimum living allowance for unemployed veterans. Now, this store is now facing financial difficulties. If such a company is unable to receive government assistance, then where is the fairness and justice in our society?

五、从句段到篇章：描述一款产品

本章的课文向我们介绍了几家跨国公司在华本土化的战略和它们为中国市场设计的产品。我们以西门子公司的SOMATOM Spirit产品为例，来学习一下如何具体介绍一款产品。请先把这段课文再看一遍，分析一下作者是从哪几个方面介绍SOMATOM Spirit CT机的。

这段文字先后描述了SOMATOM Spirit的基本信息，包括设计理念、推出时间、售价、市场定位等等。然后文章重点介绍了这款新产品的优越性，即让读者了解到这款产品的创新之处以及市场吸引力。阅读并比较下面表格中介绍两种产品的文字，可以初步学会表达这类内容时常用到的表达方式。

内容	西门子SOMATOM Spirit CT机	《焦点中国》中文教材	常用句型和词汇
概括介绍：(如设计者、生产时间)	西门子公司在中国研发中心推出了SMART概念产品。2007年，第一台SOMATOM Spirit CT机问世。	《焦点中国——高级汉语综合教程》是由五位中文老师精心编写的高级汉语综合教材，由北京大学出版社于2015年出版。	1. ……是由……研发/设计/生产/推出的一款/…… 2. 于……问世。 3. 发布；研制成功；出版发行；

产品特色（如设计理念、优越性）	……是符合西门子公司“SMART”理念的一种产品。所谓SMART，即Simple（简单易用）、Maintenance-friendly(维护方便)、Affordable(价格适当)、Reliable(可靠耐用)、Timely-to-market（及时上市）。 OMATOM Spirit之所以有非常优越的性价比，是因为西门子中国研发团队根据中国现有的工业零配件基础，设计研发了这款机型，其80%的零部件是在中国采购，极大地降低了成本。	《焦点中国》以提高从事广泛的“中国研究”课题的中文语言能力为目标，内容选材和练习编写依据内容教学法的基本原则和ACTFL外语水平测试的“高级”“优级”的标准。这套教材内容力图多方面反映当代中国迅速发展变化的来龙去脉及最新热点。全书结构由社会篇、经济篇、国际关系篇、人物篇四大板块组成,有机整合了大量视听与阅读真实语料，集高级听说读写技能训练与广义的“中国研究”内容学习于一体，尤其侧重对论辩性思维的语言能力的训练。	1. 按照……标准理念设计／生产／编写 2. 具有……的特点 3. 融……性、……性于一体 4. 与同类产品比起来，…… 5. ……处于……的地位 6. 在……的基础上，…… 7. 开创了……（领域）的新时代 8. 实用；安全；舒适；可靠；美学；科学；功能；成本；效率；性价比；售后服务
市场定位（使用者、售价等）	每台SOMATOM Spirit CT机售价在200—300万人民币之间。符合中国县级医院的心理价位，其操作难度也不会像大型医疗设备那样让县级医师望而却步。	这套教材初步定价在40美元左右，尤其适合北美高年级汉语常规教学（四、五年级），亦可供各种短期中文项目中的高年级提升班采用。	1. 市场售价在……之间 2. 适用于…… 3. 受到……的欢迎 4. 为……带来了希望/福音/方便 5. 易于操作/维护 6. 定位于 7. 满足……的需要 8. ……是不可多得的…… 9. 为……着想 10. 高端/中端/低端；物美价廉；物超所值；实惠；消费者；客户；超值体验

练习：（1）给你的中国朋友介绍一款最受你们国家年轻人欢迎的产品

（2）请选一款在你看来非常有潜力打入中国市场，但还不被中国消费者所熟知的产品，把它介绍给一个投资家

六、新闻报告（全班轮流，根据班级人数每次可指定一或两名同学完成）

请参考《焦点中国》教学网站上三个外国品牌中文广告的成功案例（大众汽车 *Senior Rebels*、三菱汽车《回家的路》、耐克球鞋《篮球赛》），或从网上选一个你最喜欢的外国品牌为中国本土市场量身定做的广告，分析这个广告中“本土化”营销创意的成功之处。

报告中，请讨论以下内容：

☆ 简单地介绍一下广告中的产品。

☆ 这个广告的创意是什么？与所推销的产品理念和市场定位是否有机结合？

☆ 请从故事情节、音乐、人物、画面等多方面具体分析这个广告中的中国本土化元素。

☆ 这个广告中，你认为最能引起观众共鸣的情节或场景是什么？

☆ 分析这个广告营销创意的成功之处。

七、专题调查与报告（全班轮流，根据班级人数多少每次可指定一或两名同学完成）

采访一个中国人，请他谈谈他最喜欢的一个外国品牌。或者采访一个在中国生活过的外国人，请他谈一谈在中国生活时，他最喜欢的一个中国品牌。下次课上汇报你的采访结果。

采访问题参考：

☆ 生活在中国时，您在哪些方面（如服装、电子产品、食品、化妆品）的消费比较大？您最喜欢的外国品牌（或中国品牌）是什么？为什么喜欢这个品牌的产品？请举例说明。

☆ 您周围的人对这个品牌的评价是什么？

☆ 你认为这个品牌和其他同类产品相比有哪些优势和劣势？

☆（如果你采访的是中国人）这个品牌为了迎合中国市场，采取了哪些成功的营销策略？

☆（如果你采访的是外国人）在你看来，这个中国品牌的产品在你的国家有没有市场？如果这个中国企业的负责人想打开国外市场，你会给他哪些建议？

八、辩论

有人认为在全球化的过程中，一个外国企业想要成功打开本地市场，最重要的是要从产品内涵、营销策略、人力资源、研发制造、销售渠道等多方面进行全方位本土化改造甚至是本土化创新，肯德基可以说是这方面的典范。也有人认为，之所以“外来的和尚好念经”是因为他们和“本地的和尚”有足够明显的差异，因此企业应更加重视其自身的特点和独立性。持这种观点的人认为苹果公司就是很好的例子——虽然很多网友批评苹果手机在中国价格高、发行晚、连广告语都是蹩脚的中文，但中国人依然为之疯狂。你更支持“肯德基派”还是“苹果派”？请选择一方就这个问题进行辩论。

正方：跨国企业只有进行全方位本土化才能在海外市场占据一席之地

反方：跨国企业为了保持自己产品的特色和企业文化不应进行全方位本土化改造

九、讨论与写作

1. 改革开放之初，为了吸引外资，中国政府为境外来华投资的企业提供“超国民待遇”，外企享受各种优惠政策。如今，中国已成为世界第二大经济体，中国政府逐步实行统一税制政策，对本土企业、外国企业一视同仁。与此同时，中国本土企业正在迅猛发展，竞争日益激烈，而中国的劳动力成本也越来越高。新的经济环境给外企带来更多挑战，他们面临着“去vs.留”的抉择。请以《新时期，外企何去何从》为题，阐述你对这个问题的看法。

动笔以前，请思考、讨论以下问题：

- 从改革开放初期到现在，外企在华发展的大环境经历了怎样的变化？
- 外国企业继续留在中国有哪些利与弊？
- 面对这样的新环境，外国企业应做出哪些调整才能使自己在中国市场立于不败之地？新时期的本土化和早期有何不同？

2. 当前，很多中国公司都在制定“走出去”的战略，意思是从中国走向世界，把中国公司发展成国际大公司。要想“走出去”，中国企业碰到的最大挑战之一是如何兼顾国际化与本民族特色。有人认为，中国企业只有放弃自己在中国本土的特色，才能真正融入世界，因为国际化本身就是去除地方特点的过程。而另一部分人则认为，只有具有民族特征或者地方特征的产品才能实现最终的国际化，如果中国产品与美国产品没什么不同，为什么要购买中国产品呢？请以《国际化与本土化》为题，谈一谈你对这个问题的看法。

动笔以前，请思考、讨论以下问题：

- 在你看来，“国际化”与“本土化”是“水火不相容”的关系还是一体两面？
- 一个本土企业要想“国际化”，打入他国市场，应该采取哪些战略发挥自己的优势？
- 到目前为止，在你的国家有没有哪家中国企业成功地打入了当地市场？如果有，可否以这家公司为例，谈一谈如何兼顾“国际化”与“本土化”

视频一文本

跨国公司在华现状

“疼痛越来越多，收益越来越少。”这是跨国企业在中国的生存现状。英国《经济学人》杂志的这个评价，您赞同吗？跨国公司曾经是先进技术和优越管理的代名词，但是《经济学人》早在2011年就指出，跨国公司所具备的那些“高大上”，这些特质在中国内地越来越不吃香。外来的和尚不一定念更好的经，其实原因有好几方面。

《经济学人》的分析是认为中国的经济增长放缓，各种成本又持续地上升，造成外国企业在中国的日子越来越不好过。而中国市场的竞争，也是日趋白热化。您看，全球各大的品牌，“逐鹿中原”不说，许多中国本土的企业，也凭借着越来越丰富的海外经验，逐渐杀出了重围。比如一些国产品牌的智能手机，就占有一席之地。除此之外，中国的人才是不断地流向本土的企业，中国的消费者，也不再因为是外国品牌就蜂拥而上，一掷千金。但是这场中外的博弈，还远远没有结束。《经济学人》提醒说，中国本身也正在失去对跨国公司的吸引力。除了运营成本上升之外，中国对外国在华企业依然有一些限制，这些都让外国的投资者顾虑重重。《彭博商业周刊》也看到了，跨国公司在中国面前可以说是犹豫不决，是受到了多重因素的影响，其中包括了个别跨国公司在中国的贿赂风波，还有中国有一些城市存在的，您看，空气污染，这些重大的问题。

不过，《经济学人》指出，中国目前仍然是全球最诱人的市场。我们看看2011年到2013年的全球消费额，中国比任何国家所占的比例都大，不少跨国企业都在中国赚翻了天。的确，虽然一些跨国公司正在撤出中国，但是也有一些选择留下来，继续经营。有外国投资者就表示，中国的市场很大，很难把握，需要他们改变策略，付出更大的努力。当然，竞争是无处不在的，也永远不会结束。中国本土企业的机遇，也许就在眼前。

感谢您收看《世界看中国》，我们下次见。

视频二文本

百思买在华五年，“水土不服”正式退出

百思买昨天关闭了它在中国的所有门店。在美国，百思买是全国最大的电子产品零售商。2006年，百思买进军中国家电零售业，并在中国家电业界以“诚信经营，售后服务优质”而著称。不过在业内人士看来，百思买退出中国只是时间早晚的问题，其主要原因则是亏损。

没有公开资料显示，百思买在中国经营五年以来，亏损到底有多少。但对家电卖场而言，“规模经营，低价销售”才是王道。但百思买只有八家门店，难以与拥有几千家门店，占八成以上市场份额的国美、苏宁、永乐等抗衡。

(上海市家电行业协会秘书长韩建华：)“规模也不大，那么你采购一年的销售量和一个几千万，上亿的某一个品牌（相比），你就显得很弱小。你缺少了规模以后，你就没有利润的来源支撑，那么你的这个互动的体验就不能维持。你的服务的配套可能也比较吃力一点。”

而在很多消费者的印象里，百思买的产品价格并不优惠，跟其他三家卖场相比，很多同类产品甚至还贵一成以上。业内人士认为，百思买的价格压不低，在于它照搬的美国的管理模式，导致成本居高不下。比如，百思买的销售人员全部是自己的员工，而其他家电卖场，八成以上的销售员

是厂家驻店代表，人力成本就能节省下一大块。

（永乐电器市场部经理李燕：）“有时候，这个消费者会开玩笑说，进了那个店之后全都是他们的人，围着这一个消费者，对吧，这个也是用人嘛，这个肯定是一个最直接的一个人工的成本。”

一般家电卖场与厂家签订代销模式，卖多少，付多少钱，卖不掉就退还厂家。而百思买则采用一次性买断的方式，不仅会占用更多的流动资金，成本开销也大大增加。

（百思买某供货商：）“最主要是它的成本这两块，一个是样机的成本，你购销的话，你样机自己也要打折消化的嘛；第二块呢，就是库存，库存的成本。如果我进了一百台，卖了90台，还有10台我卖不掉，你可能要打折。”

不过，百思买在中国发展的这五年，也对整个行业提升服务意识，打响售后品牌，带来了全新的提示。

（记者：）这里是已经关闭的百思买张杨路店，而在一街之隔，苏宁和永乐电器还在正常营业。如何在竞争极其激烈的上海市场立于不败之地，也许是所有洋品牌应该考虑的问题。（东方卫视记者，周莹、顾一梅报道。）

视频三文本

外资企业“超国民待遇”正式终结

我国将于12月的1号开始对在华外商投资企业、外国企业、包括外籍个人征收城市维护建设税和教育费附加费。而这也意味着，中国境内所有内外资企业统一了全部的税制，外资享受“超国民待遇”的时代已经正式终结了。一视同仁的市场环境将让内外资企业在同一平台上展开公平的竞争。改革开放之初，为吸引外资，中国为境外投资者提供了税收、地租、进出口权、关税、水电等方面的诸多优惠政策。像此次开征的城市维护建设税和教育费附加（此前）一直对外资企业和外国企业免于征收。据数据显示，在2008年，我国实行统一的企业税法之前，国企的税收平均是30%左右，民企是20%左右，而外企平均下来只有12%左右。这些优惠政策为我国带来了大量的外资。最新的统计数据显示，外商对华投资累计设立企业近69万家，实际使用外资超过1万亿美元。而另一方面，超国民待遇的优惠政策使外企相对境内企业，有明显的竞争优势，而低廉的生产成本还导致众多效率低下，污染能耗大的外资企业进入中国内地。此外，由于中国经济发展过于依赖出口和投资，导致加工贸易企业在外商企业中所占比重过大。统计数据显示，目前，中国将近一半儿的对外贸易是加工贸易。2010年前三季度，中国一般贸易逆差364.1亿美元，加工贸易则出现顺差2256.6亿美元，其中大部分由包括欧美企业在内的外资企业获得。由此带来的后果是，顺差在中国，污染在中国，利润在欧美。随着加入世界贸易组织和市场经济的不断完善，我国开始逐步取消外企的超国民待遇，打造内外资企业合理、公平的竞争环境。2007年，我国统一了内外资企业的土地使用税，2008年，我国开始对内外资企业实行统一的企业所得税法。而此次对在华外商投资企业、外国企业及外籍个人征收城市维护建设税和教育费附加，则标志着我国境内所有内外资企业全部税制最终实现统一。

专题六　人民币汇率

主要内容

人民币汇率在1994年以前一直由国家外汇管理局制定并公布，1994年1月1日开始，中国实施以市场供求为基础的、有管理的浮动汇率制，中国人民银行根据前一日银行间外汇市场形成的价格，公布人民币对美元等主要货币的汇率。自此，人民币汇率进入了相对灵活的浮动状态，但人民币还不是完全可自由兑换的货币。人民币汇率的问题是当前中美经济关系中最重要的焦点议题之一，也是讨论中美关系时经常涉及的话题。人民币是否应该升值？升值对中美乃至世界经济有什么影响？中美在汇率问题上的分歧是什么？这些都是值得学习与思考的问题。

本专题以视频内容为主要学习材料，第一个视频从不同角度谈人民币升值的影响，第二个视频选取了一场辩论会的片段，从中可以看到几位专家对这一问题的不同看法，第三个视频反映出人民币汇率被政治化的问题。补充阅读材料则详细分析了人民币升值对不同人群、不同行业的影响。

学习目标

1. 了解人民币升值对中美宏观经济以及个人消费的影响，比较两国政府在这一问题上的分歧。
2. 学习辩论中，利用“反证法”反驳他人观点。
3. 比较中美两国个人投资理财观念与方式的差异，从不同角度辩证分析并讨论人民币升值的影响。

重点学习材料 视听理解

视频一 辩证地看人民币升值的影响

思考题：

1. 举例说明人民币升值对高消费人群有什么好处？
2. 从国家利益的角度看，人民币升值对国民经济有何影响？

霍建国：简单地看，人民币升值对一些高消费人群可能会有所受益，比如升值之后进口的商品价格会相对地低一点，这样的话对于高消费人群，习惯于消费这种商品的，可能是有益的。另一个，对于出国留学啊，包括出国旅游啊，成本会低一点，（他们）也是受益者。但这个问题应该从两个方面看：如果从国家利益的角度或者从整个国民经济平衡的角度来看的话，取舍上就会得出一个不同的结论。因为升值本身首先会抑制出口，出口的价格会上升，相对来讲，（出口商品）成本的压力也会变大，会丧失掉一部分出口市场份额。如果升值的比例过大，那么很可能这块儿的损失会导致国内大量出口企业进入到比较困难的程度，（从而）会引起失业。从失业的影响看，有可能这个损失会很大，甚至会影响到（整个国家的经济），例如支撑经济增长的，除了投资消费，还有出口，会对整个经济的增长产生一个影响。总体经济如果表现不好，现加上失业的压力，那么整个的GDP的增长就会受到影响，这会影响到广大百姓的生活。应该说平衡这两者的话，保持人民币稳定在目前阶段应该说还是上策。

主持人：李主任，您觉得人民币的升值对百姓的生活还会产生哪些其他方面的影响呢？

李　健：如果是比较小幅的升一点或者降一点，这个影响不大。如果大幅度升值的话，像刚才霍院长讲的，一些进口商品或者出国留学会受益，另外，我们大量进口能源和资源也会相对便宜。但大幅度升值也会反过来影响我们的出口产业，会影响出口产业的就业、税收，影响整个宏观经济。所以不能简单地说升值就一定对老百姓有好处或者坏处。

人物表

1. 霍建国（Huò Jiànguó）：商务部国际贸易经济合作研究院院长。
2. 李健（Lǐ Jiàn）：商务部国际贸易经济合作研究院研究员、中国对外贸易研究部副主任。

生词表

1. 辩证	biànzhèng	*adj.*	dialectical
2. 升值	shēng zhí		increase in value
3. 受益	shòuyì	*v.*	benefit
4. 国家利益	guójiā lìyì		national interests
5. 取舍	qǔshě	*v.*	acceptance or rejection; choice
6. 抑制	yìzhì	*v.*	inhibit, suppress
7. 丧失	sàngshī	*v.*	lose
8. 平衡	pínghéng	*v.*	balance
9. 上策	shàngcè	*n.*	best plan, best thing to do
10. 主任	zhǔrèn	*n.*	director, head
11. 幅度	fúdù	*n.*	range of fluctuation, extent
12. 院长	yuànzhǎng	*n.*	dean, department head

13. 税收 shuìshōu *n.* tax proceeds

14. 宏观 hóngguān *adj.* macro, large scale,

重点句型与词汇

1. 有所 + V. somewhat verb, verb to some extent

(1) 简单地看，人民币升值对一些高消费人群可能会有所受益，比如升值之后进口的商品价格会相对地低一点。

(2) 经过我们的不断努力，工人们的工作条件有所改善。

(3) 最近几年，由于金融危机的影响，中产阶层的收入有所减少。

2. 相对 + V/Adj. comparatively, relatively

(1) 如果人民币升值，我们大量进口能源和资源也会相对便宜。

(2) 外汇的购入价升高，本国货币的价值就会相对降低。

(3) 总的来说，跟很多发达国家的老年人相比，中国老年人的精神生活依然相对贫乏。

3. 相对来说／相对来讲 ... relatively speaking,...

(1) 因为升值本身首先会抑制出口，出口的价格会上升，相对来讲（出口商品）成本的压力也会变大，会丧失掉一部分出口市场份额。

(2) 相对来说，拥有高学历的求职者的职业选择比较多。

(3) 建筑业和加工业都属于劳动密集型行业。相对来说，劳动密集型行业的效益不如高科技行业。

4. 大幅度／小幅度+ V. v. substantially large scale/ small scale

(1) 如果大幅度升值的话，像刚才霍院长讲的，一些进口商品或者出国留学会受益。

(2) 今年受全球经济危机的影响，这家企业的利润与往年相比有小幅度下降，不过整体表现还是相当出色的。

(3) 社会生产力的巨大发展和劳动生产率的大幅度提高主要靠的是科技的力量。

词语搭配

1. 抑制 + N.

~出口 | ~通货膨胀 | ~欲望 | ~个性 | ~房价 | ~……的发展

（1）人民币升值本身首先会抑制出口。

（2）政府已经采取了所有可能的措施来抑制通货膨胀。

（3）随着借贷消费越来越流行，为了防止被债务拖到不可自拔的地步，一些专家呼吁人们需要抑制消费欲望。

2. 丧失 + N.

~市场份额 | ~信心 | ~学习兴趣 | ~优势 | ~能力 | ~地位 | ~权利 | ~机会 | ~独立性 | ~竞争力

（1）相对来讲，（出口商品）成本的压力也会变大，会丧失掉一部分出口市场份额。

（2）几次考试的成绩都不太理想，他几乎丧失了对自己的信心。

（3）如果老师上课枯燥无味，毫无新意，无疑会使学生丧失学习兴趣。

3. 产生 + N.

~影响 | ~后果 | ~情绪 | ~作用 | ~效应 | ~效果 | ~感情

（1）人民币升值会对经济发展产生影响。

（2）过低的银行利率可能会刺激经济的发展，但也可能产生通货膨胀的后果。

（3）如果政府对强拆事件处理不当，民众当然会产生不满情绪。

视频二　人民币是否应该升值

思考题：

1. 就人民币升值这一问题，四位嘉宾各自的观点是什么？
2. 你认为人民币升值应该与“大国心态”挂钩吗？
3. 你更同意哪位嘉宾的观点？为什么？

何志成：人民币升值有人民币升值自己的客观规律存在，也是中国利益的所在。并不能说人民币升值了就是被美国压了。现在我们不要动不动就说“美帝国主义亡我之心不死”，美国那边也不要动不动就说“中国快赶上来了，我们非得压他不可”。

主持人：您所担心的就是有人会认为“凡是美国支持的我们就反对”，这个逻辑是不对的。

向松祚：首先我不同意何先生的说法。似乎现在形成了一种说法，就是“我们人民币本来就应该升值，只是因为美国的压力，所以我们现在不升了”。其实这个观念是完全错的，因为我们人民币是不应该升值的，也不应该浮动，维持稳定的汇率是最符合中国最高的国家利益的。

主持人：谭女士是不是因为不同的原因站在向先生的一方？

谭雅玲：我也是反对人民币升值的。我觉得（美国）不会把中国列为汇率操纵国。因为，第一全世界的舆论已经出现了比较大的争论，而美国政府内部也出现了比较大的争论。再一个，从汇率本身的决定来讲，是（以）自我为主，而不是别国强加于自己。美国正是以自身的利益为主，所以美国的汇率制度非常灵活，对自己实行了有效的保护。所以中国的汇率也应该自我做主，而不应该让别国来决定我们的汇率。

向松祚：一个国家要求另外一个国家的汇率升值，或者大幅度的变动，这是过去三十年一个非常特殊的现象。世界上任何一个国家的汇率都是政府可以调控的。我们可以看全世界有哪一个国家的汇率完全是由市场决定的？

主持人：沈先生怎么认为？

沈　群：我完全不同意他们俩说的。我刚才听向老师和谭老师讲的，基本上是说人民币升值是中国自己的事，由自己来决定。第一，我觉得这样的观点无视现实。因为人民币的汇率问题是一个全世界的问题，中国现在已经成为第一出口大国，人民币和外汇的结算每天都在进行，每时都在进行。第二，如果我们说人民币汇率的问题是中国内政的问题，我觉得这无助于未来。难道我们自己不想让人民币成为像美金那样的国际硬通货吗？我们考虑人民币汇率的问题，没有一种大国心态的话，那我觉得我们就不可能成为大国。

人物表

1. 何志成（Hé Zhìchéng）：中国农业银行总行高级经济师。
2. 向松祚（Xiàng Sōngzuò）：中国人民大学国际货币研究所副所长。
3. 谭雅玲（Tán Yǎlíng）：中国外汇投资研究院院长。
4. 沈群（Shěn Qún）：中美企业峰会主席。

生词表

1. 客观	kèguān	*adj.*	objective
2. 规律	guīlǜ	*n.*	law, rule, pattern
3. 动不动	dòngbudòng	*adv.*	easily, frequently
4. 帝国主义	dìguó zhǔyì		imperialism
5. 亡	wáng	*v.*	perish, die
6. 逻辑	luójí	*n.*	logics
7. 浮动	fúdòng	*v.*	fluctuate, rise and fall
8. 符合	fúhé	*v.*	in accordance with
9. 列为	lièwéi	*v.*	list sth. as
10. 汇率	huìlǜ	*n.*	exchange rate
11. 操纵	cāozòng	*v.*	manipulate
12. 强加	qiángjiā	*v.*	impose

13. 灵活 línghuó *adj.* flexible
14. 调控 tiáokòng *v.* adjust and control
15. 无视 wúshì *v.* ignore, disregard
16. 结算 jiésuàn *v.* settle accounts, close or wind up an account
17. 内政 nèizhèng *n.* domestic affairs
18. 硬通货 yìngtōnghuò *n.* hard currency

注释：

"美帝国主义亡我之心不死"：这句话的意思是中国的社会主义制度与美国的资本主义制度差别很大，只要中国还维持社会主义制度，以美国为首的西方资本主义国家心里就时刻想着要灭亡我们。"American imperialism's desire to vanquish me (Chinese socialism) is persistent and unyielding": It points to the fact that China's socialist system and America's capitalist systems vary greatly. As long as China maintains its socialist system, those Western capitalist countries that look to America as their leader will always want to destroy us.

重点句型与词汇

1. ……是……的（关键）所在 ... is of the essence / key to ...

(1) 人民币升值有人民币升值自己的客观规律存在，也是中国利益的所在。
(2) 在目前的经济环境下，采取稳健而有弹性的货币政策才是维持经济稳定增长的关键所在。
(3) 家是人一辈子的幸福所在。

2. 动不动 easily, without thought

(1) 现在我们不要动不动就说"美帝国主义亡我之心不死"，美国那边也不要动不动就说"中国快赶上来了，我们非得压他不可"。
(2) 他身体一直不好，动不动就生病，因此需要多运动。
(3) 对别人的观点要多思考，不应该动不动就批评那些和自己有不同意见的人。

3. 凡是……就/都……　whatever.... will then...

（1）"凡是美国支持的我们就反对"，这个逻辑是不对的。

（2）凡是对提高人民生活水平有利的政策就应该坚持。

（3）在有些国家，凡是威胁社会稳定的行为都被视为非法。

4. 站在……的一方　stand on sb's side/ side with ...

（1）谭女士是不是因为不同的原因站在向先生的一方？

（2）不管你的对手是谁，我都永远站在你这一方。

（3）张教授经常站在与多数人意见对立的一方，提出自己与众不同的见解。

5. Subj.把A列为／视为B　Subj. lists/views A as B

A被sb.列为／视为B　A is listed/viewed by subj. as B

（1）我觉得（美国）不会把中国列为汇率操纵国。

（2）许多大学生把找到好工作视为头等大事，所以一上大学就开始找实习机会。

（3）汉语和阿拉伯语都被美国国防部列为关键语言(critical languages),在美国公立学校系统进行推广。

6. 以……为主　... be the main thing, focus on... use ... as their principle form

（1）从汇率本身的决定来讲，是（以）自我为主，而不是别国强加于自己。

（2）对付流感这种疾病，应以预防为主。

（3）以脑力劳动为主的人往往整天坐在办公室里，很少参加户外活动。

7. Subj. 把A强加于B　Subj. imposes A on B

（1）从汇率本身来讲，是中国自己的决定，而不是别国强加于自己。

（2）很多中国父母总喜欢把自己的意见强加于儿女们。

（3）中国政府认为一个国家不能把自己的政治思想强加于另一个国家。

8. 无助于　does not help

（1）如果我们说人民币汇率的问题是中国内政的问题，我觉得这无助于未来。

（2）武力无助于解决恐怖主义的问题，相反，只会让该问题越发复杂。

（3）过度发展房地产行业无助于中国经济的转型与调整。

词语搭配

1. 形成+ N.

~说法 | ~风气 | ~恶性循环 | ~局面 | ~格局 | ~规模 | ~良性循环

（1）似乎现在形成了一种说法，就是“我们人民币本来就应该升值，只是因为美国的压力，所以我们现在不升了”。

（2）科教兴国，我们首先需要在全社会形成一股尊师重教的社会风气。

（3）房价大幅度升高一定会引起通货膨胀，通货膨胀一旦发生，老百姓以为只有买房，才能使自己的财产保值，所以借钱也要买房，房价则继续抬高，由此形成恶性循环。

2. 维持+ N.

~稳定的汇率 | ~生命 | ~秩序 | ~生活 | ~关系 | ~现状

（1）维持稳定的汇率是最符合中国最高的国家利益的。

（2）没有了水就难以维持生命。

（3）只会通过向孩子吼叫来维持秩序的老师是不称职的。

3. 调控+ N.

~汇率 | ~房价 | ~物价 | ~经济 | ~市场 | ~价格

（1）世界上任何一个国家的汇率都是政府可以调控的。

（2）2005年后，中国每年都出台调控房价的政策，但结果往往不太理想。

（3）这些严格调控价格的措施与信奉市场自由主义者所倡导的经济原则完全背道而驰。

视频三　人民币升值并非美国经济复苏决定的

思考题：

1. 瑞安认为美国应该用什么办法逼迫人民币升值？为什么有的议员质疑他的提案？
2. 针对“中国操纵人民币汇率来获取贸易竞争上的优势”的说法，中国商务部发言人是如何进行反驳的？
3. 美国经济学家赫尔曼的看法是什么？

美国众议院事务委员会就人民币汇率问题举行了听证会，有民主党的众议员计划提案向中国进口的商品征收反倾销及反补贴的关税，以图来逼迫人民币升值。但是有中美学者都指出，美国经济不景气并非人民币汇率导致的，这一提案是有政治动机的。

有美国法律专家在听证会上提出，人民币汇率持续被低估间接补贴中国商品倾销美国。……（英文原声）美国民主党众议员瑞安（Ruì'ān）呼吁通过公平贸易货币改革法案，向中国进口商品征收反倾销及反补贴关税，逼迫人民币升值。他表示提案在众议院435席中已获得133名议员的联署，不过也有美议员质疑提案可能违反世贸规定，并会招致中国向美国进口商品征收关税报复。

在北京，国家商务部昨天表示美国以中美贸易存在顺差为理由，判断人民币的合理价格，缺乏经济学的基础，毫无道理可言，是别有政治用心的。商务部发言人：“现在全球的贸易中，比如中国对于美国是有顺差的，但是对澳大利亚，对于日本，对于韩国，都有大量逆差的。如果认为中国是通过操纵汇率来获取贸易上的竞争优势的话，那就完全失去了判断的依据。”

美国经济学家、诺贝尔经济学奖得主赫尔曼（Hè'ěrmàn）则指出，美国中期选举临近，攻击人民币带有政治动机。他认为人民币汇率并非美国经济不振的主要原因，而是美国本身存在的诸如应变能力降低、财政赤字以及美国人的消费模式等问题。参加第二届中美经济学家对话会的中美学者也达成共识，认为人民币升值并非美国经济复苏的决定性因素。

生词表

1. 众议院	zhòngyìyuàn	*n.*	house of representatives
2. 民主党	mínzhǔdǎng	*n.*	the democratic party
3. 众议员	zhòngyìyuán	*n.*	congressman
4. 提案	tí'àn	*n.*	motion, proposal
5. 倾销	qīngxiāo	*v.*	dump (goods, products), launch a cut-throat sale
6. 补贴	bǔtiē	*v.*	subsidize
7. 逼迫	bīpò	*v.*	force, compel
8. 景气	jǐngqì	*adj.*	thriving, booming
9. 动机	dòngjī	*n.*	motivation
10. 间接	jiànjiē	*adj.*	indirectly
11. 联署	liánshǔ	*n.*	joint signatures
12. 质疑	zhìyí	*v.*	question
13. 违反	wéifǎn	*v.*	violate
14. 世贸	Shìmào	*p. n.*	WTO
15. 招致	zhāozhì	*v.*	result in, bring about (a certain result)
16. 别有用心	bié yǒu yòng xīn		have an ulterior motive
17. 依据	yījù	*n.*	basis, foundation
18. 诺贝尔	Nuòbèi'ěr	*p. n.*	Nobel Prize
19. 中期选举	zhōngqī xuǎnjǔ		the mid-term elections

20. 不振	búzhèn	*adj.*	listless
21. 诸如	zhūrú	*v.*	such as
22. 应变	yìngbiàn	*v.*	copy with an emergency (or contingency)
23. 赤字	chìzì	*n.*	deficit
24. 共识	gòngshí	*n.*	consensus
25. 复苏	fùsū	*v.*	come back to life

重点句型与词汇

1. 并非 = 并不是　not necessarily

（1）有中美学者都指出，美国经济不景气并非人民币汇率导致的。

（2）有了金钱并非就有了一切，金钱不是万能的。

（3）这位学者在他的演讲里频繁使用一些科学术语，但并非都明白其中的含义。

2. 就……（的问题）+VP　on, concerning ... (the problem of...)

（1）美国众议院事务委员会就人民币汇率问题举行了听证会。

（2）通过这次会谈，中美双方就温室气体排放标准达成共识。

（3）政府代表就新出台的税收方案进行了说明。

3. Subj. VP + 以图 + Purpose　Subj. VP in an attempt to + purpose

（1）有民主党的众议员计划提案向中国进口商品征收反倾销及反补贴的关税，以图逼迫人民币升值。

（2）该议员批评中国政府间接补贴中国商品，以图在市场上占据价格优势。

（3）杭州市政府最近出台了降低利率等新政策，以图抑制不断上涨的房价。

4. 以……为（理）由　to use/using ... as the reason/basis

（1）美国以中美贸易存在顺差为理由，判断人民币的合理价格。

（2）法律规定，任何单位在录用职工时不得以性别为理由拒绝录用女性申请者。

（3）美国大使馆常以"有移民倾向"为由，对外国人拒发签证。

5. 毫无N.可言 absolutely no N. to speak of

（1）国家商务部昨天表示美国以中美贸易存在顺差为理由，判断人民币的合理价格，缺乏经济学的基础，毫无道理可言，是别有政治用心的。

（2）你要是跟一个不关心自己的人结婚，一辈子将毫无快乐可言。

（3）这家国企的管理层每天上班除了喝茶、看报纸、聊天，不做别的事情，毫无效率可言。

词语搭配

1. 举行 + N.

~音乐会 | ~新闻发布会 | ~会谈 | ~婚礼 | ~选举 | ~会议

（1）美国众议院事务委员会就人民币汇率问题举行了听证会。

（2）今天的音乐会是在一个很大的露天舞台上举行的。

（3）就新出台的城市交通限行政策，市政府今天举行了新闻发布会解答媒体提出的各种质疑。

2. 征收 + N.

~关税 | ~个人所得税 | ~遗产税 | ~养路费 | ~排污费

（1）这位众议员提议向中国进口商品征收反倾销及反补贴的关税，以图逼迫人民币升值。

（2）个人所得税法规定，股票转让所得应征收个人所得税。

（3）美国反倾销，可能会对某些国家的出口商品征收高达100%的惩罚性关税。

3. N. + 被低估 / 高估

汇率~ | 经验~ | 价值~ | 价格~ | 作用~ | 影响~ | 后果~

（1）有美国法律专家在听证会上提出，人民币汇率持续被低估间接补贴中国商品倾销美国。

（2）在企业招聘时，工作经验是最不易被低估的条件。

（3）这家公司的股票价值绝对被高估了，是“垃圾股”，我建议你不要买。

4. 违反 + N.

~规定 | ~合同 | ~法律 | ~协议 | ~职业道德

(1) 不过也有美议员质疑提案可能违反世贸规定，并会招致中国向美国进口商品征收关税报复。

(2) 这家报社对名人私生活的爆料文章违反了《个人信息保护法》。

(3) 根据合同规定，一方违反合同时，需要向另一方支付一定数额的违约金。

5. 招致 + V.

~报复 | ~批评 | ~不满 | ~谴责 | ~打击 | ~反感 | ~指责

(1) 有美议员质疑提案可能违反世贸规定，并会招致中国向美国进口商品征收关税报复。

(2) 奥巴马的医疗改革政策招致了众多共和党人的批评。

(3) 这位领导人对第二次世界大战的立场和评价招致了中国很多民众的不满和谴责。

6. 缺乏 + N.

~基础 | ~自信 | ~创造力 | ~想象力 | ~资源 | ~知识 | ~竞争力 | ~责任感

(1) 美国以中美贸易存在顺差为理由，判断人民币的合理价格，缺乏经济学的基础。

(2) 不少独生子女思想既不够成熟又缺乏自信，所以情感上十分脆弱。

(3) 和外国学生相比，中国的学生在思维方面比较缺乏创造力和想象力。

7. N. + 不振

经济~ | 精神~ | 食欲~ | 消费~

(1) 美国经济学家赫尔曼认为人民币汇率并非美国经济不振的主要原因。

(2) 失恋之后，他一直精神不振，对别人的态度也完全变了。

(3) 她这几天食欲不振，吃得非常少。

8. 达成 + N.

~共识 | ~协议 | ~和解 | ~一致

(1) 参加第二届中美经济学家对话会的中美学者也达成共识，认为人民币升值并非美国经济复苏的决定性因素。

（2）两个姐妹学校上个月达成协议，将于明年起每年互派50名留学生。

（3）就贸易平衡的问题，中美两国达成了和解，此后美国将加大对中国的出口。

成语

别有用心:另有企图、打算。

（1）以中美贸易存在顺差为理由，判断人民币的合理价格，缺乏经济学的基础，毫无道理可言，是别有政治用心的。

（2）一些中国人认为美国媒体把北京的空气污染描绘得那么严重是别有用心的，但不可否认的是，北京面临的环境污染问题确实非常严峻。

（3）一些别有用心的人常常利用某些群体性事件煽动人心，制造社会混乱。

补充学习材料　阅读

人民币升值对老百姓究竟是好还是坏

思考题:

1. 人民币升值为什么对跨境消费来说是好消息？对国内就业市场来说是个坏消息？
2. 这篇文章认为人民币升值对中国的楼市有什么影响？
3. 作者建议不建议老百姓把手里的美元全部兑换成人民币？
4. 这篇文章指出人民币升值对哪些行业有利？不利于哪些行业的发展？

2010年中国GDP超过日本，成为世界第二大经济体。世界经济越来越离不开中国，人民币也因此备受关注。据统计，自2010年6月中国重启人民币汇改，人民币对美元已升值近3%，9月以来更是以每月超过1%的速度加快升值。人民币升值问题不仅成为媒体的新闻焦点，也成为街头巷尾寻常百姓热议的话题。那么，人民币升值后对百姓生活有何影响呢？

人民币升值给国内消费者带来的最明显变化，就是手中的人民币“更值钱”了。在跨境消费中，这将成为一个好消息。如果买进口车或其他进口产品，你会发现，它们的价格变得“便宜”了，老百姓得到了更多实惠。如果出国留学或旅游，你将会花比以前更少的钱；或者说，花同样的钱，将能够办比以前更多的事。以到美国旅游为例，目前国内旅行社的普遍报价在2500美元左右，按现在的牌价约合人民币两万多；如果人民币升值的幅度为5%，那么这一价格就会一下子便宜1000多元。如果人民币升值到合理的程度，还可大大减轻我国进口能源和原料的负担，从而使国内企业成本降低，竞争力增强。

如果你家有孩子准备出国留学，那么人民币升值可能会为你节省开销。以去美国留学为例，若一年需要两万美元的费用，在五年前折合162200元人民币，而在今天只需133000元人民币，便宜了近3万元人民币。所以如果你还困惑究竟该赶在人民币升值前出国留学，还是等到人民币升值后，那答案当然是在人民币升值后出国留学更划算。但这个回答并不是绝对的，还要看你选择留学的是哪个国家。现在人民币升值主要针对英镑、美元等，而日元、澳元则相对于人民币升值，所以去日本或澳大利亚留学可能要花费更多的人民币。

人民币升值所带来的购买力增强主要是表现在国际市场上，而非国内市场，因而人民币升值会让老百姓境外消费变得更加实惠。因为老百姓只需用比原来少的人民币就能够兑换成同样多的外币，这将会降低居民境外消费的费用，具体省钱多少还要看所去的国家和区域，甚至还要参照所去国家的物价水平。

人民币升值对于国内楼市的影响不可小觑。商务部在11月16日举行的例行新闻发布会上表示，1至9月全国房地产领域新设立外资企业498家，实际吸收外资金额166亿美元，同比增长56%。近期大宗投资市场中，外资成为绝对主角。摩根大通旗下一基金于7月以12亿元从摩根士丹利手中购得位于浦东莎玛世纪公园服务式公寓项目，新加坡基金腾飞在9月份以13亿元购入位于黄浦区的高腾大厦，英国投资商高富诺以15亿元收购上海长风国际娱乐商业中心。以上数据显示，国内房价上涨与流动性资金有一定关系。

人民币升值还会通过影响国内外资本的流动，影响股票价格。外汇市场对人民币形成升值预期，将在短期内吸引国际资本流入，以获得以人民币计值资产升值的收益，就会导致相关资产价格上涨，并通过预期的增强，吸引更多国际资本流入，进一步加大升值压力，推动股价上涨。据报道，索罗斯近期携带近90亿美元驻扎香港，可能通过股市流入国内市场，狂赌人民币升值。

人民币升值是否会造成百姓手持美元损失？答案是肯定的。在人民币升值、美元相对贬值情况下，如果把“鸡蛋”全部放在美元这一个篮子里，势必会遭受美元贬值带来的风险。在新的经济形势下，有必要进行外汇理财，否则很可能遭受资产缩水。

既然如此，是否应将手中的美元都换成人民币？这就需要区别对待了。如果家中美元较多，当然可选择适当换一些人民币。但由于我国仍实行外汇管制，当个人需要外汇时，再想将人民币兑换成外币就比较难了。因此对于那些真正需要外汇的人士来说，将美元全部换成人民币无疑是不可取的，并且本、外币来回兑换有1.2%左右买卖价差损失，这个成本也应该予以考虑。

人民币升值有利于跨境消费，却不利于百姓就业。一方面，出口减少导致已经就业的人员失业；另一方面，外商直接投资减少导致提供的新增就业机会减少。人民币升值后，外商在中国的投资成本如投资建厂、购置设备、在华劳动力的成本都需用人民币支付，人民币升值无疑也使他们的成本加大，外商就会减少在我国的投资。

人民币升值还让一些行业欢喜，一些行业忧愁。航空交通运输、原材料上依赖进口的钢铁行业和铜业、进口贸易商等行业可以从人民币升值中受益，但受冲击行业首当其冲要数农业。除此之外，入境旅游业萎缩，人民币升值将导致海外游客在中国旅游的花费增加，可能使他们转往其他国家或地区旅游。食品、服装、文化用品等出口行业的企业，其盈利空间也将在一定时期内被压缩。

（改编自《新华日报》，作者：刘滔，2010年12月8日
引用网址：http://xh.xhby.net/mp2/html/2010-12/08/content_304691.htm）

生词表

1. 街头巷尾	jiē tóu xiàng wěi		streets and lanes
2. 实惠	shíhuì	*n.*	tangible benefits
3. 报价	bàojià	*n.*	quoted price
4. 牌价	páijià	*n.*	list price
5. 原料	yuánliào	*n.*	raw material
6. 折合	zhéhé	*v.*	convert into
7. 困惑	kùnhuò	*adj.*	perplexed, bewildered
8. 划算	huásuàn	*adj.*	be to one's profit; cost-effective
9. 英镑	yīngbàng	*n.*	pound
10. 购买力	gòumǎilì	*n.*	purchasing power
11. 兑换	duìhuàn	*v.*	exchange, convert
12. 区域	qūyù	*n.*	area, region
13. 参照	cānzhào	*v.*	refer to
14. 不可小觑	bùkě xiǎo qù		should not be overlooked
15. 大宗	dàzōng	*adj.*	large amount (of goods, money, etc.)
16. 摩根大通	Mógēn Dàtōng	*p. n.*	JP Morgan Chase
17. 基金	jījīn	*n.*	fund

18. 摩根士丹利	Mógēn Shìdānlì	*p. n.*	Morgan Stanley
19. 浦东	Pǔdōng	*p. n.*	Pudong
20. 腾飞	Téngfēi	*p. n.*	Ascendas Group
21. 黄浦区	Huángpǔqū	*p.n.*	Huangpu District
22. 预期	yùqī	*n.*	expectation, anticipation
23. 股价	gǔjià	*n.*	share price, stock price
24. 索罗斯	Suǒluósī	*p.n.*	Soros
25. 携带	xiédài	*v.*	carry, take along
26. 贬值	biǎn zhí		devalue, depreciate
27. 势必	shìbì	*adv.*	be bound to, certainly will
28. 理财	lǐ cái		financial management
29. 缩水	suōshuǐ	*v.*	shrink
30. 区别对待	qūbié duìdài		deal with each case on its merits
31. 外汇	wàihuì	*n.*	foreign exchange, foreign currency
32. 管制	guǎnzhì	*v.*	control, regulation
33. 可取	kěqǔ	*adj.*	desirable, advisable
34. 购置	gòuzhì	*v.*	purchase
35. 忧愁	yōuchóu	*adj.*	sorrow
36. 钢铁	gāngtiě	*n.*	iron and steel
37. 铜	tóng	*n.*	copper
38. 萎缩	wěisuō	*v.*	wither, shrivel
39. 盈利	yíng lì		profit

课后练习

一、选择最合适的词语填空

1. 汇率的变化往往使富人＿＿＿＿＿＿，因为他们手上有更多资金周转，也更了解资产的运作。

   A. 升值　　B. 受益　　C. 利益　　D. 顺差

2. 他每天都是早上7：30起床，晚上10：30睡觉，作息非常有＿＿＿＿＿＿。

   A. 规律　　B. 逻辑　　C. 习惯　　D. 秩序

3. 经过多年的协商与磨合，这两个国家终于在进出口贸易上＿＿＿＿＿＿了共识。

   A. 招致　　B. 达成　　C. 产生　　D. 形成

4. 中国的全国人民代表大会五年＿＿＿＿＿＿一次，主要对跟国家民生有关的重大决议进行表决。

   A. 举行　　B. 通过　　C. 提出　　D. 经过

5. 在他看来，＿＿＿＿＿＿国家的名誉比生命还要重要。

   A. 维持　　B. 维护　　C. 维修　　D. 保持

6. 这些代表的提案都很有参考价值，但我们必须有所＿＿＿＿＿＿，不可能一下子全盘接受。

   A. 辩证　　B. 取舍　　C. 浮动　　D. 相互

7. 这次公务员考试，尽管录取的＿＿＿＿＿＿只有一个，可报名申请的人数竟然超过1000人。

   A. 份额　　B. 幅度　　C. 名额　　D. 程度

8. 李先生对经济学很有兴趣，＿＿＿＿＿＿和汇率有关的话题，他都喜欢与别人讨论。

   A. 有所　　B. 相对　　C. 毫无　　D. 凡是

9. 看到日益严重的水污染，环保专家＿＿＿＿＿＿政府出台更严厉的环保政策。

A. 呼吁　　B. 联署　　C. 呼唤　　D. 号召

10. 经济危机发生后，旅游业很不__________，许多从业者都失业了。

A. 复苏　　B. 景气　　C. 旺盛　　D. 苏醒

11. 昨天两校球队踢了一场球，我们没想到对方上半场就踢进两个球，看来我们_______了他们的实力。

A. 无视　　B. 忽略　　C. 低估　　D. 缺乏

12. 跨国公司不但在经济领域对发展中国家的影响巨大，甚至可以通过政治献金等手段来__________这些国家的政治选举。

A. 抑制　　B. 调控　　C. 操纵　　D. 逼迫

13. 这位前诺贝尔经济学奖得主再次强调任何__________市场自由法则的举措都不利于世界经济的复苏。

A. 丧失　　B. 损失　　C. 灭亡　　D. 违反

14. 人类的生产活动破坏了环境，环境最终会以自然灾害的方式来__________人类。

A. 报复　　B. 强加　　C. 灵活　　D. 应变

15. 经过长达60小时的谈判，双方最终就自由通航问题达成了__________。

A. 动机　　B. 心态　　C. 共识　　D. 依据

二、用所给的词语和句型回答问题

1. 近几年，美国就业市场有什么变化？（有所……）
2. 对汽车行业来说，中国市场和欧洲市场哪个更重要？为什么？（相对来说 / 相对来讲，……）
3. 如果人民币不断升值，将对中国出口的商品产生什么样的影响？（大幅度+ V.）
4. 美国人认为21世纪对自己国家最大的威胁是什么？（Subj.把A列为 / 视为）
5. 在你看来，一个国家要求另一个国家进行政治改革是不是一个公平、合理的要求？（A 把 B 强加于）
6. 面对中日之间的领土争端，一些人主张通过战争的办法来解决问题。你支持这样的观点吗？为什么？（无助于）
7. 不少民主党人认为美国应该限制私人购买枪支的权利，加强对私人控枪的管制，而共和党人认为私人拥有枪支是宪法保障的权利，政府无权干涉。你同意哪一方的看法吗？为什么？（站在……的一方）
8. 在政治方面，中国对美国哪些做法很不满？（动不动）
9. 最近，你们国家的领导人开展了哪些外交活动？两国领导人在哪些方面进行了沟通？（就……的问题，+VP.）

10. 在你看来，美国要求人民币升值的目的是什么？（Subj. Vp + 以图 purpose）

三、用所给的词语填空

违反　招致　调控　毫无　平衡　倾销　操纵

货币政策是一个国家________宏观经济的重要手段之一，一般来说它的根本目的就在于保证经济________发展。中国的货币政策________了一些西方国家，特别是美国的批评。这些国家认为，中国通过________汇率让人民币贬值，扩大出口，结果造成了中国商品在欧美的________行为。而中国则回应说，中国并没________世界贸易组织的相关规定，对中国的批评________道理可言。

不振　忽略　并非　别有用心　份额　赤字　客观

商务部发言人指出，渲染“中国的需求推高资源价格”的言论是________的，也没有________地反映全球经济发展的现状。美国的贸易________、制造业________等问题都是美国自己的经济政策导致的。另外，就全球经济规模来看，中国企业所占的市场________很小，中国经济的影响________一些人想象的那样强大，而人民币还不是国际化的货币，它对金融市场的影响甚至可以________不计。

四、翻译

1. Democrats and Republicans have started talks concerning the issue of the US government budget. However, three months have already passed and both sides have not reached an agreement.
2. Lessening imports in an attempt to shrink the trade deficit is a mistake because expansion of exports is the key to economic recovery.
3. The spokesperson for the Chinese Ministry of Commerce has pointed out that it is untrue to list China as a currency manipulator. Relative to America, China's main advantage is low labor costs, while America's biggest advantage is its high-tech products. In order to restrict China, the US government has placed strict controls on China's imports of high-tech products from the U.S. This has led to it being hard for

America to play its comparative advantage against China. Such economic policies are in fact the main reason for Sino-US trade imbalances.

4. The appreciation of the RMB is certainly favorable for many US companies; however, from the position of the consumers, the appreciation of the RMB means an increase in cost of living and could even significantly (large scale) inhibit the healthy development of the US consumer market.

五、从句段到篇章：用“反证法”反驳他人观点

讨论或者辩论时，常常要反驳对方的观点。反驳有多种方法，其中比较常用的一种是“反证法”，也就是在论证中，为了证明自己的论点是正确的，先证明与这个论点相矛盾的另一个论点是错误的。比如在视频三中，中国商务部发言人指出：“现在全球的贸易中，中国对于美国是有顺差的，但是对于澳大利亚，对于日本，对于韩国，都有大量逆差。如果认为中国是通过操纵汇率来获取贸易上的竞争优势的话，那就完全失去了判断的依据。”这里就是用反证法来反驳众议员瑞安提出的“中国通过操纵汇率来获取贸易上的竞争优势”的观点。按照瑞安的看法，中国为了获取竞争优势，应该对所有国家都有贸易顺差。但发言人在这里列举了几个中国的贸易逆差国，证明瑞安的观点是站不住脚的。

用反证法反驳他人观点时常常分三步：第一，提出对方的观点，并表明自己的态度；第二，分析对方的观点，举出反例；第三，提出自己的观点。下面是一些用于“反证法”的常用句型。

	常用词汇与句式
1. 表明自己不同的态度	1. 这个观点表面上……，实际上…… 2. ……的说法有一定的道理，然而…… 3. ……忽视了……的问题 4. 这不过是一个暂时的/个别的/特殊的情况而已 5. 这只是问题的一个侧面，并不全面 6. ……难以让人信服 7. 我承认……，但是…… 8. 不可否认的是…… 9. ……缺乏说服力/可信度/科学性 10. 这个说法是无稽之谈/毫无道理可言/十分荒谬/让人费解 11. 客观地讲，…… 12. 事实上 / 实际上，……

2. 举出反例	1. 按照这种逻辑，我们设想一下，…… 2. 我们可以举出……的反例 3. 除此之外，…… 4. ……是以偏概全 5. 事实胜于雄辩 6. ……的例子不胜枚举
3. 提出自己的看法	1. ……不是……，而是…… 2. 在我看来，/依我看，…… 3. 事实/实践/历史证明，…… 4. 由此可见，…… 5. 根本上讲，…… 6. 问题的实质是…… 7. 既然……的说法不成立，那么正确的观点是…… 8. 这意味着……

练习：请用反证法反驳下面的观点

1. 只要人民币升值，美国的就业就会改善。
2. 贸易是零和游戏，因此对中国有利的就一定对美国有害。

六、新闻报告：人民币汇率制度的变迁；别的国家的汇率制度（与经贸的影响，参考价值）

二战结束后的20年里，日本、德国的经济均得到高速发展，国力的上升使这两国的货币汇率都面临巨大的升值压力，两个国家不约而同地进行了汇率制度改革，但是改革的方法不尽相同。请选择一个国家，用“德国 / 日本汇率制度改革”“对人民币的启示”等关键词组在网上搜索相关文章，阅读后为其他同学做报告，介绍一下这个国家汇率制度改革的内容以及对其经济的影响。如有需要，你也可以参考英文资料。

报告中，请讨论以下内容：

☆ 这个国家进行汇率制度改革的背景是什么？
☆ 汇率制度改革的内容有哪些？
☆ 这个改革是成功的还是失败的？对本国经济有何影响？
☆ 这个国家的汇率制度改革对中国有什么启示？

七、专题调查与报告（全班轮流，根据班级人数多少每次可指定一或两名同学完成）

20年以前，中国老百姓的理财方式就是把钱存在银行里“吃利息”。随着中国市场经济体制的建立和金融行业改革的深化，如今可供居民个人投资理财的渠道越来越多，除了储蓄以外，还可以购买股票、债券、基金、期货、黄金、古董，或开公司、投资房地产等。请采访一个或几个有工作经验的中国人，请他介绍一下他在中国生活是怎么理财的，比较一下中国人、美国人的理财方式有什么相同和不同之处。

采访问题参考：

☆ 你觉得自己是一个比较会理财的人，还是一个“月光族”？如果可以的话，可否谈一谈您每个月的开销情况？比如，在哪些方面的花费比较大？

☆ 在中国，如果个人有闲置资金，一般会选用哪些理财方式？您觉得哪种理财方式最适合您？为什么？

☆ 如果你购买彩票中了大奖，手头有三千万资金，你打算怎么投资，为什么？

☆ 人民币升值对您的生活有影响吗？如果有，请具体说明一下。

☆ 您觉得中美两国百姓的理财观念和理财方式有哪些不同？

八、辩论

为了扭转对华贸易巨额逆差的现状，美国一直大力敦促中国进行汇率改革。而中方则认为美国要想真正扩大对华出口，应该切实放宽对华民用高科技产品的出口管制；人民币升值不但无助于解决贸易逆差的问题，而且会使国内普通居民生活成本上升，反而不利于经济复苏。

请同学分为两组，分别代表中方和美方，双方就人民币是否应该升值的问题举行谈判。

九、讨论与写作

世界经济全球化的趋势不可逆转，各国经济发展密切相关，以世界贸易组织（WTO）为代表的国际经济组织也以促进贸易自由化为己任。然而，有贸易就必然有利益冲突与摩擦，中美汇率之争就是双边经济利益冲突的一个表现。

在这个问题上，美国一些人传统固有的看法是人民币长期被低估导致了双边贸易的不平衡，因此要实现贸易平衡，重振美国经济就必须让人民币升值。还有一种观点认为，中美贸易上的不平衡是由全球化造成的各国分工不同而形成的，与汇率无关。因为全球分工的链条中，中国是制造国，而美国是消费市场，双边贸易自然会出现美国对中国的贸易逆差。对于这个问题，你更支持哪一方的观点？请以《人民币汇率与中美贸易》为题，具体阐述你对这个问题的看法。

动笔以前，请思考、讨论以下问题：

1. 中美贸易的现状是什么？存在哪些问题？
2. 人民币汇率是不是会导致中美贸易不平衡的主要原因？
3. 除了汇率对贸易有影响之外，还有哪些因素会影响贸易平衡？
4. 在你看来解决中美贸易失衡的措施有哪些？美元贬值是否可行？美国如何扩大对中国的出口？

专题七　电子商务

主要内容

在网络日益普及，移动科技日渐广泛应用的今天，电子商务已经成为现代人生活方式的一部分。阿里巴巴因2014年在美国成功上市而风光无限。十多年前，它还只是一家10多人的小公司，如今已成长为世界最大的电商企业，奇迹的背后是中国电子商务的飞速发展和电商生态圈的形成。由阿里巴巴一手打造的“双11”网购狂欢节一方面力证中国内需的力量，同时也是中国经济转型的一个信号，说明消费模式、营销模式，甚至是生产模式正在发生转变。

本专题以阅读文章《指尖上的购物革命：无网购，不生活》为主要学习材料。这篇文章介绍了“双11”的由来以及电子商务给社会经济带来的影响。三个背景视频中，第一个生动地展示了中国年轻人“双11”当天疯狂的扫货行为，第二、第三个分析了电子商务对中国经济发展的推动作用。

学习目标

1. 了解近年来电子商务在中国的发展趋势以及给经济发展、社会生活带来的影响，通过“双11”网购节，熟悉中国消费者的购买行为和商家常用促销策略。
2. 学习描述网上购物的流程。
3. 分析在互联网和大数据时代，网络、移动技术、电子商务和大数据分析给人类生活带来的各种影响，并阐述自己的看法。

重点学习材料　阅读

指尖上的购物革命：无网购，不生活

思考题：

1. 什么是电子商务？跟传统的商务模式比，电子商务有哪些优点和缺点？
2. 林学和高严的装修经历有什么不同？为什么会有这些不同？
3. 淘宝为什么把网购节定在11月11日？
4. 电商为什么可以比传统的商家更了解消费者？

“互联网、电子商务已经改变了我们的生活习惯和消费习惯，这是一个大趋势。”商务部电子商务和信息化司副司长聂林海(Niè Línhǎi)的这个表述，概括了已有近20年历史的电子商务发展的现状和趋势。

在网购大潮的裹挟之中，在电商企业有的放矢的引导与刺激之下，人们的消费习惯已发生巨变。而这些新的、分众化的消费习惯，也在促使电商不断探索，在大数据等技术支持之下，分析、预测人们的习惯，并以此为据谋划未来。

网购是什么？一种生活方式

来自山东的林学，最近装修了他的新房子。在整个过程中，他从淘宝上找人设计，从淘宝上买材料，唯一要在线下完成的就是请人前来施工，他觉得自己在“享受装修家的过程”。据统计，和他一样借助淘宝来装修的人，仅2003年至2013年间，就有2065万。

而在20年前，北京知名媒体人高严在装修房子时，一次次地开车到建材市场，有时因为材料尺寸不对，还需要反复来回跑，他记得那时候自己“小腿都跑细了”，直到现在，一想起装修房子还觉得累。

这20年，正是中国电子商务从起步到逐渐成熟的20年。自1995年起步至今，电子商务，尤其是网购，大幅度改变了人们的消费习惯。许多人早已养成了买东西前看商品评价、看卖家信用的习惯。而这也让卖家把信用值看得格外重要。

在山东青岛经营一家网店的鲁盛（Lǔ Shèng）告诉记者，他的店如今有着“双皇冠信誉”，就是他网店的商品质量、服务态度和发货速度的客户评分均高于同行，这是大家愿意在他店里下单的重要原因。“以前卖东西靠卖家一张嘴，现在人家直接看你的网评就行了。”

“以前买东西，信息是不对称的，价格也经常虚高，但是互联网解决了这个问题”，互联网实验室创始人方兴东（Fāng Xīngdōng）出生于浙江义乌，他告诉记者，从义乌批发到全国各地市场的日用品，到消费者手里价格上涨了5到10倍，而电商则既方便又物美价廉，自然吸引了众多消费者。

随着电商的发展，人们对于物流的要求也越来越挑剔。“物流智慧化”正成为大势所趋。在中关村工作的李川，在微信里关注了顺丰快递等好几家快递公司。网上买了东西以后，只需输入单号，就可以随时获知快递的商品在何时到了何地，有时甚至连快递员的姓名和电话都能显示出来。李川告诉记者，几年网购下来，“能精准控制拿货的时间与流程”。

网购的便捷使人们的购物选择从线下逐渐转向了网上。据商务部电子商务司副司长张佩东（Zhāng Pèidōng）介绍，2013年中国电子商务总交易额已经超过10万亿元，其中网络销售交易额约1.85万亿元。据分析，目前我国已成为世界上最大的网络零售市场。商务部表示，到2015年，电子商务交易额预计超过18万亿元，使得网络零售交易额相当于社会消费品零售总额的10%以上。

没有消费需求？电商“无中生有”

在业内人士看来，中国消费者习惯的改变，除了网购大潮本身带来的影响外，还打下了诸多电商企业的烙印。这些企业或以创新的方式，或以竞争的方式，强势改变着消费者的消费习惯——“双11”就是很好的例子。

11月11日被称为“双11”光棍节，据说来源于南京大学校园里四个男生的“卧谈会”。与中国传统节日以及西方的“洋节”不同，“光棍节”既没有中国古老传说的文化沉淀，也并非外来文化的冲击，然而，这个草根节日却在短短几年之内变成了最火爆的网购节。

“光棍节”变成网购节，是淘宝2009年才开始运作的，主要是进行低至一折的网上促销活动。淘宝所属公司阿里巴巴集团公关负责人透露，淘宝网购促销日选在11月11日是精心调研的结果。首先，11月在中国的零售业是一个空档，前面有国庆黄金周，后面是圣诞节，正好把11月空了出来；其次，11月临近年底，一年中积压在仓库里的商品要清仓，商家希望在最后两个月完成销售额，如果能在一天内解决这些问题，哪怕少赚点银子也乐意干；其三，很多单位是在每个月10号发工资，11号正好是大家腰包最鼓，最愿意花钱的时候；但最重要的还是光棍节有着坚实的“草根”基础，这个群体以年轻人为主，平时就喜欢网购，遇到打折当然不会放过，再加上“双11”在互联网上传播相对琅琅上口，很容易形成口碑。综合这些因素，在电商和媒体的联手炒作下，人类史上最大规模的网购节就这样横空出世了。

2014年11月12日凌晨，阿里巴巴公布了“双11”全天的交易数据：截至11日，天猫全天交易额突破571亿元，其中移动交易额达到243亿元，物流订单2.78亿单。今年只用了短短14个小时就打破了去年创下的362亿元人民币，也就是60亿美元的纪录。这比美国年度最大的两个购物日“黑色星期五”和“网络星期一”的销售额加起来还多；更何况，这还是整个美国的数据，而阿里巴巴只是一家公司。阿里巴巴集团董事局主席马云甚至表示，“双11”购物狂欢节是中国经济转型的一个信号，也就是新经济、新的营销模式对传统零售业的挑战。

电商之所以能如此“兴风作浪”，归根结底还是因为让消费者拥有了更多的自主权，获得了更多的尊重。方兴东指出：“在网上购物，你可以得到很多线下购物没有的权利，拥有更高的自由度，所以买过几次之后，基本上对网购会越来越依赖。电商们推出的活动也本着这个原则，自然受欢迎。”

你有啥偏好？商家比你还清楚

随着网民的大规模增加，网购群体已经分为许多层面，分众化的消费倾向已经比较明显。消费者的分众化习惯，也为商家提供了机会。

分众化的消费习惯体现在诸多方面。雾霾影响下，去年全国的淘宝用户花了8.7亿元用在抗霾用品上；去年3000万男性用户消费181亿元在淘宝上购买母婴用品，已占母婴用品用户总数的44%，有人表示，“父婴时代”正在来临；南方寒冷的初春，让去年1至3月购买取暖设备的南方人，数量上远远超过了北方人……

电商除了培养消费者的消费习惯，也在试图用大数据剖析当下消费群体之规律，以便有的放矢。以京东推出的“京东数据汇”，淘宝推出的“淘宝十周年时光机”等为代表，大的电商企业每年都会推出数个基于用户数据的统计，对于在这些平台上做生意的中小商家来说，无疑可以根据这些数据探索今后的发展重点。

“我们更关注数字背后的东西，通过数字去真正地理解市场的力量。”马云这样表达他对这些数据的看法。

“过去我们做广告，都在中央电视台、平面媒体和分众平台，但是利用电子商务大平台数据挖掘成果，可以精准地推荐消费者想要的产品。”聂林海如是表示。

分众化还体现为购物成为社交的重要组成部分。朋友间分享购物体验，带动并刺激了相应的消费习惯，这一点也已为商家所察觉。事实上，在腾讯与阿里巴巴的竞争中，前者正是利用在社交工具上的优势与电商结合，而后者则在努力开拓“来往”等新社交手段，补强电商优势。

“了解消费者的习惯、偏好和行为特征后，可以更有针对性，为他们提供更好的服务。”方兴东表示，“电商企业应该明白，互联网最大的优势和最终改变的，都是改变信息不对称的现状。”

（选自《人民日报》海外版，作者刘少华，2014年3月21日，有删改
引用网址：http://paper.people.com.cn/rmrbhwb/html）

生词表

1. 司长	sīzhǎng	*n.*	director, department chief
2. 表述	biǎoshù	*n.*	expression, statements
3. 概括	gàikuò	*v.*	summarize
4. 裹挟	guǒxié	*v.*	(of circumstances, trends, etc.) sweep sb. along, draw sb. into
5. 有的放矢	yǒu dì fàng shǐ		shoot the arrow at the target, <fig.> have a definite objective in speech or action
6. 谋划	móuhuà	*v.*	(fml.) plan
7. 装修	zhuāngxiū	*v.*	renovate
8. 线下	xiànxià	*n.*	off line
9. 施工	shī gōng		be in the process of construction
10. 建材	jiàncái	*n.*	construction material
11. 尺寸	chǐcùn	*n.*	size
12. 格外	géwài	*adv.*	especially, exceptionally
13. 皇冠	huángguān	*n.*	crown

14. 信誉	xìnyù	*n.*	reputation
15. 下单	xià dān		place order
16. 网评	wǎngpíng	*n.*	online reviews
17. 对称	duìchèn	*adj.*	symmetrical
18. 虚高	xūgāo	*adj.*	unreasonably high
19. 批发	pīfā	*v.*	wholesale
20. 大势所趋	dà shì suǒ qū		trend of times, general trend
21. 顺丰快递	Shùnfēng Kuàidì	*p.n.*	S.F. Express, a delivery service in China similar to UPS or FedEx
22. 单号	dānhào	*n.*	tracking number
23. 流程	liúchéng	*n.*	technological process, work flow
24. 无中生有	wú zhōng shēng yǒu		purely fictitious, fabricated
25. 烙印	làoyìn	*n.*	brand left by a heated iron on an animal or object, <fig. > lasting impression
26. 沉淀	chéndiàn	*n.*	sediment, <fig. > accumulation, accretion
27. 冲击	chōngjī	*v.*	<fig. > interfere or attack so as to exert an influence on sth., come under fire
28. 草根	cǎogēn	*n.*	grass roots
29. 空档	kòngdàng	*n.*	gap, interval
30. 积压	jīyā	*v.*	keep long in stock
31. 清仓	qīng cāng		clear the inventory
32. 银子	yínzi	*n.*	money
33. 乐意	lèyì	*adj.*	be willing to
34. 腰包	yāobāo	*n.*	waist bag, purse
35. 鼓	gǔ	*adj.*	bulging

36. 琅琅上口	lángláng shàng kǒu		easy to pronounce
37. 口碑	kǒubēi	*n.*	word of mouth, public praise
38. 横空出世	héng kōng chū shì		launch to the world splendidly, roar across the horizon
39. 移动	yídòng	*v.*	mobile
40. 兴风作浪	xīng fēng zuò làng		raise winds and waves, <fig.> make trouble
41. 归根结底	guī gēn jié dǐ		in the final analysis, ultimately
42. 自主权	zìzhǔquán	*n.*	right to make one's own affairs
43. 分众化	fēnzhònghuà	*n.*	demassification, specification of mass
44. 母婴用品	mǔyīng yòngpǐn		maternal and child supplies
45. 剖析	pōuxī	*v.*	analyze
46. 时光机	shíguāngjī	*n.*	time machine
47. 察觉	chájué	*v.*	detect, become aware of
48. 腾讯	Téngxùn	*p. n.*	Tencent
49. 开拓	kāituò	*v.*	open up
50. 偏好	piānhào	*n.*	preference
51. 针对性	zhēnduìxìng	*n.*	pertinency

注释：

1. 小腿都跑细了：意思是为了做一件事情跑了很多路，很累、很辛苦，结果小腿都跑瘦了。"Lower legs have been run thin" means that in order to do something, one has run down many roads, suffering hardship and fatigue. As a result, even the little legs have been run thin.
2. "双11"光棍节："光棍"意思是单身，因为数字"1"是单数，而且看起来很像一根"棍子"，最初在大学校园里一些年轻人娱乐性地把11月11日称为"光棍节"。现在"双11"已经被淘宝等网络购物平台发展为网购狂欢节。"Single stick" refers to a single person because the number 1 is a single digit number, and even looks like a stick.

Initially on university campuses, some youths termed the 11th of November "Singles Day" in good fun. Today, "Double 11" Singles Day has been developed by Taobao and other online shopping platforms into a shopping festival.

3. 卧谈会：是指晚上宿舍熄灯后，因为其他事做不了，宿舍的室友们就躺在各自的床上谈天说地，聊些都感兴趣的话题，以此打发时间解闷。"Lying down meeting" refers to the dormitories at night after lights out. Because they are unable to do anything else, roommates in the dormitories will chat with each other while lying in their own beds. They chat about topics that are of interest to all of them in order to dispel boredom.
4. 少赚点银子：意思是"少赚点钱"。银子是古代常用的货币。"Earn less silver" means to earn less money. Silver was the common currency in ancient times.
5. 腰包最鼓：意思是最有钱的时候。腰包是一种系在腰间的钱包，如果钱包鼓起来，说明里面装的钱很多。"Most bulging fanny pack" refers to the time when a person is most wealthy. A fanny pack is a kind of purse that one wears around the waist. If the purse is bulging, it means that there is a lot of money in there.
6. 父婴时代："父婴"是模仿"母婴"创造的一个新词，以前照料孩子主要是母亲的责任，而现在父亲对孩子的成长和家庭生活的参与越来越多，意味着"父婴时代"的到来。"Father and Child" is a new term that is playing off of the more conventional notion of "Mother and Child." Before, it was mainly the responsibility of the mother to take care of the children, but now fathers are becoming increasingly involved in the growth of their children as well as in family life, heralding the coming of the era of the "Father and Child."

重点句型与词汇

1. 在……（之）下 under/with

（1）在网购大潮的裹挟之中，在电商企业有的放矢的引导与刺激之下，人们的消费习惯已发生巨变。

（2）该核电站的建设是在国际原子能机构的严格监督之下进行的。

（3）在家人的支持和鼓励下，王先生的体重在一年之内减掉了20斤，并且戒掉了酗酒的毛病。

2. 以此为据+ VP　VP using this as evidence

(1) 而这些新的、分众化的消费习惯，也在促使电商不断探索，在大数据等技术支持之下，分析、预测人们的习惯，并以此为据谋划未来。

(2) 赵先生向朋友炫耀自己与情妇旅行的照片，妻子以此为据，向法院起诉要求离婚。

(3) 教育厅近日出台了一系列为中小学生减轻学习负担的措施，学生家长可以此为据向教育部门投诉学校或老师的违规违纪行为。

3. 相当于　equivalent to

(1) 到2015年，电子商务交易额预计超过18万亿元，使得网络零售交易额相当于社会消费品零售总额的10%以上。

(2) 医生说一天吃两片维生素C相当于吃了十个橘子。

(3) 中国历史上儒家和道家的传统，在某种程度上相当于西方的古典主义和浪漫主义传统。

4. 打下……烙印　leave a mark or impression

(1) 中国消费者习惯的改变，除了网购大潮本身带来的影响外，还打下了诸多电商企业的烙印。

(2) 父亲坚强乐观的性格在他幼小的心灵打下了深深的烙印。

(3) 从某种意义上讲，性格就是生活在人身上打下的烙印。

5. 或……或……　whether ... or ...

(1) 这些企业或以创新的方式，或以竞争的方式，强势改变着消费者的消费习惯——“双11”就是很好的例子。

(2) 这类研究项目，或多或少，或直接或间接，都会得到我们基金会的支持。

(3) 事故发生后，急救中心里到处都是患者，或坐或卧，场面十分混乱。

6. adj.至+number　as (e.g. far as, low as) + number

(1) “光棍节”变成网购节，是淘宝2009年才开始运作的，主要是进行低至一折的网上促销活动。

(2) 金融危机发生以来，欧洲经济发展不断下滑，低至0.5%的经济增长率导致失业人口大量增加。

(3) 发生在日本的大地震的威力，就连远至太平洋西岸的美国加州也能感受到。

7. 截至+ date since/ starting from/ as of

(1) 截至11日，“双11”这一天，支付宝达成交易笔数为1.7亿笔，全天成交金额为350.19亿元，比去年的191亿增长了83%。

(2) 这场选举难分胜负，截至目前，还看不出来谁将取得最后的胜利。

(3) 截至周三，该股票的价格在过去一个月内下跌了30%左右。

8. 本着……原则 based on/ guided by _______ principles

(1) 电商们推出的活动也本着“让消费者拥有更多自主权”的原则，自然受欢迎。

(2) 中国一直本着和平共处的基本原则与各国发展外交关系。

(3) 我们本着诚信第一的原则为客户提供最优质、最贴心的服务。

9. 以便 in order to

(1) 电商除了培养消费者的消费习惯，也在试图用大数据剖析当下消费群体之规律，以便有的放矢。

(2) 我们一起开会确定了各项工作开始的时间和完成的进度，以便进行有效的控制和协调。

(3) 很多年轻的父母都会在婴儿房安装一个摄像头，并与手机、电脑连接，以便随时掌握孩子的作息。

10. 无疑 / 毫无疑问 no doubt, without a doubt

(1) 对于在这些平台上做生意的中小商家来说，无疑可以根据这些数据探索今后的发展重点。

(2) 第二语言的教学目的无疑是培养学习者的语言交际能力。

(3) 毫无疑问，我们公司的营销策略将会随着市场格局的转变而调整。

11. 为sb.所V. has been V-ed by sb.

(1) 朋友间分享购物体验，带动并刺激了相应的消费习惯，这一点也已为商家所察觉。

(2) 中国是世界工厂的说法已经为很多人所接受。

（3）莎士比亚的戏剧早已为中国观众所熟悉，尤其是罗密欧与朱丽叶的悲剧爱情故事。

词语搭配

1. 概括+ N.

~中心思想 | ~大意 | ~主要内容 | ~全文

（1）商务部电子商务和信息化司副司长聂林海的这个表述，概括了已有近20年历史的电子商务发展的现状和趋势。

（2）在中小学语文课上，老师常让学生做概括文章中心思想的练习。

（3）影响一个人发展的因素有很多，概括起来，主要有遗传、环境、教育和个体的主观能动性这四个方面。

2. 谋划+N.

~未来 | ~发展战略 | ~工作 | ~明天

（1）这些新的、分众化的消费习惯，也在促使电商不断探索，在大数据等技术支持之下，分析、预测人们的习惯，并以此为据谋划未来。

（2）令人高兴的是，现在许多企业开始意识到电子商务的重要性，都在谋划未来发展战略。

（3）王市长要求政府各个部门抓紧拟定今年的工作要点，紧紧围绕人民群众最关心的热点、焦点和难点问题，提前谋划好各项工作。

3. 格外 + Adj. / V.

~重要 | ~小心 | ~关注 | ~美丽 | ~鲜明 | ~低调 | ~珍惜

（1）许多人早已养成了买东西前看商品评价、看卖家信用的习惯。而这也让卖家把信用值看得格外重要。

（2）下雪天在高速公路上开车时要格外小心，减速慢行。

（3）我母亲在一个环保组织工作，所以她对中国环保政策的制定格外关注。

4. 何+ N.

~时 | ~处 | ~地 | ~人 | ~事

（1）网上买了东西以后，只需输入单号，就可以随时获知快递的商品在何时到了何地。

(2) 无论在何时何地，他为人处事的风格始终不变。

(3) 未来的网络世界是一个怎样的虚拟世界，它将向何处发展，这是一个难以回答的问题。

5. 精心 + V.

~调研 | ~策划 | ~准备 | ~打造 | ~挑选 | ~设计 | ~组织 | ~安排

(1) 淘宝所属公司阿里巴巴集团公关负责人透露，淘宝网购促销日选在11月11日是精心调研的结果。

(2) 为了给她一个惊喜，我们精心策划了一场生日派对。

(3) 认真总结自己的经历，精心准备一份应聘简历是成功的开始。

6. 坚实（的）+ N.

~基础 | ~后盾 | ~保障 | ~品质 | ~支撑

(1) 最重要的还是光棍节有着坚实的"草根"基础。

(2) 他从小就博览群书，为后来从事科学研究打下了坚实的基础。

(3) 中国入世带动了内地经济的发展，也为香港的经济发展提供了更加坚实的后盾。

7. 联手+ V.

~炒作 | ~推出 | ~举办 | ~打击 | ~打造

(1) 在电商和媒体的联手炒作下，人类史上最大规模的网购节就这样横空出世了。

(2) 中国银行与西联汇款（Western Union）联手推出的跨境汇款服务非常受欢迎。

(3) 由宜家、百安居等国内外知名家具品牌联手举办的家居购物狂欢节昨天隆重开幕。

8. 推出+ N.

~活动 | ~计划 | ~方案 | ~新产品 | ~新作 | ~车型 | ~品牌

(1) 电商们推出的活动也本着这个原则，自然受欢迎。

(2) 竞价排名是一种按效果付费的网络推广方式，由百度在国内率先推出。

(3)《查理周刊》(*Charlie Hebdo*) 遭恐怖袭击后，欧盟准备在未来几周内推出新的反恐计划。

9. 开拓 + N.

~手段 | ~市场 | ~新领域 | ~业务 | ~渠道 | ~新时代

（1）在腾讯与阿里巴巴的竞争中，前者正是利用在社交工具上的优势与电商结合，而后者则在努力开拓“来往”等新社交手段，补强电商优势。

（2）鉴于国内市场日益饱和，许多公司正在集中精力开拓海外市场。

（3）一名管理者如果不善于提出新问题，开拓新领域，就无法跟上形势的变化。

成语

1. 有的放矢：比喻说话做事有针对性。的：箭靶子；矢：箭。

（1）在电商企业有的放矢的引导与刺激之下，人们的消费习惯已发生巨变。

（2）会议发言应该有的放矢，不能想到什么说什么。

（3）给大学写入学申请信的时候应该有的放矢，尽量突出自己的优势。

2. 大势所趋：总的局势的趋向。势：总的局势；趋：趋向。

（1）“物流智慧化”正成为大势所趋。

（2）当今世界，经济全球化已是大势所趋。

（3）一些分析人士表示，汽车智能化是大势所趋，谷歌推出的智能自动驾驶汽车是未来汽车业发展的主要方向。

3. 无中生有：指本来没有却说有，形容凭空捏造。

（1）“双 11”购物节是电商无中生有创造出来的。

（2）我觉得这些对李先生的指控完全是无中生有，毫无道理的。

（3）外交部发言人批评该报道中的人和事是无中生有，与事实严重不符。

4. 琅琅上口：指诵读熟练、顺口。也指文辞通俗，便于口诵。琅琅：玉石相击声，比喻响亮的读书声。

（1）“双 11”在互联网上传播相对琅琅上口。

（2）中国古代的诗词讲究韵律（yùnlǜ, ryhthm），所以读起来琅琅上口。

（3）“维维豆奶，欢乐开怀”，这句朗朗上口的广告词对于中国的老百姓来说，是再熟悉不过了。

5. 横空出世：形容人或物高大，横在空中，浮出人世，或比喻突然出现。

（1）人类史上最大规模的网购节就这样横空出世了。

（2）第二次世界大战后期，核武器横空出世，对世界局势产生了非常深远的影响。

（3）2005年，一个叫YouTube的网站横空出世，2006年就被谷歌以16.5亿美元的价格收购了。

6. 兴风作浪：挑起事端或进行破坏活动。

（1）电商之所以能如此“兴风作浪”，归根结底还是因为让消费者拥有了更多的自主权，获得了更多的尊重。

（2）这个人总是喜欢搞办公室政治，无时无刻不在兴风作浪！

（3）盗版唱片之所以能在市场上兴风作浪，很重要的一个原因是正版唱片价格过高。

7. 归根结底：归结到根本上。

（1）电商之所以能如此“兴风作浪”，归根结底还是因为让消费者拥有了更多的自主权，获得了更多的尊重。

（2）世界是老年人的，也是中年人的，但归根结底还是年轻人的。

（3）商品的价格，归根结底是由供求关系决定的。

补充学习材料

视听理解

视频一　天猫“光棍节”网购狂欢，一分钟涌入一半京城人

思考题：

1.“双11”当天，天猫向消费者提供什么样的优惠价格？

2. 根据视频内容，请描述一下天猫“双11”网民购物狂欢的情况。

3. 这一次的“双11”最快的网购送货时间是多长？

生词表

1. 天猫	Tiānmāo	*p.n.*	www.tmall.com, is a Chinese-language website for business-to-consumer (B2C) online retail, spun off from Taobao, operated in by Alibaba Group
2. 涌入	yǒngrù	*v.*	pour in
3. 备战	bèizhàn	*v.*	prepare for war
4. 阿里巴巴	Ālǐbābā	*p.n.*	alibaba Group, a famous Chinese e-commerce company
5. 狂欢节	kuánghuānjié	*n.*	carnival
6. 凌晨	língchén	*n.*	before dawn
7. 帷幕	wéimù	*n.*	heavy curtain hung on a theatric stage
8. 震撼力	zhènhànlì	*n.*	shocking power
9. 据悉	jùxī	*v.*	It is reported that...
10. 心仪	xīnyí	*v.*	admire in heart
11. 收藏	shōucáng	*v.*	collect, save
12. 添加	tiānjiā	*v.*	add
13. 购物车	gòuwùchē	*n.*	shopping cart
14. 刷新	shuāxīn	*v.*	refresh (a website)
15. 抢购	qiǎnggòu	*v.*	rush to purchase
16. 支付宝	zhīfùbǎo	*n.*	paypal
17. 交易额	jiāoyì'é	*n.*	amount of business transaction
18. 史无前例	shǐ wú qián lì		be unprecedented in the nation's history
19. 回馈	huíkuì	*v.*	feedback
20. 盛事	shèngshì	*n.*	grand event, grant occasion
21. 包裹	bāoguǒ	*n.*	parcel

22. 首席风险官	shǒuxí fēngxiǎnguān		chief risk management officer
23. 拭目以待	shì mù yǐ dài		rub one's eyes and wait

视频二　光棍节变身电商节，马云创造中国消费新模式

思考题：

1. 今年“双11”阿里巴巴旗下淘宝和天猫的表现如何？
2. 在马云看来，“生意人”和“企业家”有什么不同？
3. 马云希望能有更多线下的商场参与“双11”网购，但现实情况如他所愿吗？

生词表

1. 淘宝	Táobǎo	*p. n.*	a Chinese website for online shopping similar to eBay and Amazon.
2. 总部	zǒngbù	*n.*	headquarter
3. 屏幕	píngmù	*n.*	screen
4. 通宵达旦	tōng xiāo dá dàn		all through the night
5. 狂潮	kuángcháo	*n.*	swelling tide
6. 董事局	dǒngshìjú	*n.*	the board of directors
7. 电商	diànshāng	*n.*	online retailers
8. 涉足	shèzú	*v.*	set foot in
9. 摆脱	bǎituō	*v.*	get rid of
10. 创新精神	chuàngxīn jīngshén		spirit of innovation
11. 网购	wǎnggòu	*v.*	online shopping
12. 平台	píngtái	*n.*	platform
13. 标榜	biāobǎng	*v.*	flaunt sth. good, excessively praise

14. 视野	shìyě	*n.*	field of vision
15. 胸怀	xiōnghuái	*n.*	mind, heart
16. 熬夜	áo yè		stay up late
17. 快递	kuàidì	*n.*	express delivery
18. 客服	kèfú	*n.*	customer service
19. 敌对	díduì	*v.*	hostile
20. 抵制	dǐzhì	*v.*	boycott
21. 促销	cùxiāo	*v.*	sales promotion
22. 零售业	língshòuyè	*n.*	retailing industry
23. 物流	wùliú	*n.*	logistics, the interflow of goods and materials
24. 堵塞	dǔsè	*v.*	block up, jam
25. 欺诈	qīzhà	*v.*	cheat
26. 假冒伪劣	jiǎ mào wěi liè		fake and poor quality commodities
27. 残酷	cánkù	*adj.*	cruel

视频三　电子商务——中国经济发展新动力

思考题：

1. 和四年前相比，快递员丁杰对他职业前景的看法有什么变化？
2. 从这段视频可以看出电子商务对中国经济发展有哪些影响？

▶ 生词表

1. 诞生	dànshēng	*v.*	be born, come into the world
2. 提拔	tíbá	*v.*	promote, select a person to an more important position

3. 指挥	zhǐhuī	*v.*	command, direct
4. 星星点点	xīngxīngdiǎndiǎn	*adj.*	tiny spots, bits and pieces
5. 井喷	jǐngpēn	*n.*	(petroleum) blowout
6. 普及率	pǔjílǜ	*n.*	popularity rate
7. 跃升	yuèshēng	*v.*	jump, increase rapidly
8. 京东商城	Jīngdōng Shāngchéng	*p.n.*	JD.com, one of the largest B2C online retailers in China by transaction volume
9. 纳斯达克	Nàsīdákè	*p. n.*	NASDAQ
10. 融资	róng zī		fund-raising
11. 欣喜	xīnxǐ	*adj.*	delighted
12. 爆炸	bàozhà	*v.*	explosion
13. 测算	cèsuàn	*v.*	measure and calculate, guess and estimate

课后练习

一、选择最合适的词语填空

1. 如果用一句话来__________这篇文章的中心思想，我觉得就是“己所不欲，勿施于人”。

   A. 剖析　　B. 挖掘　　C. 察觉　　D. 概括

2. 感恩节的来历与早期欧洲人到美洲__________新领地有很大的关系。

   A. 推出　　B. 开拓　　C. 冲击　　D. 沉淀

3. 他们两个人的感情基础非常＿＿＿＿＿，即使经历了那么多的困难，他们仍始终如一地相爱着。
   A. 坚实　B. 虚高　C. 强大　D. 坚定
4. 中方愿意在多个行业与外国企业＿＿＿＿＿，以共同推动世界贸易繁荣。
   A. 联系　B. 联合　C. 合作　D. 协商
5. 这家网站上的商品很便宜，质量也＿＿＿＿＿ 不错。
   A. 格外　B. 偏好　C. 相当　D. 尤其
6. 我以为小李收到货款后会把货物寄给我，没想到这是他＿＿＿＿＿设计的骗局。
   A. 精心　B. 乐意　C. 专心　D. 乐趣
7. 一个人小时候的经历会不知不觉地在心里打下深刻的＿＿＿＿＿。
   A. 谋划　B. 烙印　C. 流程　D. 谋略
8. 我从来没去过英国，你说我在英国犯过罪是＿＿＿＿＿。
   A. 横空出世　B. 无中生有　C. 一无所有　D. 兴风作浪
9. 经济全球化乃当今世界＿＿＿＿＿，不可阻挡。
   A. 归根结底　B. 毫无疑问　C. 有的放矢　D. 大势所趋
10. 这家商店常常卖假货，一点＿＿＿＿＿也没有，千万不要买他们的东西。
   A. 名气　B. 口碑　C. 信誉　D. 名声
11. 上个月我到四季青市场＿＿＿＿＿了三十双袜子，现在有点后悔，实在穿不完。
   A. 成交　B. 交易　C. 清仓　D. 批发
12. "林""从"这两个汉字的共同特点是左右＿＿＿＿＿，可以从中间把它们分成左右相同的两部分。
   A. 对称　B. 针对　C. 对比　D. 平衡

二、用所给的词语和句型回答问题

1. 为什么现在中国的毒品交易越来越少了？（在……之下，……）
2. 在你看来，电子商务会威胁传统零售业的市场主导地位吗？（以此为据+ VP）
3. 美国最小的州比最大的州小多少？（相当于）
4. 毕业以后，你想从事什么样的工作？（或……或……）
5. 在你看来，哪家跨国企业在中国的本土化比较成功？（无疑）
6. 和平时的价格比起来，感恩节期间一些家用电器的价格如何？（adj.至+number）
7. 你认为中美之间怎么样才能避免发生军事冲突？（本着……原则）
8. 美国人对哪些中国品牌比较熟悉？为什么？（为sb.所 V）

9. 到目前，你去过哪些国家？（截至+ date）

10. 为什么购物网站常常要求买家给卖家留一个联系方式？（以便）

三、用所给的词语填空

腰包　扫货　横空出世　剖析　积压　草根　推出　线上

每年年底，许多厂家和商店都_______了大量的货物，为了回笼资金，他们都纷纷_______特价商品，这无疑给广大_______带来了购物良机。这时候也是消费者_______最鼓的时候，他们或在_______下单，或到商场_______，忙得不亦乐乎。正是准确地_______了商家与消费者的心态，光棍节于2009年_______，一举成名，而且自从诞生之日起，每年都有惊人的表现。

精心　何　口碑　自主权　开拓　有的放矢

研究表明，消费者的_______比广告更有影响力。有的时候，厂家花费了很多时间调查消费者需要_______种服务，并_______制作了吸引眼球的广告，但是可能因为一个偶然事件遭遇"信任危机"。因此，商家在_______市场时，不但要_______地制定产品发展战略，也要充分考虑到消费者在选择商品时的_______，尽量为他们提供舒适的购物体验，让消费者变成产品的最佳代言人。

四、翻译

1. Up till the present moment, Alibaba's Taobao is undoubtedly the most comprehensive and competitively priced online shopping platform. Anything from building materials to maternity products can be bought online.
2. Due to growing popularity on the internet, partnering with e-commerce is the general trend in business. Many young people seek the convenience and speed of the online shopping experience.
3. Ultimately, the so-called "double 11" shopping festival was put together by the combined effort of online businesses and manufacturers. Those products that were priced as low as 10% of their listed price were especially attractive to the "grassroots" population.

4. KFC's meticulously designed slogan was catchy and rolled off the tongue and left a lasting impression in the hearts of children.

五、从句段到篇章：描述网上购物的流程

在高级汉语学习阶段，我们经常练习讨论抽象的话题，如某种社会现象、国际问题、文化思想、哲学理论等；同时，可能忽视了学习如何描述一些很生活化的操作性内容，比如怎么开车、怎么做菜、如何做一项体育运动。其实对这些操作性活动的描述也是高级汉语学习内容之一。本专题我们学习怎么描述网上购物的流程。我们先阅读一篇淘宝网购物流程的说明，然后再学习用于此类话题的一些常用结构和词汇。

范文：淘宝网购物流程

一、准备阶段

1. 如果您还没有在淘宝上注册，请先注册。2. 注册支付宝，这一步有点麻烦，但是注册支付宝实际上是一劳永逸的事情，可以大大减少您在网上购物的风险。3. 注册网上银行或者个人信用卡。

二、挑选商品阶段

选择宝贝，也就是淘自己喜欢的宝贝，打开淘宝网，在首页右上角点击“我要买”，再在您感兴趣的分类中挑选自己喜欢的宝贝。

选中了我们就开始下面的步骤。您选中了宝贝后点宝贝的图片，就会出现宝贝所在的页面。如果您实在太喜欢该宝贝了，没有任何问题要向卖家咨询，您就可以点立即购买。如果您有问题要咨询，那么先登陆淘宝后，可以直接在该页下方的空白处写下您的问题并确认，这样卖家在看到您的问题后会回复您。

您若想要了解卖家的信誉，可以点右边“查看信用评价”。

三、确认购买

您首先要确认购买，即您要先和卖家确认颜色、式样等宝贝信息，确定您所需要的宝贝有货后，在空白处填上相关信息，特别是要准确填写您的收货地址，然后点确认。这样您就把宝贝拍下来了。

四、付款和收货

付款的时候，您若要选择支付宝付款，那么就请点“支付宝付款”。使用支付宝时您应该先登陆支付宝账号对支付宝进行充值。

付款之后您就等着卖家发货，卖家发完货会通知淘宝，淘宝会通知您的，您可以在淘宝网上查看卖家是否发货，收到货后请点击“确认收货”。只有您确认收货后，支付宝才放款给卖家。当然如果您不确认也不申请退款，一段时间后支付宝也会把款放给卖家。

五、评价卖家

确认收货后，您再点“评价”就可以给卖家评价了。评价有好评也有差评。

网上购物常用句型及词汇

一般步骤	常用句型和词汇
第一步：购物、下订单前的准备	开通网上银行/信用卡/支付宝/第三方支付 注册账户 登陆；密码；用户名；申请；风险；资金安全；步骤；流程
第二步：浏览和选择商品	**网站：** 购物网站；链接；网址；下拉菜单；产品分类；同类商品；按价格从低到高排序； 常用中文购物网站：天猫；淘宝；京东商城；当当网；亚马逊； **选择商品：** 点击……；对……感兴趣；比较……的价钱；查看……的信誉度/评价；向……咨询……；回复；询问；留言；打折；折扣率；宝贝（指商品）；心仪的商品；货比三家；一分价钱一分货；
第三步：确认购买	和……确认……；有货；缺货；填写收货地址、联系电话及电子信箱；把……拍下来（拍货）；把……放入购物篮 / 购物车
第四步：付款和收货	对……进行充值；物流；通知；快递；订单号；查询；跟踪订单；支付方式；货到付款；电子支付；第三方支付；现金支付；余额宝；申请退货/退款
第五步：相互评价	给……一个好/差评；点赞；

请根据所学的内容做下面的练习：

1. 淘宝网海外全球网站已经开通。请你尝试在淘宝网上购买一件心仪的商品，并用中文描述你的“淘宝”购物体验。
2. 请描述你最近一次在网上订购机票的过程。

六、新闻报告

1999年，为了推动电子商务并测试当时电子购物的可行性，中国的一些互联网先锋发起了“72小时网络生存测试”。请通过网络了解这次活动的内容和效果，并介绍给你的同学们。

报告中，请回答以下问题：

（1）这次活动是由谁主办的？主办这次活动的目的是什么？

（2）活动的基本规则是什么？

（3）哪些人报名参加了测试？他们表现如何？有没有人最后很狼狈？为什么？

（4）这次测试的结果反映出哪些问题？

（5）你认为如果现在再做一次“72小时网络测试”，会不会产生相同的结果？请具体说明。

七、专题调查与报告

在网络日益普及，电子商务技术手段日渐广泛应用的今天，不少中华老字号企业（如北京的同仁堂药店，杭州的张小泉剪刀，上海的凤凰牌自行车）仍信奉“酒香不怕巷子深”的真理，而采取传统的市场营销模式。电子商务能否成为这些老字号企业生存与发展的新契机？请以北京“庆丰包子铺”为例，调查研究老字号企业开展电子商务的可行性。

调研中请思考以下问题：

（1）“庆丰包子铺”是一家什么样的餐饮企业？根据你在网上的调研结果，“庆丰包子铺”现有的营销模式是什么？顾客群体有什么特点？

（2）浏览“庆丰包子铺”的网站，并与一些洋快餐品牌的网站做比较，你觉得哪些地方应该有所改进？请举例说明。

（3）在你看来，“庆丰包子铺”与电子商务相结合是否可行？

a. 如果可行，应从哪些方面入手？比如，是否应该为电子商务开发新产品？采取哪些网络营销手段？

b. 如果你认为不可行，请具体说明原因。

八、辩论

假如由于人们越来越喜欢方便、快捷又物美价廉的电子商务，你周围的花店、书店、礼品店都生意萧条，面临倒闭。在这种情况下，你是否支持“政府制定更有利于实体店的法规和税制，而消费者尽量从社区内的商店购买商品”的做法？

- **辩论题：**面对电子商务的冲击，小本经营的实体店铺是否值得保护？

九、讨论与写作：《大数据下的隐私》

专家预计，未来将是“大数据时代”，所谓“大数据”是包含网页浏览习惯、传感器信号、智能手机位置跟踪等规模巨大的数据。合理地应用大数据技术，能够提升企业运行效率，降低运行成本，帮助企业获取市场竞争优势。但是对个人数据的收集过程中，贩卖用户信息或信息泄露的事故屡有发生，这再一次引起了人们对于隐私保护问题的担忧。在巨大商业利益的驱使下，大数据是否会逐步吞噬（tūnshì, gobble up）我们的隐私？

动笔以前，请思考、讨论以下问题：

- 电商是如何利用大数据的？
- 除了商业用途，大数据还有什么其他价值？
- 你个人是否有被大数据信息网所掌控的经历？感受如何？
- 网络上发生过哪些用户信息泄露的事件？
- 政府是否应采取有效措施来保护网络上的个人数据不被滥用？
- 你觉得我们现在生活的世界比以前更安全了还是更危险了？

视频一文本

天猫“光棍节”网购狂欢，一分钟涌入一半京城人

在长达一个多月的活动预热及备战后，阿里巴巴旗下天猫购物商城一年一度的“双11”网购狂欢节于昨日凌晨正式拉开帷幕，数以亿计的产品均以五折左右的价格展现在消费者眼前。与此同时，天猫的销售数据也极具震撼力。零点刚过，仅一分钟的时间里，就有一千万名消费者用户挤进天猫，这相当于半个北京城人口全部涌进天猫，开始购物狂欢。据悉，从

11月1日开始，便有近两千万名热情的消费者将心仪的产品收藏或添加到购物车，就等着双十一的到来，刷新页面进行抢购。开场10分钟后，数据显示，支付宝交易额即已突破两亿五千万，第37分钟，支付宝总交易额就已达到10亿。而就在1个小时后，一名来自四川的消费者发微博表示，居然收到了一小时前下单付款后的货物。从付款成功到收到货物仅一个小时，也绝对是史无前例。据悉，自2009年开始，阿里集团都会在每年的11月11日举行大规模的消费者回馈活动，也一直被认为是中国电子商务行业的年度盛事。去年双11当天，淘宝和天猫相加，支付宝交易额总计达到52亿元，并产生两千两百万个包裹。天猫首席风险官邵晓峰(Shào Xiǎofēng)在采访时表示，预计今年双十一当天交易额会突破一百亿。截至记者发稿前，网民的购物狂欢还在继续。究竟会创造怎样的网购奇迹，让我们拭目以待。搜狐视频，娱乐播报，杭州报道。

视频二文本

光棍节变身电商节，马云创造中国消费新模式

在本周，杭州淘宝总部这一块巨大的屏幕忠实记录着刚刚过去的第五个“双11”，记录着网民通宵达旦的购物狂潮，记录着阿里巴巴董事局主席马云和他的团队所打造的电商领域内单日销售额350亿的全新起点。

马云：“我们不会为数字而做，为五百亿、八百亿，即使有一年，我们做到一千亿，我们也希望它是一个健康自然到来的结果，而不是追求的一个目标。”

数字，这个词应该是马云在“双11”当天在面对媒体时，提的最多的。对于生意人来说，这归根结底还是一次财富的积累，而对于从教师行业涉足商业，短短20年就能成为一个游戏规则制定者的马云来说，他所看重的数字背后或许还有其他含义。

马云：“我们更应该有健康的数字，把做五六百亿，做千亿的能量，放到真正地帮助更多的企业转型升级。”

马云曾经说过，生意人创造钱，企业家要为社会创造环境，必须要有创新精神，而旗下拥有着淘宝和天猫两大知名网购平台，马云在领跑电商

领域的这一刻，给自己的定位或许更想摆脱生意人的身份。能与国家领导人座谈网购电商，眼界提升的他，似乎更愿意成为自己所标榜的那种有责任的企业家。

马云："所以今天最重要是升级我们的能力，升级我们的视野，扩开我们的胸怀，这个比转型来得更为重要。"

马云："我觉得今年十大经济人物的转型升级，最最合适的人是那些网商，就是那些每天晚上在想着创新，熬夜在服务中国几亿网民的小网商们，可能一个快递哥，一个客服妹，一个敢于在网上尝试消费的人，这三个人组成了我们今天中国经济新的亮点。"

马云："一年一度，我们希望把'双11'变成厂家向消费者感恩的日子，一年一度，我们希望厂家拿出最好的商品、最便宜的价格去感谢消费者，对他们一年来的支持。不仅仅希望淘宝、天猫"双11"能卖得好，我们希望其他城市电子商务企业这一天也都卖得很好，我们更希望线下的很多商场，都能够参与'双11'。"

竞争不是敌对，这是马云在很多场合谈到的观点。但现实是，就在"双11"之前，全国就有十几家知名家具卖场联合抵制电商促销计划。显然，想让网购抢占零售业的份额，马云需要面对的是线上、线下的渠道冲突，是物流堵塞、价格欺诈，假冒伪劣引发的糟糕客户体验。难怪马云也说今天很残酷，明天更残酷，后天很美好。但愿马云所期待的美好后天也是未来消费者能感受到的。

视频三文本

电子商务——中国经济发展新动力

电子商务，就在我说这四个字的一瞬间，近19万的交易额已经在中国诞生了。可别小看这19万，它让人们的生活方式变了，消费观念变了，让企业的销售渠道变了，发展方式变了，电子商务正在成为我国经济增长新动力。送快递的丁杰刚刚被提拔为经理，现在他每天指挥着三四百人的队伍，为客户送货，可是四年前刚入行时，在他眼里，这个职业看不到什么前景。

丁杰："那时候，我们一个月就是说拿一千多块钱，件儿很少。送完这一个件儿，很可能要跑出去五六公里，才会有下一个件儿。"活儿少、路远，是因为我国当时的电子商务还处于起步阶段，那时网络零售额只有五百多亿元，仅占当年社会消费品零售总额的千分之五。

柴跃廷（Chái Yuètíng）："仅仅是一个星星点点的东西，也就是说还没到一个井喷式的发展阶段"。

也是那个时候，我国围绕网络购物、网上交易、支付服务，出台了一系列政策措施，互联网普及率不断攀升，电子商务由此步入了发展的快车道。网络零售额从起步到500亿用了十年左右的时间，而从500亿跃升到5000亿仅仅用了三年。与此同时，网络购物用户规模也在日益扩大，到2010年年底已经达到1.61亿人，而快递员丁杰所在的京东商城，也以每年200%的速度高速成长。

刘强东："我们上半年实际上接近了100亿销售额，所以全年实现280亿，目前看来没有任何问题。"

荆林波（Jīng Línbō）："去年到今年为止，风险投资公司投资中国的互联网企业，多达155个项目，这个数字呢，超越了美国纳斯达克市场上所有的融资额度。我们欣喜地看到中国的电子商务现在（处于）爆炸式的发展期。"

今年上半年，我国电子商务交易额近3万亿，网络零售额3500亿左右，相当于社会消费品零售总额的4.7%。虚拟经济也带动了实体经济的飞速发展。2010年，我国社会物流总额增长了1.6倍，快递公司猛增到6500多家，收入570多亿元。第三方电子支付规模增长近60倍，超过了1万亿。随之兴起的电子商务服务业，解决了160多万人就业。电子商务已经成为我国经济发展的新动力，这一切让快递员丁杰的生活有了新变化。

丁杰："以前这一天下来，是送二十单左右，现在我这一天下来能送一百多单，我拿到的工资是翻了几番。"

目前我国正在制定电子商务发展"十二五"规划，而涉及电子商务的法律、法规体系也在逐步完善。据商务部测算，到"十二五"末，我国每十个人中，就有一个上网购物。网络零售额超过三万亿，相当于社会消费品零售总额的9%。

专题八　中国楼市

主要内容

1998年，中国政府开启了"取消福利分房，实现居民住宅货币化、私有化"的住房制度改革，"市场化"成为了住房建设的关键词。从此，中国真正进入了商品房时代，而中国人也开始了幸福与挣扎并存的"买房人生"。房价，是当今中国人讨论最多的话题之一，然而到底是谁在推高中国房价？是贪婪的开发商，无耻的投资客，还是精明的丈母娘？不管是谁，房地产行业过度发展不但会对国家整体经济安全造成威胁，也不利于社会稳定。因此，对房地产行业的宏观调控是上至决策层，下至普通百姓最关心的问题。

本专题以视频内容为主要学习材料。第一个视频讲述了在大城市打工的年轻人的住房压力；第二个视频探讨房价持续上涨的社会因素，同时也反映了中国一部分人的婚姻观；第三个视频从国家政策的角度分析导致房价上涨的根源及其危害。补充阅读材料则详细介绍了中国自改革开放以来的住房制度改革。

学习目标

1. 了解中国房地产市场发展现状，探讨导致房价上涨的各种因素，以及房地产泡沫对中国整体经济和社会的影响。
2. 学习使用并列式论证结构阐明自己的观点。
3. 比较中美两国房地产行业的发展现状、政府调控措施以及发展前景。

重点学习材料　视听理解

视频一　高房价和高房租迫使年轻人逃离北上广

思考题：

1. 请你描述一下小赵和小郑的生活，比如他们从事的工作，日常生活的开销等。
2. 小郑的工资和房租近年来各有什么变化？
3. 在房东看来，为什么年年涨房租是必然的？

在房产新政之下，很多人感觉现在房租是越来越贵了，房子离自己越来越远了。而在国家统计局的网站上,记者也看到了这样一组数据：去年6月到今年5月，全国CPI的涨幅从3.1涨到了5.3，其中居住类价格的涨幅上涨了5%到6.1%，居住类价格的涨幅始终是高于CPI的涨幅。值得注意的是，这个居住类的价格并不包括买房的支出，而包括房租、房屋维修、水电燃气等与居住有关的项目。这就印证了很多人的感受：房租的确是上涨了，高房价高房租的双重挤压之下，是逃离北上广，还是咬牙坚持就成为无数人纠结的事情。大城市的房租究竟涨成什么样子了？又给我们的生活带来什么样的影响？记者在上海、深圳和北京进行了调查。

小赵四年前从安徽一所大学毕业后就来到了上海，现在在一家钢材贸易公司做财务工作。他跟记者说，公司在靠市区的位置，他租的房子在外环外面，上下班都是骑电动车，自然每天要起得很早，路上要花费四十分钟的时间。不过这里相对便宜的房租让他觉得吃这点苦不算什么。

小赵："现在收入也比以前高了一点，但是这个房租也是在逐渐地增高，同比例地增高。现在在这边每个月支出也是很大的，比如房租一个月是1500，水电煤气还有平时的生活费，老婆孩子，还有父母在这里照顾孩子。这个开销也是蛮大的。”

今年年初的时候，房东曾找到小赵，提出每个月要涨200块钱房租。小赵告诉我们，刚到上海的时候，因为房东收回房子或者涨价搬了好多次家，现在成家了，想稳定下来，不想让家人跟着自己漂泊，但有时也很无奈。

小赵：“去年提过一次，因为房价上涨，房东要加房租。因为当时签的是一年的合同。合同到期以后，房东跟我提出来要加房租。一个月加200块钱，就是1700。”

记者：“后来呢？”

小赵：“后来还是没有加。如果要加的话，我就准备搬走。”

与小赵经历相似的还有小郑。从2004年到上海后，一直在一家生产油漆的企业做销售业务。在这期间，先后搬了五六次家，现在跟老公住着一套40平米左右的老房子，这里同样也是他们的婚房。小郑告诉记者，在她租房子这几年中，房东涨价是常有的事。有时因为工作的原因，不得不被迫接受。

小郑：“以前我是住在嘉定的，那个房东要加价，大概是在一两年前。那个价格我们已经是难以接受了，因为当时我们租的时候是1000多，现在他要涨到2000左右。”

前段时间，小郑辞去了原来的工作，现在正打算换一个工作，希望收入能提高一些。因为房租每年都在涨，但是她的收入却一直没有多少变化。面对不断上涨的房租，小郑觉得这几年物价和房价都在涨，房东提出涨价也是正常的。只是房租的支出占她个人收入的比例一直居高不下，现在已经占到她收入的三分之一左右。

小郑：“当然就是说，房租在每个地方都不一样，因为房间大小和装修状况都不一样。但是我整体觉得我来（上海）的这几年房租的变化还是蛮大的。当初我在嘉定租2室1厅的房子也就800到1000块。我现在租的房子大概1500块。但是工资的话，我觉得工资能动的太少，工资这几年没涨多少，房价倒是涨了很多。房价一涨的话，房租也跟着在涨。”

小郑的感受在她所在区域的房产中介得到了印证。在上海静安区德佑地产的一家门店，区域经理张建东给记者介绍了这几年该区域的房子租金涨势。

张建东：“我们2007年8月份租金水平大概在4200元左右，那么2011年我们的一个同样的户型，80平米的两房已经达到了6500元，涨幅已经超过了50%，将近达到54%。”

德佑地产的系统数据显示，上海市中心的一些中高端小区房屋的租金从2007年到2011年涨幅都在30%以上，而上海的一些郊区，房屋租金也同样持续增长。

工作人员：“像我们这个区域的话，打个最简单的比方，我们五年前有一个同事租了一套一房，那个时候的租金是1000块，那么五年以后，同样还是这套房子，租金已经是1500块，变相地涨了50%。”

而在记者与房东的交流中我们了解到，为了便于随时调整租金，他们与房客的合同一般都是一年一签。而涨租金的依据一般都是根据房屋中介的挂牌价以及周边邻居是否调价。不过，多数房东认为，虽然房租每年都会涨，但是涨幅却远远低于房价上涨的比例。

房东一：“我觉得租金和房价肯定是不能对应的，因为我当时买房的时候这个价钱大概是13000块（每平米）不到。但是现在我觉得房价涨得肯定是很快的，现在基本上已经翻倍了，大概是24000吧。但租金的话，这几年其实只涨了100块钱。所以我觉得租金和房价是不能等同，不能够对应的。”

房东二：“高房价必然会有高房租，任何投资者都会考虑一个比较稳定的资金的投入产出比。”

按照上海这位房东的说法，房价眼见着翻番了，但是租金却没有翻番地上涨，算是很不划算的生意。可是对于租房者来说，房租已经成了生活中不可承受之重了。别说是翻番，就是上涨10%都感觉有些吃力，毕竟收入没有跟着水涨船高。

生词表

1. 统计局	tǒngjìjú	*n.*	bureau of statistics
2. 涨幅	zhǎngfú	*n.*	(of price, etc.) margin or rate of rise
3. 维修	wéixiū	*v.*	maintenance
4. 燃气	ránqì	*n.*	gas
5. 印证	yìnzhèng	*v.*	verify, confirm
6. 咬牙坚持	yǎoyá jiānchí		grit one's teeth and carry on
7. 钢材	gāngcái	*n.*	steel
8. 财务	cáiwù	*n.*	financial affairs
9. 外环	wàihuán	*n.*	the outer ring
10. 电动车	diàndòngchē	*n.*	electric vehicle
11. 支出	zhīchū	*n.*	expenditure, expense
12. 蛮	mán	*adv.*	quite, fairly
13. 漂泊	piāobó	*v.*	wander, drift around
14. 无奈	wúnài	*adj.*	have no choice, helpless
15. 合同	hétong	*n.*	contract
16. 油漆	yóuqī	*n.*	paint
17. 被迫	bèipò	*v.*	be compelled, be forced
18. 嘉定区	Jiādìng Qū	*p. n.*	Jiading District
19. 物价	wùjià	*n.*	commodity price
20. 中介	zhōngjiè	*n.*	agent, agency

21. 静安区	Jìng'ān Qū	*p. n.*	Jing' an District
22. 德佑地产	Déyòu Dìchǎn	*p. n.*	Deyou Real Estate
23. 户型	hùxíng	*n.*	layout (of a house or an apartment)
24. 变相	biànxiàng	*adj.*	in disguised form
25. 挂牌价	guàpáijià	*n.*	listing price
26. 对应	duìyìng	*v.*	corresponding
27. 翻倍	fān bèi		double up
28. 翻番	fān fān		double the original capacity

注释:

CPI: 居民消费价格指数（Consumer Price Index）的简称，是反映与居民生活有关的消费品及服务价格水平的变动情况的重要经济指标，也是宏观经济分析与决策以及国民经济核算的重要指标。CPI is the abbreviation for Consumer Price Index. It is an important economic indicator which reflects changes in the cost of consumer goods and services. It is also an important indicator for macroeconomic analysis and decision-making as well as national economic accounts.

重点句型与词汇

1. Subj. 被迫 V. Subj. is/was forced to V.

（1）有时因为工作的原因，不得不被迫接受上涨的房价。

（2）据国外媒体报道，由于黑客组织的袭击，索尼公司被迫宣布取消电影《采访》圣诞节在各大影院上映的计划。

（3）现在有一种趋势就是高等教育被迫向市场需求妥协，培养出的人才大多“重理轻文”。

2. Subj.1（一）V.，Subj.2 也跟着 V. Subj. 1 V, Subj. 2 V accordingly

（1）房价一涨的话，房租也跟着在涨。

（2）对于孩子来说，哭是有传染性的，一个孩子哭，别的孩子也会跟着哭起来。

（3）李洋的父亲是一个外交官，经常被派到不同的国家工作，因此，父亲的工作地点一变，李洋也得跟着搬家 。

3. 为了便于……，VP

VP，便于……

so as to allow, make it easier for

(1) 为了便于随时调整租金，他们与房客的合同一般都是一年一签。

(2) 请保存好这些收据，以便于以后核对。

(3) 为了便于随身携带，Apple公司推出了iPad mini.

4. 别说／且不说A，就是B也……　not to mention A, even B ……,

(1) 别说是翻番，就是上涨10%都感觉有些吃力，毕竟收入没有跟着水涨船高.

(2) 王太太对穿衣服非常讲究，别说去参加正式的晚宴，就是平时上课也要穿得非常正式。

(3) 且不说受过教育的人，就是那些没上过学的人也知道不应该虐待动物。

5. 毕竟　after all

(1) 上涨10%都感觉有些吃力，毕竟收入没有跟着水涨船高。

(2) 虽然这位医生对病人好像没什么耐心，但毕竟是一位非常有经验的医生，你就别挑剔了。

(3) 李先生没有在美国上过学，但他毕竟在美国住了十多年了，所以翻译这么简单的对话应该没问题。

词语搭配

1. V. + 势

涨~ | 走~ | 跌~

(1) 区域经理张建东给记者介绍了这几年该区域的房子租金涨势。

(2) 未来两年高科技公司股票的走势可能会朝着更加乐观的方向发展。

(3) 最近这两三年，中国国内二线城市的房价跌势不改。

2. 持续 + V.

~增长 | ~上涨 | ~上升 | ~升高 | ~下降 | ~下跌 | ~发展

(1) 上海的一些郊区，房屋租金持续增长

(2) 这部影片的票房收入开始几天持续上涨，但是两个星期以后却急剧下降。

（3）受温室效应的影响，近十年来，这个国家各地平均气温持续上升。

3. 难以+ V.

~接受 | ~形容 | ~承受 | ~表达 | ~维持 | ~印证 | ~衡量

（1）那个价格我们已经是难以接受了，因为当时我们租的时候是1000多，现在他要涨到2000左右。

（2）很多人认为这位女演员身上具有一种难以形容的东方古典美气质。

（3）有人说，如果全世界的人都像美国人那样消耗资源，地球将难以承受。

成语

水涨船高：水位上涨了，船位就跟着提高。比喻事物随着所凭借基础的提高而提高。

（1）别说是翻番，就是上涨10%都感觉有些吃力，毕竟收入没有跟着水涨船高。

（2）随着人民收入的提高，物价也水涨船高。

（3）中国的劳动力资源成本上升，水涨船高，生产成本自然也会提高。

视频二　丈母娘推高房价

思考题：

1. 为什么有人认为是丈母娘推高了房价？
2. “我爱我家”的调查有哪些发现？
3. 视频最后为什么说在住房方面，女性已经撑起了半边天？

主持人："现在的房价一路飞涨，到底是谁在推高房价呢？有一种答案说是丈母娘。乍一听，有点儿是无稽之谈，但最近还真的有一项调查间接地印证了这一说法。"

"我爱我家"最近在全国八个主体城市做了一个调查。调查的主题就是："结婚是不是一定要买房子？"结果显示，只有18%的丈母娘愿意接受租房女婿。而且在不同城市，这个比例也有所不同。比如说在咱们北京，愿意接受租房女婿的比例是27%，这高于全国的平均水平。而在上海愿意接受租房女婿的丈母娘仅仅有12%。是不是不买房子就真的不嫁女儿了呢？这个调查还说，现在有76%的丈母娘愿意在买房上助女婿一臂之力。看来不管谁花钱，只要结婚，房子还是要买的。因此，也有专家说了，现在的这些未婚男女青年（买房）是楼市的刚性需求。

嘉宾一："对，在没有爱情的时候，房子重要。真正有了爱情，其他的都不重要。"

嘉宾二："对，丈母娘衡量（女婿）的标准不一样，毕竟这个调查只有两成（丈母娘认为买房子重要）嘛。顾云昌(Gù Yúnchāng)先生说了"丈母娘推高房价"后被媒体误读，他实际上没这么说过，现在却变成了一个流行词汇。我爱我家愿意沿着这么一个逻辑去调查，不管从哪个方向证明之后，最后你看到的，（买房子）这种东西还是婚姻当中比较边缘的一个判断标准。"

主持人："现在还有一个数字，就是说从2007年到现在单身未婚女性购房的比例是在逐年提高的，已经从2007年的2.7%提高到8.8%，看来我们说的"女性要撑起半边天"，在买房上也是略见一些端倪了。"

生词表

1. 丈母娘	zhàngmuniáng	*n.*	mother-in-law
2. 答案	dá'àn	*n.*	answer

3. 乍	zhà	*adv.*	suddenly, abruptly
4. 无稽之谈	wú jī zhī tán		unfounded statement, sheer non-sense
5. 我爱我家	Wǒ'ài wǒjiā	*p. n.*	a Beijing-based real estate agency
6. 女婿	nǚxù	*n.*	son-in-law
7. 一臂之力	yí bì zhī lì		helping hand
8. 刚性需求	gāngxìng xūqiú		rigid demand
9. 误读	wùdú	*v.*	misread
10. 边缘	biānyuán	*n.*	edge, border, margin
11. 撑起	chēngqǐ	*v.*	hold up
12. 略	lüè	*adv.*	slightly
13. 端倪	duānní	*n.*	clue, indication, inkling

重点句型与词汇

1. 乍一听/看　at first glance/ upon first hearing

（1）乍一听，有点儿是无稽之谈，但最近真的有一项调查间接地印证了这一说法。

（2）她戴着室友的帽子走了过来，乍一看，还真有点像她室友。

（3）菲尔普斯是一种山寨机，很牛，乍一听还以为是飞利浦呢。

2. 助sb. 一臂之力　give sb. a helping hand

（1）现在有76%的丈母娘愿意在买房上助女婿一臂之力。

（2）在打击恐怖分子的问题上，美国政府希望欧盟国家能助美国一臂之力。

（3）很多成功的企业家背后往往都有一位在危难中助他一臂之力的“贵人”。

3. Subj. 逐年 + V.　Subj. V. year by year, with each passing year

（1）2007年到现在，单身未婚女性购房的比例在逐年提高，已经从2007年的2.7%提高到去年的8.8%。

（2）来中国学习汉语的留学生人数在逐年增多。

（3）当前，政府的一项环保政策是逐年减少塑料袋的使用量。

4. Subj. 略/初/已 + 见端倪　clue or initial signs are slightly/beginning to be/already revealed

（1）我们说的"女性要撑起半边天"，在买房上也是略见一些端倪了。

（2）科技革命推动新技术产业迅猛发展，"知识经济"已见端倪。

（3）回首过去十几年，中国房地产市场发展迅猛，有经济专家指出房地产泡沫已初见端倪，应引起政府的警惕。

词语搭配

衡量 + N.

~标准 | ~价值 | ~sb.的中文水平 | ~好坏 | ~得失 | ~政绩 | ~利弊

（1）各地丈母娘衡量女婿的标准不一样。

（2）我们不能用金钱的多少来衡量人生的价值。

（3）在中国，高校一般会采用HSK考试成绩来衡量外国留学生的中文水平。

成语

无稽之谈：没有根据的话。稽：查考。

（1）乍一听，"丈母娘推高房价"的说法有点儿是无稽之谈。

（2）有人说美国准备2050年登陆太阳，这简直就是无稽之谈。

（3）有人认为一个人的属相和他的性格有密切关系，但也有人认为这是无稽之谈。

视频三　土地依赖不改，必有后顾之忧

思考题：

1. "土地依赖不改，必有后顾之忧"是什么意思？
2. 视频中提到的"卖地"怪圈是什么？
3. 视频最后提出土地财政可能有哪些危害？

接下来再看《中国青年报》登出的这篇文章《土地依赖不改，必有后顾之忧》。最近《中国经济周刊》与中国经济研究院联合发布23个省（市）“土地财政依赖度”排名总览：北京土地偿债总额第一，浙江依赖度第一；23个省(市)最少的有1/5债务靠卖地偿还，浙江、天津2/3的债务要靠土地出让收入来偿还。也就是说现在在很多地方，土地还是他们财政收入的主要来源，靠卖地挣钱。

文章也说到，土地出让收入成为地方财政主要收入，从现实看，会调动地方政府更大的“卖地胃口”，使“卖地冲动”成瘾，从而绑架地方政府施政目标，使其陷于“缺钱——卖地——再缺钱——再卖地”的怪圈。所以这种现象必须引起我们的重视，因为它的后患无穷。

可能会有哪些地方的后顾之忧呢？文章分析说，不停地卖地，结果就会导致地价越卖越高，从而房价也越来越高，很难降下来。第二，因为指望着卖地就可以挣钱，所以很多地方“懒政”，根本不想自己的经济结构是否需要调整，结果导致有些该得到扶持的产业得不到扶持，大量的资金都流向了房地产，整个经济发展出现了畸形状态。当然还有一点，那就是现在大量地卖地使得城镇土地成为建设用地，加剧土地使用中的各种违规违法行为，对守住18亿亩耕地红线也造成了巨大冲击。这些方面都是相当危险的。

生词表

1. 后顾之忧	hòu gù zhī yōu		fear of disturbance at the rear, trouble back at home
2. 总览	zǒnglǎn	*n.*	overview
3. 偿债	cháng zhài		pay a debt
4. 债务	zhàiwù	*n.*	debt
5. 偿还	chánghuán	*v.*	repay, pay back

6. 出让	chūràng	*v.*	sell (one's own things), offer for sell
7. 胃口	wèikǒu	*n.*	appetite
8. 瘾	yǐn	*n.*	addiction
9. 绑架	bǎngjià	*v.*	kidnap
10. 施政	shī zhèng		implement political measures, governance
11. 陷于	xiànyú	*v.*	sink into (a predicament), be caught in
12. 怪圈	guàiquān	*n.*	vicious circle, strange circle
13. 后患无穷	hòu huàn wú qióng		endless trouble in the future
14. 指望	zhǐwàng	*v.*	count on, bank on
15. 扶持	fúchí	*v.*	support, help to sustain, give aid to
16. 畸形	jīxíng	*adj.*	deformity
17. 加剧	jiājù	*v.*	aggravate
18. 耕地	gēngdì	*n.*	cultivated land, farmland

注释:

18亿亩耕地红线：经过科学计算，要想保证中国13亿人口的粮食供给，中国耕地总数至少要保持在18亿亩以上，所以18亿亩耕地被中国政府视为一条必须坚守的红线。18 billion hectares (measurement) arable land limit: According to scientific calculations, in order to guarantee sufficient food for China's population of 13 billion people, the total area of land used for agriculture must be kept above 18 billion hectares. Hence, "18 billion hectares of arable land" is fiercely maintained by the Chinese government as a necessary limit.

重点句型与词汇

1.（原因），从而（结果）　consequently, thereby, thus

（1）从现实看，会调动地方政府更大"卖地胃口"，使"卖地冲动"成瘾，从而绑架地方政府施政目标。

（2）中国积极推行改革开放政策，从而使中国走上了发展市场经济的道路。

（3）改革开放初期，中国为外企提供了诸多优惠政策，从而吸引了大量外资。

2. 陷于／陷入……的怪圈／困境　fall into ... (a vicious circle/ dilemma)

(1) 现实看，会调动地方政府更大的“卖地胃口”，使“卖地冲动”成瘾，从而绑架地方政府施政目标，使其陷于“缺钱——卖地——再缺钱——再卖地”的怪圈。

(2) 最近全球范围内的金融危机使很多企业陷入了困境。

(3) 在高房价时代，租房一族的生活陷入了一个怪圈，因为没钱付首付，所以租房，因为租金昂贵，又攒不下钱买房，如此循环，买房似乎永远只是个梦想。

3. 加剧　worsen, exacerbate

(1) 大量地卖地使得城镇土地成为建设用地，加剧土地使用中的各种违规违法行为。

(2) 中东局势的不稳定加剧了人们对周边国家经济复苏的担忧。

(3) 随着中国本土企业的发展，中国市场的竞争日益加剧。

词语搭配

1. 偿还 + N.

~债务 | ~贷款 | ~本金 | ~利息

(1) 浙江、天津当地政府要靠土地出让的收入偿还2/3的债务。

(2) 为了偿还上学时的贷款，麦克毕业后选择去当兵。

(3) 小王四处跟家人、朋友借钱买房子，买了房子以后才意识到他根本没有偿还债务的能力。

2. V.–O.+成瘾

吸毒~ | 玩游戏~ | 抽烟~ | 喝酒~ | 看书~

(1) 从现实看，会调动地方政府更大的“卖地胃口”，使“卖地冲动”成瘾。

(2) 有些吸毒成瘾的人会为了得到毒品而做出偷窃、卖淫甚至杀人的事情。

(3) 一些青少年会因为玩游戏成瘾而做出逃学或离家出走的事来。

3. 调整+N.

~经济结构 | ~策略 | ~作息时间 | ~产业结构 | ~心态 | ~目标 | ~政策

(1) 很多地方“懒政”，根本不想自己的经济结构是否需要调整，结果导致有些该得到扶持的产业得不到扶持。

(2) 最新消息显示，韩国三星公司开始调整智能手机在中国市场的销售策略，以便在跟中国国产手机品牌的竞争中取胜。

(3) 我在美国工作了一年，自从上个星期回到中国以后，需要调整作息时间来适应现在的生活。

4. 扶持 + N.

~产业 | ~项目 | ~（中小）企业 | ~新人 | ~文化艺术 | ~纪录片产业

(1) 很多地方“懒政”，根本不想自己的经济结构是否需要调整，结果导致有些该得到扶持的产业得不到扶持。

(2) 当地政府提出要大力扶持和太阳能有关的环保项目。

(3) 我们要通过扶持微型企业发展来激发民间创业热情，催生市场活力。

成语

1. 后顾之忧：指在前进时担心后方出现麻烦。后顾：回头看。

(1) 地方政府过度依赖土地财政，必有后顾之忧。

(2) 学校为教职工的子女提供各种福利就是希望他们能一心一意教学而没有后顾之忧。

(3) 不少科技公司的创业者来自富裕家庭，生活上根本没有后顾之忧。

2. 后患无穷：指今后的祸害及忧患没有穷尽。患：灾难，忧患；穷：尽。

(1) 这种过分依赖土地财政的现象必须引起我们的重视，因为它后患无穷。

(2) 那些大型化工厂虽然给地方政府带来大量税收，但其造成的污染却后患无穷。

(3) 如果因忽视环境问题而引发生态危机，将会后患无穷。

补充学习材料 阅读

中国住房制度改革与调控

思考题：

1. 什么是公有住房实物分配制度？为什么建国初期，中国采取了这种住房制度？
2. 改革开放以后，中国进行住房制度改革的原因是什么？
3. 2011年以后，中央政府推出了哪些房市调控措施？效果怎么样？

1949年以后，中国实施的是公有住房实物分配制度。城镇居民的住房主要由所在单位解决，各级政府和单位统一按照国家的基本建设投资计划进行住房建设，住房建设资金的来源90%主要靠政府拨款，少量靠单位自筹。住房建好后，单位以很低的租金分配给职工居住，住房成为一种福利，因此也叫“福利分房制度”。一直到1977年，中国各地都在实行这种住房制度。

由于福利分房制度逐渐暴露出的问题以及住房供给不足问题的突出，促使中国政府必须寻求解决途径。1978年6月中国正式提出实行住房商品化政策，这一政策“准许私人建房、私人买房，准许私人拥有自己的住宅”。同时改革原来的分配制度，实行公房出售制度和出租制度。但这一时期，中国居民收入还很低，如果所在单位不分房子，职工很难自己购买住房和租房，为此政府对需要租房或者买房的城市职工发放一定的住房补贴，即“房补”。

1990年前后，中国开始推行市场化改革，物价也从政府控制变为逐步由市场决定。1991年6月，中国政府提出“多提少补”或“小步提租不补贴”的租金改革原则，其基本思路是通过提高租金，促进售房，回收资金，促进建房，形成住宅建设、流通的良性循环。

1994年7月18日中国发布《关于深化城镇住房制度改革的决定》，确定房改的根本目的是由市场化取代原来的实物分配制度，实现住房商品化、社会化。

1998年7月中国政府发布新的住房改革政策，决定1998年下半年开始停止住房实物分配，逐步实行住房分配货币化，也就是政府给买房的人一定的购房补贴，让居民从市场上购买商品房。从此，中国已实行了近五十年的住房实物分配制度退出了历史舞台。2003年，政府把提供住房的责任完全推向了市场，中国房地产迅速发展起来。以住宅为主的房地产市场不断发展，对拉动经济增长发挥了重要作用，甚至中国政府把房地产业视为中国国民经济的支柱产业。

中国实物分房制度结束后，城市居民不得不到市场上购买住房，而中国人一定得有自己住房的传统观念更进一步扩大了百姓对商品房的需求，结果商品房价格不断上涨。特别是2005年后，百姓住房难问题越来越突出，因此中国政府开始加强宏观调控。

2005年3月26日，为了对房价上涨过快的问题“加以全局性控制”，国务院办公厅发出《关于切实稳定住房价格的通知》，就稳定房价提出八条意见，即“国八条”。2008年前后，美国爆发的金融危机对中国经济造成严重影响，中国出口规模迅速减小。为了保证中国经济的平稳发展，中国政府提出了四万亿元的经济刺激计划。但这一时期，中国对外出口和国内市场环境都在恶化，经济刺激计划带来的大量资金进入房地产业，结果进一步推高了房价。2011年1月26日，国务院常务会议再度推出八条房地产市场调控措施，也称“新国八条”，要求对不同的贷款人执行不同的贷款政策，比如贷款购买第二套住房的家庭，首付款比例不低于全套房价的60%，贷款利率不低于基准利率的1.1倍，并严格控制购买第三套房，希望以此控制“炒房”势头，这就是所谓的“限购”政策。随后，中国不断出台各种调控措施，但是房地产调控至今，尚未达到稳定房价的目标，以北京、上海、广州等一线城市为代表，全国房价总体仍在继续上涨。2005年，北京的房地产均价为6776元/平方米，2013年12月，北京商品房均价已经超过了31000元/平方米。

生词表

1. 实施	shíshī	*v.*	implement, carry out
2. 实物	shíwù	*n.*	real object, entity
3. 分配	fēnpèi	*v.*	allocate, distribute
4. 拨款	bō kuǎn		allocate funds
5. 自筹	zìchóu	*v.*	self-financing, self-provided
6. 福利	fúlì	*n.*	welfare
7. 供给	gōngjǐ	*v.*	supply
8. 突出	tūchū	*adj.*	protruding
9. 拉动	lādòng	*v.*	pull, spur
10. 支柱	zhīzhù	*n.*	pillar
11. 刺激	cìjī	*v.*	stimulate
12. 恶化	èhuà	*v.*	deteriorate
13. 首付	shǒufù	*n.*	down payment
14. 利率	lìlǜ	*n.*	interest rate
15. 尚未	shàngwèi	*adv.*	not yet

附表一：上海1999年到2009年房价变化

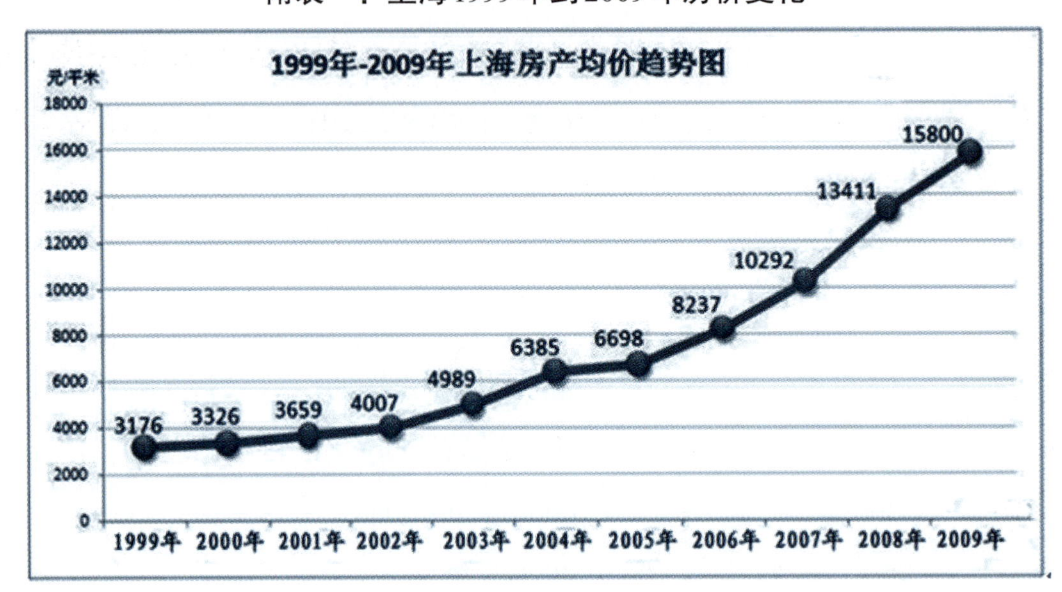

课后练习

一、选择最合适的词语填空

1. 警察在调查过程中发现了恐怖分子的通信记录，__________将整个恐怖组织一举击破。

   A. 从而　　B. 转而　　C. 因而　　D. 而且

2. 为了适应当地居民的消费水平，星巴克公司__________了咖啡的零售价。

   A. 开拓　　B. 谋划　　C. 调整　　D. 调控

3. 为了减少二氧化碳的排放，中国政府大力__________新能源产业的发展。

   A. 指望　　B. 撑起　　C. 扶持　　D. 支撑

4. 买房后，张先生花了十多年才__________完银行的货款。

   A. 开销　　B. 出让　　C. 支出　　D. 偿还

5. 李教授认为，GDP并不是__________一个国家贫富的标准，因为GDP高并不意味着人民的生活质量高。

A. 印证　　B. 衡量　　C. 平衡　　D. 烙印

6. 1998年，正是国际大资本__________，才引发了东南亚的金融危机。

A. 后顾之忧　　B. 后患无穷　　C. 潜移默化　　D. 兴风作浪

7. 从服装的变化来研究世界经济的发展趋势并不是__________，因为人们的日常生活与经济发展密切相关。

A. 无稽之谈　　B. 无依无靠　　C. 无所不能　　D. 无中生有

8. 全球化使一些小国被__________化，他们的传统生活很少被人提及。

A. 困境　　B. 边缘　　C. 无奈　　D. 草根

9. 如果你仔细观察，就会发现这些数字都__________不同的颜色，比如“1”表示“红色”。

A. 对应　　B. 对称　　C. 变相　　D. 相对

10. 教育专家建议学生家长控制孩子玩游戏的时间，以免孩子__________于电子游戏而影响心理健康。

A. 成瘾　　B. 纠结　　C. 沉迷　　D. 沉淀

11. 接连三天的暴雨__________了这个国家的灾情，许多地方出现了食品短缺的情况。

A. 加剧　　B. 虚高　　C. 翻番　　D. 格外

12. 早在2005年，金融危机就已经初现__________，可惜当时没有人在意。

A. 答案　　B. 趋势　　C. 结果　　D. 端倪

13. 本着为顾客服务的原则，海尔公司在许多国家赢得了很好的__________，成为值得信任的国际品牌。

A. 胃口　　B. 偏好　　C. 口碑　　D. 需求

14. 石油价格的不断下跌让俄罗斯的经济__________困境，其货币也大幅度贬值。

A. 误读　　B. 误会　　C. 失误　　D. 陷于

15. 网络购物时，最好保存电子支付的记录，以__________维护自己的权益。

A. 被迫　　B. 便于　　C. 随之　　D. 致力于

二、用所给的词语和句型回答问题

1. 是不是只有发展中国家贫富差距才是一个严重的社会问题？（别说／且不说A，就是B也……）

2. 在你看来，汽车数量和城市空气质量有什么关系？（Subj.1（一）V.，Subj.2也跟着V.）
3. 近年来，中国劳动力价格有什么变化趋势？（逐年）
4. 美国父母愿意在哪方面帮助孩子？（助sb.一臂之力）
5. “己”和“已”一样吗？（乍一听/看）
6. 美国历史上也有歧视妇女的问题。你认为现在这个问题跟过去一样严重吗？（有所）
7. 你能说一说一个世纪后世界的科技水平吗？（难以）
8. 在科技方面，你认为美国和欧洲国家谁更有优势？为什么？（毕竟）
9. 我们可以采取哪些办法来减少汽车尾气排放？（……，从而）
10. 为什么出国旅行之前最好办一张国际通用的信用卡？（便于）

三、用所给的词语填空

难以　一臂之力　高端　偿还　涨幅　位置　漂泊

不到五年的时间，上海郊区的________住房价格已经翻倍，甚至一些处于外环，________不太好的住房价格的________也达到60%以上。这对于那些________在上海的外来打工者来说，绝不是一个好消息。虽然父母愿意在买房上助他们________，但居高不下的房价让他们________接受，即使银行愿意给他们贷款，他们也没有那么高的________能力。

无稽之谈　陷入　中介　乍　刚性需求　合同　畸形　水涨船高　逐年

________一看，所谓________将继续推高房价的理论似乎有道理，而一些________公司也常常用这个理论来劝说购房者早一点签________。而过去十年房价________上涨也好像印证了这样的理论，结果中国的房价调控________了一个怪圈：越调控，价格反而越高，结果造成了中国房地产行业的________发展。房价一上涨，房租也随之________。但是，无论如何，房价永远上涨的理论都是________，因为世界上没有只涨不跌的商品。

四、翻译

1. The over-reliance on the real estate industry will bring endless troubles to economic development. Not mentioning it will significantly increase the cost of living for people, even China's traditional manufacturing industry will also enter the real estate industry in pursuit of high profits. This will result in the entire national economy falling into a vicious cycle of unstable development.
2. The continuing rise in labor resources has made it difficult for some foreign trade enterprises to survive. They are forced to adjust their marketing strategy, investing even more energy into developing the domestic market in order to avoid falling into deficit.
3. With the help of the government, the new energy enterprises in China have been able to develop rapidly, but this has also exacerbated anxieties among the European countries and America. Some countries have implemented measures to restrict exports of high-tech products to China.
4. Many local governments make money by selling land—also known as "land financing." In order to properly measure the impact of land financing, we did a comparative study of the price of land and the local government's solvency, which found that local debt crises are already visible.

五、从句段到篇章：用并列式结构展开论述

并列式结构是常见的篇章结构之一。所谓"并列"，就是将不分先后和主次关系的两个结构放在一起，它们都是为了证明同一个观点而存在的。本专题视频一《高房价和高房租挤压年轻人逃离北上广》中就采用了并列式结构，列举了小赵、小高两个人的例子，来说明大城市高房价给年轻人带来的压力之大。含有并列式"总—分—总"的篇章结构常常由三部分组成：第一部分是概述，提出观点；第二部分是分别从几个不同的方面或举出不同的例子，进行详细说明或论证，各部分之间通常用一些过渡句进行连接；第三部分，总结上文，一般是再次强调文章开头提出的观点。

以《高房价和高房租挤压年轻人逃离北上广》为例，下面的表格给出了一些并列式论述中常用词汇、句型和过渡句。

	常用词汇和句型	范例
概述	1. ……是普遍现象 2. 很多人感觉/认为/相信…… 3. 简言之，…… 4. 下文将分别讨论/说明/论述/阐述…… 5. 对多个对象进行调查、剖析，我们发现……	在房产新政之下，很多人感觉现在房租是越来越贵了，房子离自己越来越远了。……这就印证了很多人的感受了：房租的确是上涨了，高房价高房租的双重挤压之下，是逃离北广上，还是咬牙坚持就成为无数人纠结的事情。……记者在上海、深圳和北京进行了调查。
举例	常用过渡句： 1. 与上面的……相似的还有…… 2. ……的说法再次得到印证/证明 3. 再来看一个类似的现象/人物/事件。 4. ……并不是孤立的。 5. 有没有更多……？当然有。	过渡句： 小赵……。与小赵经历相似的还有小郑。小郑……
总结上文	1. 从上面的讨论/分析/事例/调查可知，我们可以得出这样的结论…… 2. 不同的……，都说明了同样的问题：…… 3. 我们再次强调…… 4. 正如我们在一开始所说，……	可是对于租房者来说，房租已经成了生活中不可承受之重了。别说是翻番，就是上涨10%都感觉有些吃力，毕竟收入没有跟着水涨船高。

练习：运用并列式结构回答下面的问题

1. 住房，是不是婚姻的基础条件？
2. 在房地产市场不成熟的阶段，政府是否应该控制房价？

六、新闻报告

本专题的三个视频帮我们了解到2013年11月以前中国楼市发展的情况；然而，13年后中国楼市又出现了新的局面。请在网络上调查了解2014年及此后中国房地产行业发展的新动态，做成PPT文档，和同学们分享。

报告中，可以讨论以下内容：

☆ 你搜索的关键词有哪些？

☆ 根据你的调查研究，中国最近房地产市场呈现出怎样的发展趋势？

☆ 中国的房地产市场为什么发生了这样的变化？

☆ 楼市的波动给其他产业带来了怎样的影响？

☆ 专业预测未来中国楼市是否会维持这样的走势？为什么？

七、专题调查与报告

请采访你认识的中国人，了解他们及家人在中国的住房情况以及对房产的态度，下次上课时汇报你的采访结果。

采访问题参考：

☆ 你生活在中国哪个城市或村镇？请介绍一下目前那里居民的住房情况。
☆ 从上世纪80年代到现在，你家的住房情况发生了哪些变化？你和你家人是怎么看待这些变化的？你是否满意现在的住房？
☆ 你是否有购房计划？
☆ 你的父母会不会在购房这件事上，助你一臂之力？（如果采访的是中老年人）你是否会为子女购房？
☆ 不少中国人都认为买房子是结婚的前提。你同意这样的看法吗？

八、辩论

中国人认为要想有个安安稳稳的家，首先要有自己的房子。丈母娘们对女婿说："你看，安稳的'安'字，上面是个宝盖，就是房子的意思，宝盖下面是个'女'字。没有房子，怎么能娶我女儿？"在很多人看来，买得起房子，说明有一定的经济实力，而有一定的经济实力才能保证家庭生活的稳定。

- **辩论题：**牢固的经济基础是稳定的家庭生活的前提

九、讨论与写作：《中美楼市前景之比较》

在我们了解了中国房地产市场的发展现状和消费者购房心理后，可以利用我们所学到的词汇和知识来讨论一下美国的楼市，比较一下中美两国的房地产行业发展现况及未来前景。设想一下，要是你有一百万美元的资金，你会选择投资美国楼市还是中国楼市？请写一篇800字的文章，讨论这个问题。

动笔以前，请思考、讨论以下问题：

- 近年中美两国的房地产业发展如何？
- 两国政府对房地产行业的调控措施有何异同？
- 中国人和美国人对于购房的态度有何不同？
- 根据以上问题的结论，你认为应该投资哪个国家的楼市？

专题九　山寨 vs. 微创新

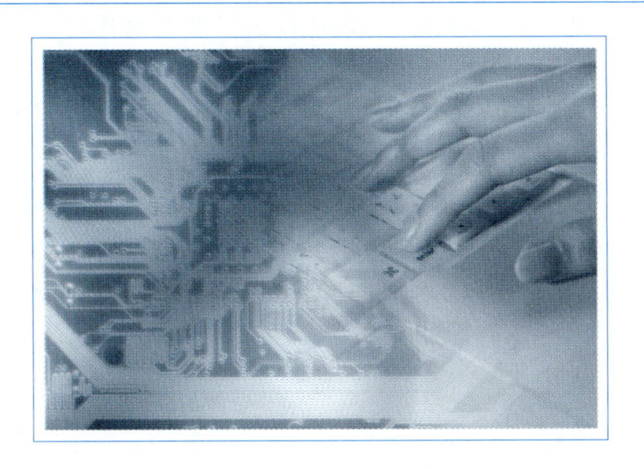

主要内容

从食品到服装，从日用品到电子产品，仿造商品在中国到处可见，中国本土企业也因此饱受争议与指责。然而，模仿与创新一定是水与火般地不相容吗？传统的观点认为仿造扼杀(èshā, strangle)创新，因此视仿造为瘟疫(wēnyì, plague)；但如今也有人说，在时尚、通讯、软件研发等很多领域，模仿乃创新之母。越来越多的中国企业正在经历着从模仿到创新的演变，而“山寨”产品的发展历程正是这一转变的最好注脚。

本专题以阅读文章《山寨发展史：关于仿造、抄袭、创新的那些事》为主要学习材料，它详细描述了“山寨”文化产生的历史及其对中国高科技制造业的深远影响，并以小米手机为例，介绍一些中国科技企业的“微创新”之路。三个背景视频介绍了苹果山寨机在中国的销售情况，以及政府与投资客对山寨行为的态度。

学习目标

1. 了解中国“山寨”文化的由来，“微创新”的定义、现状和前景。
2. 学习多角度对两个抽象事物进行比较或对比，并运用批判性思维阐述自己的观点。
3. 介绍一个初创公司的成功案例，探讨模仿与创新之间的辩证关系。

重点学习材料 阅读

山寨发展史：关于仿造、抄袭和创新的那些事

思考题：

1. “山寨”这个词是怎么来的？
2. 小米公司的运作模式和苹果公司有什么不同？
3. “山寨”文化为什么在中国如此流行？
4. 什么是“微创新”？在你看来，“微创新”算不算“抄袭”？
5. 文章最后提到“抄袭是一时，创新是一世”，这句话你是怎么理解的？

Copy to China成为一种另类C2C，泛指中国公司将国外的产品或创意借鉴到自己的产品上。如果非要翻译成中文，也许用“山寨”这个词最恰当。有一次，我和一位手机厂商聊天，我问他中国山寨机快速崛起的原因是什么。对方思考了一会儿，告诉我：“我们离市场和工厂都太近了。”

信息全球互联和制造业全球分工让中国企业获取和复制新产品的速度变得飞快。从某些角度看，整个中国都是一个巨大的制造机器，同时也是一个巨大市场。大量的山寨手机厂商能够最早获悉草根用户对不同机型的偏爱程度，以及对潜在功能的需求，然后，迅速地实现。早年某国产手机厂商未曾公开的内部资料里，这样描述山寨手机给他们带来的威胁：“我们开发一款产品的周期是8个月，而山寨机只需要45天。”

如果放到更宏大的层面去探索因由，山寨已经成为这个人口数量和生存压力同样巨大的社会中，一种普遍的文化，一种生存哲学。有一个很刺人的玩笑这样描述：如果一个犹太人开了间餐馆，第二个犹太人就会在旁

边开一家商店；如果换成是中国人，你很快就会发现一排小餐馆。

“山寨”的由来

对于很多中国用户来说，是那些五花八门的山寨手机，第一次把“山寨”这个充满乡土气息的词汇推送到他们面前。“山寨”一词，古已有之，原本是指作为平民百姓集体居住的建筑群落。在《水浒传》里，“山寨”指那些绿林好汉占据的山中营寨，大有“天高皇帝远”，不受官方管辖的意味。从可以考证的资料来看，“山寨”被赋予建筑学之外的意义，起源于上世纪七八十年代的香港。当时九龙城、狮子山等穷人聚居的地方被称为山寨城，里面有很多家庭作坊，生产仿冒国际名牌的服饰鞋帽，当地人称此类商品为“山寨货”，山寨从此成为仿造与低价的代名词。那时候只有巨大的市场需求，没有监管。

八九十年代以耐克为代表的一系列国际名牌产品进入中国，山寨现象也随之兴起。刚刚从“的确良”时代走出来的中国人，很多人买不起名牌，但却都穿上了“名牌”。今天流行的纯色、简洁、去符号化的设计风格与那个时代无关。人们把对标签的追求直接定义成对美和时尚的追求。背后印着阿迪达斯，胸前却是耐克标志的运动衫被年轻人骄傲地穿上街头。

当山寨遇到互联网

如果说，八九十年代是中国“山寨”的兴起，当其遇到互联网以后，则达到了鼎盛。有人说，“找你妹”涉嫌抄袭Pictureka，“疯狂猜图”涉嫌抄袭Icomania，再往前溯，人人网与Facebook很像，新浪微博和Twitter也撇不开关系。

一个做出五千万用户数手机游戏的创业者对我说，抄袭有时候是逼出来的。“中国的创业环境就是求钱求快，如果你的公司马上活不下去了，现在抄一个游戏就马上能有10万元，你抄不抄?”我没办法回答他。过了一小会儿，他自言自语，“如果换做我，可能也要抄的……”

另一位因为一款有抄袭争议的产品而活下来的创业者，如今早已摆脱了生计窘迫的境况。谈到过往，他还是有些不能释怀。“总之，能不抄，就别抄。起码，别完全地搬过去，你要有自己的东西，你要升华它。”

他说的升华，指的是“微创新”。

中国互联网和移动互联网现在特别愿意谈“微创新”。我把你的游戏玩法拿过来，但游戏角色换成中国人更熟悉的，算不算抄袭？我把你的网站逻辑和基本设定拿过来，换成更符合国情的内容话题分类，算不算创新？很多时候，你是很难分清这里面的边界的。

当然，路走到今天，很多公司已经不再局限于单纯的仿制或是小打小闹的微创新，而是开始真正做设计，做自己的品牌。这也成为中国式山寨的一种典型进化模式：仿造——改进——自主品牌。说到中国科技业的模仿与创新，就不得不说“小米”——这个中国增长最快的移动通信与软件开发公司。小米正式成立于2010年4月，2011年8月才推出其第一款智能手机。可2013年上半年，小米就卖出了703万台手机，六个月的业绩达132.7亿，超过2012全年的126亿。

小米的手机看起来很是眼熟，许多设计都与iPhone极为相似。在一次产品发布会上，小米的创始人雷军独自一人站在舞台上，身着黑色上衣、牛仔裤和黑色匡威运动鞋——这是不是让你想起某一个人？雷军所传达的信息是明确的：小米手机和苹果的一样酷。上海某大学生前不久在接受《纽约时报》采访时说了一句很经典的话：“小米是真的假货[1]。”

然而，小米在中国的成功关键在于这家公司的运作模式完全不同于苹果。首先，小米手机的成本是iPhone的一半左右；更重要的是，小米对创新有着截然不同的态度。众所周知，苹果采取的是封闭的产品开发策略：苹果认为，它比用户自己更懂得用户。因此，苹果产品的设计过程基本上

1 原文见《纽约时报》文章Challenging Apple By Imitation，2012年10月29日发表，作者Sue-lin Wong。

是封闭的。而小米公司则正相反，它的设计过程中有很多的民主元素。每逢星期五，小米会发布其移动操作系统的新一轮的软件更新，这套操作系统基于安卓开源软件。不出几个小时，成千上万的用户涌向小米的网上论坛，提出新的特性、功能和设计，并识别和解决软件的缺陷。小米会根据用户的建议做出改进。手机上安装多少内存、手机的厚度，以及是否应该让用户不按按钮就可以拍照，据说这些决定都来自用户反馈。雷军可能穿得像乔布斯，但他经营公司的方式却与乔布斯大不相同。

传统的观念总是认为，创新与模仿是水与火的不相容。秉承这一观念，美国政府历来对中国的“山寨”企业采取非常强硬的态度。可事与愿违，这些强硬措施在现实中不太可能取得成功，因为美国难以消灭中国企业和个人进行抄袭、仿制的强烈动机。美国著名的智库杂志《外交事务》2013年8月发表了一篇有关中国山寨经济的评论文章Fake It Till You Make It,文中从经济和社会两个层面深入分析了“山寨”对于当代中国难以抗拒的魅力。“山寨”不仅仅是削弱西方竞争者在中国市场的实力那么简单，中国企业通过模仿大牌公司的原创产品，从中获得宝贵的设计经验，为今后的自主创新铺路。更值得注意的是，“山寨”文化的流行在当代中国有一个更深层的社会原因。中国飞速发展，使贫富差距急剧扩大。近十年来，社会上积存了大量的不满情绪，而仿制西方产品在某种程度上缓解了这种社会矛盾——“山寨”使高科技消费类产品变得物美价廉，使数以百万计的“草根”触摸到消费社会的好处。

山寨的尽头是创新

今天再看过去，美国互联网有的，中国基本也都有了。中美互联网在产品形态之间的差距变得越来越小。当你离领跑者越来越近的时候，你就会越来越慌张，因为你不知道下一步该怎么走了。

有一句话，叫做“抄袭是一时，创新是一世”。没有人永远领着你跑，既然模仿的成本如此低，速度如此快，你总有赶上自己老师的时候。也许，那时候，就会逼着中国互联网开始创造真正属于自己的东西，逼着整个资本市场给予创新更多的支持和宽容。

创新可以很宏大，也可以很微小。你甚至可以借鉴更牛的东西，拿过来用到你的产品里。创新的关键是，你有改变它的态度，你有自己想要实现的东西——金钱之外的东西。

在我们还小的时候，把这种东西叫做理想。

注： 本文改编自《山寨发展史：关于仿造、抄袭和创新的那些事》，作者：王冠，腾讯科技2013年8月19日，有删改。引用网址：http://tech.qq.com/a/20130819/003143.htm

改编过程中，参考美国《外交事务》2013年七八月刊文章 *Fake it Till You Make it*，作者：Kal Raustiala and Christopher Sprigman。原文见：http://www.foreignaffairs.com/articles/139452/kal-raustiala-and-christopher-sprigman/fake-it-till-you-make-it

生词表

1. 抄袭	chāoxí	*v.*	copy, plagiarize
2. 另类	lìnglèi	*adj.*	offbeat, alternative
3. 泛指	fànzhǐ	*v.*	refers to sth. in general; be used in a general sense
4. 借鉴	jièjiàn	*v.*	use for reference, draw lessons from
5. 恰当	qiàdàng	*adj.*	suitable, proper
6. 分工	fēngōng	*n.*	division of labor
7. 获悉	huòxī	*v.*	learn
8. 偏爱	piān'ài	*v.*	prefer
9. 潜在	qiánzài	*adj.*	potential, latent
10. 威胁	wēixié	*n.*	threat
11. 周期	zhōuqī	*n.*	cycle
12. 因由	yīnyóu	*n.*	cause

13. 生存哲学	shēngcún zhéxué		philosophy of existence
14. 刺人	cìrén	*adj.*	stinging
15. 犹太人	Yóutàirén	*n.*	Jews
16. 排	pái	*m.*	row
17. 五花八门	wǔ huā bā mén		of a wide variety, multifarious
18. 乡土气息	xiāngtǔ qìxī		sentiment of country life
19. 群落	qúnluò	*n.*	(composed of people, animals or plants) community
20. 绿林好汉	lùlín hǎohàn		forest outlaws
21. 营寨	yíngzhài	*n.*	military camp
22. 管辖	guǎnxiá	*v.*	have jurisdiction over
23. 考证	kǎozhèng	*v.*	textual research
24. 赋予	fùyǔ	*v.*	entrust, give (an important task, mission, etc.)
25. 九龙城	Jiǔlóngchéng	*p. n.*	Kowloon City
26. 狮子山	Shīzishān	*p.n.*	Lion mountain
27. 聚居	jùjū	*v.*	live in a compact community
28. 作坊	zuōfang	*n.*	workshop, mill
29. 仿冒	fǎngmào	*v.*	counterfeit
30. 服饰	fúshì	*n.*	dress and personal adornment
31. 仿造	fǎngzào	*v.*	copy, counterfeit
32. 的确良	díquèliáng	*n.*	dacron
33. 简洁	jiǎnjié	*adj.*	concise
34. 标签	biāoqiān	*n.*	label
35. 鼎盛	dǐngshèng	*adj.*	peak, in a period of great prosperity
36. 溯	sù	*v.*	go against the stream, trace back
37. 撇不开	piēbukāi		not able to set sth. aside
38. 生计	shēngjì	*n.*	livelihood

39. 窘迫	jiǒngpò	*adj.*	poverty-stricken
40. 释怀	shìhuái	*v.*	(usu. used in the negative) dispel (feelings of love or hatred, sadness or happiness, etc.) from one's bosom
41. 起码	qǐmǎ	*adv.*	at least
42. 升华	shēnghuá	*v.*	rise a higher level
43. 设定	shèdìng	*v.*	setting
44. 局限	júxiàn	*v.*	be limited to, be confined to
45. 单纯	dānchún	*adj.*	simple
46. 小打小闹	xiǎo dǎ xiǎo nào		on small scale
47. 进化	jìnhuà	*v.*	evolve
48. 自主品牌	zìzhǔ pǐnpái		self-owned brand
49. 业绩	yèjì	*n.*	performance, achievement
50. 眼熟	yǎnshú	*adj.*	look familiar
51. 创始人	chuàngshǐrén	*n.*	founder
52. 匡威	Kuāngwēi	*p. n.*	Converse
53. 截然不同	jiérán bù tóng		entirely different
54. 众所周知	zhòng suǒ zhōu zhī		as everyone knows; it is widely known that
55. 封闭	fēngbì	*v.*	close (down)
56. 安卓	Ānzhuó	*p. n.*	Android
57. 开源软件	kāiyuán ruǎnjiàn		open source software
58. 缺陷	quēxiàn	*n.*	defect
59. 内存	nèicún	*n.*	internal storage, memory
60. 按钮	ànniǔ	*n.*	button
61. 水火不容	shuǐ huǒ bù róng		be incompatible like water and fire, mutually exclusive
62. 秉承	bǐngchéng	*v.*	take (orders), receive (commands), carry on a tradition

63. 事与愿违	shì yǔ yuàn wéi		get the opposite of what one wants, achieve the opposite of what one intended
64. 智库	zhìkù	*n.*	think tank
65. 抗拒	kàngjù	*v.*	resist
66. 魅力	mèilì	*n.*	charm
67. 削弱	xuēruò	*v.*	weaken, undermine
68. 原创	yuánchuàng	*v.*	originality
69. 铺路	pū lù		pave the way
70. 急剧	jíjù	*adv.*	rapidly, suddenly
71. 积存	jīcún	*v.*	store up
72. 缓解	huǎnjiě	*v.*	relieve, alleviate
73. 触摸	chùmō	*v.*	touch
74. 领跑者	lǐngpǎozhě	*n.*	front runner

注释：

1. C2C: customer to customer的缩写，主要用作电子商务的专业用语，意思是个人与个人之间的电子商务。在本文中是另一用法，即copy to China 的缩写，也就是“山寨”的意思。C2C is the abbreviation of “customer to customer”, mainly an e-commerce jargon meaning e-commerce between individuals. In this article, it has a different usage—abbreviation for “copy to China”, or “copycat”.
2. 《水浒传》：是中国著名古典小说之一，元末明初由施耐庵撰写，小说描写了北宋末年以宋江为首的108位好汉在梁山起义的故事。*Water Margin* is one of China's famous classic novels. The novel depicts the uprising of the 108 heroes in Liang Shan during Northern Song dynasty.
3. 天高皇帝远：原指中央权力达不到的偏远地方。现泛指某些机构或个人远离政府管辖，遇事自作主张，不受约束。“Sky is high, and the emperor is far away” originally refers to the inability of the central government's authority to reach remote areas of the country. Now it refers to certain organizations or person acting without restraint on their own according when far from the jurisdiction of the government.

4. 牛：此处为形容词，形容某个人或某件事非常厉害。“牛” is used here as an adjective here to describe a person or thing that is really great or awesome.

重点句型与词汇

1. 未曾　have not

（1）早年某国产手机厂商未曾公开的内部资料里，这样描述山寨手机给他们带来的威胁。

（2）这款手机还未曾在海外市场推出，公司的策略是先占领国内市场。

（3）王先生满心欢喜地去跟“网恋女友”见面，却未曾料到对方是一名只想向王先生推销产品的传销人员。

2. 充满　full of, brimming with

（1）对于很多中国用户来说，是那些五花八门的山寨手机，第一次把“山寨”这个充满乡土气息的词汇推送到他们面前。

（2）这封来信充满了年轻人对未来的美好希望。

（3）尽管试用打车软件的人群增长十分迅速，但是中国打车软件市场却依然充满不确定性。

3. 不受+ disyllabic verb.　(passive voice) not receive (welcome, attention), not suffer (punishment, threats); not be affected by (influence, criticism)

（1）在《水浒传》里，“山寨”指那些绿林好汉占据的山中营寨，大有“天高皇帝远”，不受官方管辖的意味。

（2）我很喜欢这家旅馆宁静优雅、不受打扰的氛围。

（3）从2014年10月起，重庆的“限外政策”取消了，外籍人士可在重庆轻松购房，不受之前的诸多限制。

4. 起源于 + place　originated from

（1）从可以考证的资料来看，“山寨”被赋予建筑学之外的意义，起源于七八十年代的香港。

（2）据说，这个节日起源于当地的宗教仪式。

（3）爵士乐起源于新奥尔良的贫民区，受黑人音乐蓝调的影响很大。

5. (a change in situation)，Subj.随之……　subsequently, accordingly

（1）八九十年代以耐克为代表的一系列国际名牌产品进入大陆，山寨现象也随之兴起。

（2）1978年中国开始实行改革开放政策，港台文化在内地也随之流行起来。

（3）货币的发行量与物价的关系是：当货币量增加时，物价随之上涨，反之则随之下降。

6.（问题／原因／关键／好处／困难……）在于　(the problem, reason, key, benefit, difficulty) lies in

Subj. A不A在于　Whether Subj. A or not A depends on...

（1）小米在中国的成功关键在于这家公司的运作模式完全不同于苹果。

（2）幸福不在于你是谁或者你拥有什么，而在于你的心态。

（3）一个人能不能在社会上取得成功主要在于自己的努力。

7. 不同于　different from

（1）小米在中国的成功关键在于这家公司的运作模式完全不同于苹果。

（2）当前的国家关系不同于冷战时期，各国更重视的是经济合作而不是政治上的异同。

（3）年轻人的婚恋观往往不同于上一代人，所以你不能把你的标准强加在孩子身上。

8. 众所周知，……　As everyone knows, ..., It is well known that...

（1）众所周知，苹果采取的是封闭的产品开发策略：苹果认为，它比用户自己更懂得用户。

（2）众所周知，刚学会走路的孩子一般不愿和别人分享玩具。

（3）众所周知，初创公司在创业阶段一定会遇到各种各样的挑战，资金问题就是其中之一。

9. 基于（+ 原则 / 考虑 / 决定 / 原因 / 认识 / 事实） because of, based on (principles, consideration, decision, reason, recognition, fact)

（1）小米手机的操作系统基于安卓开源软件。

（2）这个周末会有暴风雨，基于安全的考虑，活动主办方决定取消星期六的游园会。

（3）基于程序上的原因，法官决定推迟案件开庭时间。

词语搭配

1. 借鉴 + N.

~创意 | ~做法 | ~经验 | ~模式 | ~机制

（1）Copy to China 成为一种另类 C2C，泛指中国公司将国外的产品或创意借鉴到自己的产品上。

（2）借鉴其他国家的做法，可以帮助我们制定更合理的环保政策。

（3）古人在教育方面的许多经验，至今仍值得我们借鉴。

2. 获取 + N.

~信息 | ~知识 | ~经验 | ~利益

（1）信息全球互联和制造业全球分工让中国企业获取和复制新产品的速度变得飞快。

（2）当前，人们从网上获取信息的主要工具还是搜索引擎。

（3）获取知识的第一步，是承认自己的无知，以一种虚心的态度来接受新事物。

3. 探索+N.

~因由 | ~（的）秘密 | ~世界 | ~宇宙 | ~太空 | ~深海

（1）如果放到更宏大的层面去探索因由，山寨已经成为这个人口数量和生存压力同样巨大的社会中，一种普遍的文化，一种生存哲学。

（2）看了 Interstellar 这部电影以后，我也想同物理学家一起探索黑洞的秘密。

（3）在人类探索太空的过程中，不仅有鲜花和掌声，也有鲜血和泪水。

4. 赋予+N.

~意义 | ~权利 | ~内涵 | ~价值 | ~精神 | ~使命

（1）从可以考证的资料来看，“山寨”被赋予建筑学之外的意义，起源于七八十年代的香港。

（2）在Suffragettes团体的不断争取下，20世纪30年代英国妇女被赋予平等的参政权。

（3）随着国际形势的变化，中美关系不断被赋予新的内涵。

5. 涉嫌 + V.

~抄袭 | ~吸毒 | ~受贿 | ~贪污 | ~走私 | ~……（罪）

（1）“找你妹”涉嫌抄袭Pictureka。

（2）最近，那些因为涉嫌吸毒而被拘留的明星成了社会讨论的焦点。

（3）这位官员因涉嫌受贿而被逮捕的消息成了今天各大报纸的头条。

6. 摆脱+N.

~窘迫的境况 | ~骚扰 | ~限制 | ~困境 | ~困扰 | ~束缚 | ~纠缠

（1）另一位因为一款有抄袭争议的产品而活下来的创业者，如今早已摆脱了生计窘迫的境况。

（2）为了摆脱狗仔的骚扰，很多明星都会选择在小岛上秘密完婚。

（3）由于市场摆脱了地理疆界的限制，跨境流通变得更加意义深远。

7. 极为+ Adj.

~相似 | ~不利 | ~激烈 | ~艰难 | ~重要 | ~关键 | ~不满 | ~反感

（1）小米的手机看起来很是眼熟，许多设计都与iPhone极为相似。

（2）一些观点认为，经济的全球化对一些小国的文化发展极为不利。

（3）近年来，大学生就业市场竞争极为激烈，有时一个岗位会有上千位求职者。

8. 更新+N.

~系统 | ~观念 | ~内容 | ~技术 | ~软件 | ~版本 | ~博客

（1）每逢星期五，小米会发布其移动操作系统的新一轮的软件更新。

（2）电脑不断提醒我需要更新系统，但我担心更新后速度会变慢。

（3）在社会快速发展的今天，我们必须不断更新自己的观念。

9. 削弱 + N.

~实力 | ~优势 | ~影响力 | ~竞争力 | ~战斗力

（1）“山寨”不仅仅是削弱西方竞争者在中国市场的实力那么简单，中国企业通过模仿大牌公司的原创产品，从中获得宝贵的设计经验，为今后的自主创新铺路。

（2）美国担心自己的军事优势被削弱，总是不断地研发新型武器。

（3）有专家认为，美国与古巴关系回暖，可能会削弱俄国在拉美地区的影响力。

10. 急剧+ V.

~扩大 | ~增加 | ~下跌 | ~缩小 | ~恶化 | ~减少 | ~上升 | ~下降

（1）中国飞速发展，使贫富差距急剧扩大。

（2）人口急剧增加与减少都对经济发展有不利的影响。

（3）2015年初，国际市场上的石油产量供过于求，导致原油价格急剧下跌。

11. 缓解 + N.

~矛盾 | ~压力 | ~紧张心情 | ~症状 | ~饥饿感 | ~局势

（1）近十年来，社会上积存了大量的不满情绪，而仿制西方产品在某种程度上可以缓解中国日益扩大的社会矛盾。

（2）在回答考官的问题之前，他深呼了一口气来缓解自己的紧张心情。

（3）这种药只能缓解感冒症状，你要是想完全好起来，还得吃抗生素。

12. 给予 + N.

~支持 | ~宽容 | ~关心 | ~帮助 | ~照顾 | ~指导 | ~补偿 | ~资助 | ~处分

（1）也许，那时候，就会逼着中国互联网开始创造真正属于自己的东西，逼着整个资本市场给予创新更多的支持和宽容。

（2）在困难的时刻，最亲近的人给予的关心和支持显得尤为重要。

（3）2014年印尼发生海啸(hǎixiào, tunami)之后，很多国家在第一时间给予帮助，送去大量救灾物资。

成语

1. 截然不同：事物之间差别明显，完全没有相同之处。

（1）小米和苹果对创新有着截然不同的态度。

（2）如果两个人看问题的角度不同，得到的结论也常常截然不同

（3）在医疗保险制度改革的问题上，民主党人与共和党人的看法截然不同。

2. 水火不容：水与火不能互相容纳。比喻两种事物根本对立，不能相容。容：容纳。

（1）传统的观念总是认为，创新与模仿是水火不容的。

（2）这对夫妇总是吵架，关系有时到了水火不容的地步，但是为了孩子却一直没有离婚。

（3）韩国和日本这两个国家的球队水火不容是亚洲球迷都知道的事。

3. 事与愿违：意思是事情的发展与愿望相反，指事情没能按照预想的方向发展。

（1）可事与愿违，美国政府这些打击“山寨”的强硬措施在现实中不太可能取得成功。

（2）我们的生活中总是有很多事与愿违的事情发生，遇到不如意的时候要有一颗平常心。

（3）为了留住青春，很多女明星都不惜通过整容来达到目的，可往往事与愿违，不少人因整容过度而导致面目全非。

补充学习材料 视听理解

视频一 山寨iPhone5四百起价，有苹果样儿，没苹果味儿

思考题：

1. 山寨iPhone5是怎么设计出来的？
2. 山寨iPhone5的消费人群包括哪些人？

生词表

1. 大张旗鼓	dà zhāng qí gǔ		on a grand scale, with a great fanfare
2. 侵权	qīn quán		tort, violate or infringe upon others' lawful rights or interest
3. 阴招	yīnzhāo	*n.*	dirty fighting
4. 翘首企盼	qiáo shǒu qǐpàn		long-awaited
5. 眼下	yǎnxià	*n.*	at the moment, at present
6. 敲定	qiāodìng	*v.*	settle, finalize
7. 零售价	língshòujià	*n.*	retail price
8. 电容屏	diànróngpíng	*n.*	capacitive screen
9. 询问	xúnwèn	*v.*	ask about, inquire
10. 直截了当	zhíjié liǎodàng		say without mincing words, come straight to the point
11. 山寨	shānzhài	*n.*	copycat, knock-off
12. 泄露	xièlù	*v.*	reveal, leak (information)
13. 模仿	mófǎng	*v.*	imitate
14. 高清	gāoqīng	*adj.*	high definition
15. 灵敏	língmǐn	*adj.*	sensitive, react promptly to the slightest stimulation
16. 拼凑	pīncòu	*v.*	scrape together
17. 谨慎	jǐnshèn	*adj.*	prudent, cautious

视频二 工信部力挺山寨产品不侵权

思考题:

1. 工信部的负责人怎么看待山寨产品?
2. 在这个视频中,风险投资专家愿意为什么样的山寨企业投资?

生词表

1. 工信部	gōngxìnbù	*n.*	the ministry of industry and information technology
2. 公报	gōngbào	*n.*	gazette, compiled and published by government, focusing on laws regulations, agreements and other official documents
3. 不容	bùróng	*v.*	not allow, not tolerate
4. 知识产权	zhīshi chǎnquán		intellectual property
5. 风险投资	fēngxiǎn tóu zī		venture capital, risk investment
6. 敏锐	mǐnruì	*adj.*	keen, acute
7. 决策	juécè	*n.*	strategy, decisions of strategic importance
8. 天使投资	tiānshǐ tóu zī		angel investment
9. 聚集	jùjí	*v.*	gather
10. 淘沙	táo shā		sift sand

视频三　李开复谈“微创新”

思考题：

1. 李开复怎么看待“微创新”？
2. 李开复对淘宝、百度、腾讯这三个公司的评价是什么？
3. 李开复说一个成功公司要经过的“四关”，是哪四关？

人物表

李开复：知名IT业“大腕”，美国卡内基梅隆大学计算机科学博士，曾在苹果、微软、谷歌等多家著名IT公司担当要职。2009年从谷歌离职后在中国创办“创新工场”，任董事长兼首席执行官。

生词表

1. 打理	dǎlǐ	*v.*	take care of, manage
2. 吸取	xīqǔ	*v.*	absorb
3. 灵感	línggǎn	*n.*	inspiration
4. 教训	jiàoxùn	*n.*	lesson
5. 迭代	diédài	*n.*	iteration
6. 幸运	xìngyùn	*adj.*	lucky, fortunate
7. 验证	yànzhèng	*v.*	test and verify, validate
8. 上市	shàng shì		to be listed, go public

课后练习

一、选择最合适的词语填空

1. 有些韩国网民说，中国的传统节日端午节起源于韩国。据我们__________，这样的说法简直是无稽之谈。
   A. 借鉴　B. 获悉　C. 升华　D. 考证
2. 那位作家的新书大量__________了张教授十年以前发表的著作，让张教授感到十分气愤。
   A. 仿冒　B. 抄袭　C. 仿造　D. 起源
3. 《物种起源》认为高级生物都是从低级生物__________而来的，是自然选择的结果。
   A. 崛起　B. 进化　C. 领跑　D. 探索
4. 古代中国与外界的交通并不方便，处于一个相对__________的环境中。
   A. 封闭　B. 内存　C. 积存　D. 聚居
5. 失业后，小赵的生活十分__________，甚至连房租都付不起。
   A. 局限　B. 窘迫　C. 削弱　D.缺陷
6. 这种药物只能__________癌症病情，并不能根治癌症。
   A. 释怀　B. 摆脱　C. 缓解　D. 更新
7. 如果人民币__________升值，可能会导致大批外贸加工企业倒闭。
   A. 急剧　B. 极为　C.加剧　D. 鼎盛
8. 对于市政府实行的交通管制措施，民众应该__________更多理解，解决交通堵塞问题很难有两全其美的办法。
   A. 赋予　B. 给予　C. 基于　D. 在于
9. 从近日__________的火星影像可知，“火星人”并不存在。
   A. 获取　B. 触摸　C. 秉承　D. 扶持

10. 1995年后，上海__________14个区、6个县，总面积为6340.5平方公里。

A. 管辖 B. 监管 C. 管制 D. 监督

11. 那些十七八岁的孩子没什么社会经验，思想往往比较__________，很容易上当受骗。

A. 另类 B. 起码 C. 恰当 D. 单纯

12. 小米手机公司宣称，他们的每一__________新产品都是在广泛市场调研的基础上设计出来的。

A. 排 B. 款 C. 部 D. 项

13. 每一项新技术的产生都会大大推动人类社会的进步，这就是科学之所以吸引一代又一代年轻人为之奋斗的__________所在。

A. 创意 B. 业绩 C. 魅力 D. 智库

14. 对于同样一件事，换一个角度来评价，就可能会有__________的结论。

A. 截然不同 B. 五花八门 C. 水火不容 D. 事与愿违

15. 对于传统零售业来说，与电商的合作至为重要，__________互联网意味着放弃市场。

A. 抗拒 B. 违反 C. 冲击 D. 逼迫

16. 调查表明，调整计划生育政策后，生二胎的比例远远低于__________。

A. 设定 B. 设计 C. 谋划 D. 预期

二、用所给的词语和句型回答问题

1. 一般来说，那些从没有去过中国的美国人对中国有什么偏见？（未曾）
2. 像“虎妈”一样逼迫孩子学习一定会让孩子的学习成绩更优秀吗？（事与愿违）
3. 你认为政府应该不应该干预市场发展？为什么？（不受……）
4. 在操作系统上，小米与苹果手机有什么不同？（基于）
5. 中国的网络购物节是哪一天？这个节日是怎么来的？（起源于）
6. 对创新精神的培养与一个国家高等教育的发展有没有关系？（随之）
7. 你认为保护知识产权的意义是什么？（在于 ）
8. 市场经济和计划经济有什么不同之处？（不同于）
9. 美国为什么要坚决打击恐怖主义？（众所周知）
10. 圣诞节前夕，商店为什么要花很多心思布置橱窗的摆设？（充满）

三、用所给的词语填空

未曾　众所周知　获取　泛指　摆脱　撇不开

1. “低头族”__________那些常常玩手机而不抬头的人。__________，苹果手机开创了智能手机的时代，而智能手机对人类的影响甚至连乔布斯本人可能也__________预料到。今天，手机已完全侵入了人类的生活，像一只“无形的手”一样左右着人们，让人难以__________：从__________信息到网上购物，生活的许多方面都与手机__________关系。

探索　随之　品牌　给予　标签　不同于　周期　生计

2. 有人说社会思想变化的__________是十年，在中国是五年。从1978年到现在，中国社会各方面都发生巨变，人们的思想也__________不断更新。如今，在城市长大的青年一代不必再为基本的__________四处奔走，从而有了更多时间__________世界。即使是那些进城务工的年轻人所追求的也__________其父辈，他们不愿意被贴上“农民工”的__________，购物更倾向于大__________，也希望社会__________他们更多理解。

四、翻译

1. Everyone knows that after the 90s, China's high-tech industry was full of opportunities. Subsequently, this gave rise to "Copycat" culture. However, today China's market is extremely competitive and the consumer habits of the people are different from before. Hence, enterprises that have no innovations can survive, but it's difficult for them to have long-term development.
2. Innovation and imitation are not, in fact, mutually exclusive. Innovation is often founded on modeling after and improving on existing products. Today, the wide variety of smart phones that look so different from each other are in fact very similarly designed on the inside. Only their exterior appearance and design details are different.
3. If Chinese companies want to enter the international market, they must update their ways of thinking and put innovation—not imitation—first. We may ultimately borrow ideas from other products, but to lose what makes us unique would be to lose the future of our business.

五、从句段到篇章：对比和比较

在课文中，作者通过对小米手机和iPhone的比较，让我们了解到小米不仅仅是抄袭苹果，两者在价格、研发方式等方面有着根本的不同。段落采取了“总—分—总”的结构：开头第一句开门见山地指出小米手机不同于苹果手机，然后从不同方面具体说明有哪些不同，最后以一种幽默的方式再次强调两家公司不一样。请注意这段中，用于比较的句型和词汇。

小米在中国的成功关键在于这家公司的运作模式完全不同于苹果。首先，小米手机的成本是iPhone的一半左右。更重要的是，小米对创新有着截然不同的态度。众所周知，苹果采取的是封闭的产品开发策略：苹果认为，它比用户自己更懂得用户。因此，苹果产品的设计过程基本上是封闭的。而小米公司则正相反，它的设计过程中有很多的民主元素。每逢星期五，小米会发布其移动操作系统的新一轮的软件更新，这套操作系统基于安卓开源软件。不出几个小时，成千上万的用户涌向小米的网上论坛，提出新的特性、功能和设计，并识别和解决软件的缺陷。小米会根据用户的建议做出改进。手机上安装多少内存、手机的厚度，以及是否应该让用户不按按钮就可以拍照，据说这些决定都来自用户反馈。雷军可能穿得像乔布斯，但他经营公司的方式却与乔布斯大不相同。

在进行比较或对比时，我们常用到下面的结构和表达方式：

<table>
<tr><th>结构</th><th colspan="2">常用句型与词汇</th></tr>
<tr><td>第一部分：
中心句或领起句</td><td colspan="2">1. A和B的不同在以下几个方面。
2. A和B完全不同/截然相反。
3. 两者之间的差异在哪里呢？/如何区别A和B？/A和B有哪些相同点与不同点呢？
4. 一般认为……具体分析如下。</td></tr>
<tr><td>第二部分：
比较具体内容</td><td>不同点：</td><td>1. B没有A……
2. A……,而B则…..
3. A和B存在着差异/同中有异。
4. A……。相比之下,B则……
5. A比B(更)……
6. 在……方面,A和B有所区别</td></tr>
</table>

典型结构： 首先……； 其次……； 再者……； 最后……。	相同点：	1. A和B很接近。 2. 在……方面，A和B差异不大。 3. 在……上，A和B大同小异/毫无二致。 4. A与B并无区别。 5. A与B在某种程度上很相似。 6. A与B毫无区别。
	引用数据进行比较：	A大约是B的#倍。 和B相比，A增长/下降了……%。 A不足B的一半。
总结	总而言之；由此看来；综上所述	

练习：

1. 请从产品生产、营销方式、品牌战略等方面多角度比较你所熟悉的两家同类型公司的异同。
2. 请你比较中美大学教育制度的不同。

六、新闻报告

现在无论是在中国还是在美国，不少年轻人心甘情愿放弃在大公司的高薪职位，而选择在“初创公司”（start-up）从头做起。请介绍一家你欣赏的初创公司，或报告一个你自己的创业想法，把同学设想成天使投资人，说服他们向你提供资金支持。

报告中，请讨论以下内容：

☆ 介绍公司业务内容、融资方式、盈利模式、市场反馈等

☆ 这家公司的产品或服务是否有山寨的成分？他们有哪些创新之处使自己脱颖而出？

☆ 在你看来，这家公司未来会呈现出怎样的发展趋势？面临的最大挑战是什么？

七、专题调查与报告

请采访两个不同社会背景的中国人，了解、对比他们购买、使用山寨产品的经历，以及对“山寨”产品的态度，下次上课时汇报你的采访结果。

采访问题参考：

☆ 你在中国有没有购买山寨产品的经历？为什么选择购买山寨产品？你觉得你买的山寨产品和真货有什么区别？

☆ 你怎么评价中国的“山寨”文化？

☆ 你听说过“微创新”这个词吗？你觉得微创新和“山寨”有什么区别？

☆ 从消费者的角度讲，政府应该禁止“山寨产品”吗？

☆ 中国怎样能更好地保护知识产权？

八、辩论

有人说“山寨”并不是专属于中国的现象，很多国家在经济、科技起步阶段都经历过一个“山寨期”，如十八九世纪的美国窃取英国的纺织技术，二战后的日本山寨美国的机械产品。持这种观点的人认为“山寨”不仅仅是抄袭产品，也是学习生产技术、本土化创造的过程，帮助后来者反超原创者。

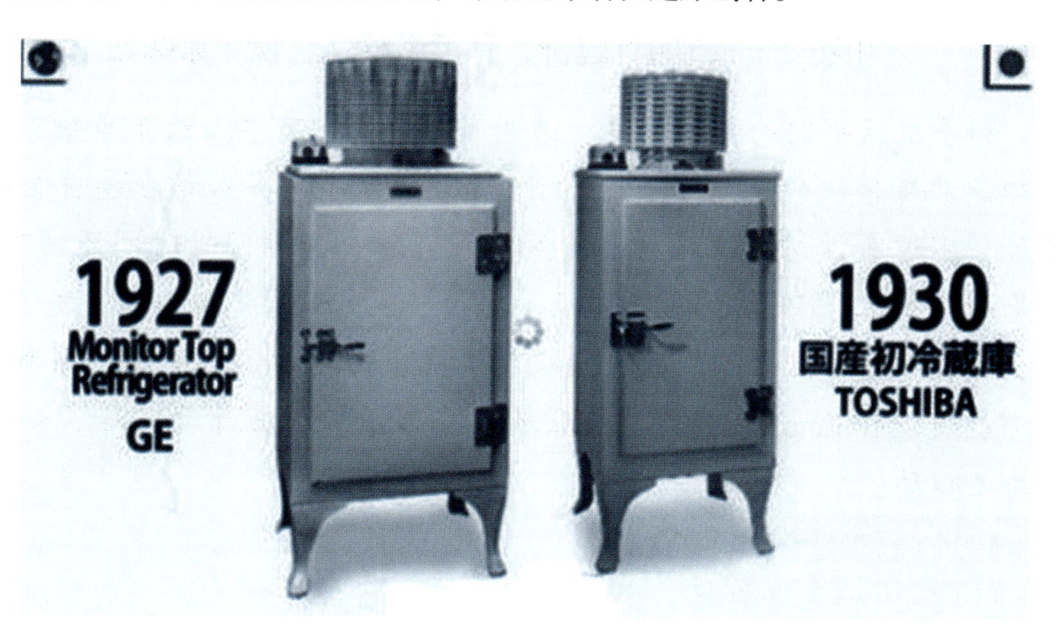

- **辩论题1：**“山寨文化”对本土创新是利大于弊还是弊大于利

九、讨论与写作：《中国如何走出“山寨”文化》

如课文最后说的一句话，“抄袭是一时，创新是一世。”美国是一个崇尚创造力的国家，特别是20世纪以来，美国的一项项发明创造不但推动了本国经济发展，更把人类文明推向了一个新的高度。中国，这个曾经诞生了火药、造纸、活字印刷术、指南针和其他变革型发明的国家，如今更为人所熟悉的形象却是“山寨大国”。如果说“山寨”是一个国家经济快速发展时的必经过程，“山寨”之后下一步应该怎么走？你能否借鉴美国在教育理念、工商业经营模式、法律制度等方面的经验，为中国的创新之路提出一些建议？请写一篇800字的文章，讨论这个问题。

动笔以前，可以思考、讨论以下问题：

- 哪些因素、机制让美国社会极富创造力？
- 在你受到的教育中，哪些理念、方法可以有效培养学生创造力？
- 美国的消费者为什么很少选择山寨产品？
- 美国政府和公众是如何保护、鼓励创新的？

视频一文本

山寨iPhone5四百起价，有苹果样儿，没苹果味儿

和手机巨头们的大张旗鼓、谋划布局不同，有些人为了争夺市场，打的却是涉嫌侵权的阴招。苹果的iPhone5，可能很多人都在翘首企盼地期待了，不过告诉您，眼下呢，虽然苹果官方公布的问世时间还没有敲定，可是一些号称着iPhone5的手机呢，却已经在沈阳抢先着全球首发了。

昨天下午，记者来到了沈阳小北手机市场暗访，发现几乎每个手机柜台都能发现iPhone5的身影。零售价从四百到六百五十元不等，让人不能不为之心动。

记者：“卖得咋样？”

售货员：“卖得挺好，小孩买的比较多。但是仿的这个电容屏的，大人买的也比较多。因为他不想买这么贵的。买这个，小孩不喜欢就不要了。”

当记者询问起来历时，售货员直截了当地表示都是深圳产的山寨手机。其实大家连真正的iPhone5长什么样都不知道。而这些山寨的iPhone5都是根据网络上不明真假的所谓iPhone5泄露版产品图模仿出来生产的。

售货员：“这个是国产机。这是高清屏，反映特别灵敏。这是Java游戏软件。”

售货员："这是电容屏，跟真苹果一样的。"

据业内人士介绍，虽然这些山寨手机看起来功能非常强大，但基本上都是价格非常低廉的零件拼凑而成，质量没有办法得到保证。而若以售价四百元的一款山寨iPhone5为例，在深圳市场的价格，只有沈阳市场的一半左右。(《第一时间》张炎、韩旭报道)

不管价格如何，这样有苹果样，没有苹果味儿的手机呢，大家还是要谨慎选购。

视频二文本

工信部力挺山寨产品不侵权

好，再来看《北京商务报》。最近呢，北京工信部的负责人表示：模仿也是一种创新，也是一种发展，不能直接对山寨产品说yes或者no。工信部今年初发布的《2009年电子信息产业经济运行公报》中说，"山寨产品"已经成为行业发展不容忽视的力量，对于保护知识产权的制度设计要平衡知识产权拥有者和广大用户两方面的利益，山寨机也好，其他产品也好，属于模仿，要区分哪一方面侵占了知识产权，而哪一方面没有侵占知识产权。在品牌货之外，低价格为山寨企业带来了很大的市场空间，而这只是一个成长的过程。国外许多企业也经历了类似的山寨过程，而风险投资专家表示，没有侵犯相关专利和知识产权的山寨企业，因其敏锐的市场反映，和经营决策，是值得尊敬的，非常愿意为这样的企业注入天使投资。山寨往往还以民营企业居多，在法制环境下，鼓励他们在聚集资本之后，再创新，也是解决就业和扩大内需的最好办法之一。而市场呢，也会有自己的"淘沙"机制，所以，不用"看得见的手"在每一个领域都兴风作浪。

视频三文本

李开复谈“微创新”

问题一：每天打理微博的时间

李开复：我每一天平均大概花一到两个小时。

问题二：创新与山寨

李开复：我觉得其实最成功的公司应该是愿意从别的公司的成功来吸取灵感和教训，但是自己有这个“微创新”迭代的成功的潜在的可能性。它可以从不同的世界上的公司的成功中，吸取灵感，然后本地化，根据用户的回馈来不断地迭代，把产品越做越好，这种公司我觉得可能会是最主流的。只仅仅“山寨”，不断拷贝别人点子的公司，在历史上没有一个得到巨大的成功。虽然今天，你可以说淘宝、腾讯、百度都有借用一些别的美国公司的灵感，但是他们绝对不仅仅是在拷贝跟山寨。他们自己不断地在迭代，在听用户的声音，然后再把产品做得越来越好。有人把这个称为一种“微创新”，有人认为“微创新”好，有人认为“微创新”不好。但是我的看法是这样一个迭代式聆听用户的心声的这种“微创新”其实是一个主流互联网创业的模式，不但在中国，在美国也是。

问题三：创新工厂的挑战

李开复：“创新工厂”其实很幸运，我们在方向、在创业者、在投资，都算是有一些初步的成功的验证。我们的大约50个公司，我们投资，现在已经大概有15个进入“A轮”。我觉得下一个阶段我们需要面临的挑战就是说这些进入“A轮”的公司，他们是否能够真的走向盈利之路，然后走向上市之路，然后走向真的一个有影响力的公司和品牌之路，可以说这四关上面，我们才走过第一关，未来三关还会面临很多挑战。

国际关系篇

专题十　中美关系

主要内容

在当今中国外交战略布局中，中美关系无疑是中国最重要的双边关系之一。作为两个世界大国，中美关系的稳定与健康发展，对世界的和平与繁荣具有重大意义。了解中国普通百姓怎么看待美国以及中美关系，不仅对中国政府制定外交决策有一定的参考价值，也为学习中文的美国学生进一步了解中美关系以及中美之间存在的问题提供了一个窗口。

本专题以阅读文章为主要学习材料，主课文《中国人眼中的美国与中美关系》选自2011年中国社会科学院美国研究所“中国人看美国”课题组发布的调研报告。文中总结并分析了中国民众对美国的认知以及对中美关系的看法，有许多方面可能是美国人没有想到的，美国学生也可以从中反思美国民众对中国及中美关系的看法。三个背景视频，第一个报道了2013年中国国家主席习近平和美国总统奥巴马在加州太阳谷的会晤，第二个、第三个分析了双方政府对中美关系的态度，以及两国之间存在的主要分歧。

学习目标

1. 了解中美关系发展现状以及中国普通民众如何看待美国和中美关系。
2. 调查美国人对中国和中美关系的看法，学习撰写调查报告 。
3. 讨论中美两国对对方战略意图的判断，处理分歧、矛盾的方式，并就如何进一步发展中美关系阐明自己的观点。

重点学习材料 阅读

中国民众眼中的中美关系

思考题：

1. “中国人看美国”的问卷调查从哪些方面保证了调查的可信度和代表性？
2. 你对这次问卷调查的结果有什么看法？跟你的预期有什么不一样的地方？
3. 如果你是课题组的研究人员，你觉得调查问卷还可以包括哪些问题？

由于中美关系是中国最重要的双边关系之一，了解中国民众对美国的认知、对中美关系的看法尤为重要。2010年6至8月间，中国社科院“中国人看美国”课题组在全国8个城市就美国和中美关系问题进行了抽样问卷调查。

遵循简单随机抽样的做法，本次调查依照地域分布的原则，在沿海地区三个城市(北京、上海、广州)、内陆地区五个城市(兰州、昆明、长春、自贡和长沙)发放了问卷。每个城市发放350份问卷，其中1/3在大学生中发放，1/3在企业人员中发放，还有1/3在居民社区中发放。

问卷包括三部分内容。第一部分主要包括受访者个人简况信息；第二部分内容是对国际问题的了解状况的一般性调查；第三部分是美国和中美关系部分。这部分内容主要了解受访者对美国的基本认识、美国影响力的变化、对美国和中美关系的认知和判断。问卷的最后还专门留出空间，征询受访者的意见或建议。

本次调查总共发放调查问卷2800份，收回有效问卷2687份，回收率接近96%。

问题一：对美国的了解程度

34.9%的受访者表示“非常了解”或“比较了解”美国，还有近一半(47.4%)的人表示“一般了解”，只有17.6%的人回答“不太了解”或“不了解”。这说明中国民众认为自己对美国有一定程度的了解，尽管了解程度不高。

问题二：美国对国际事务的影响力

调查显示，就美国对国际事务的影响程度而言，认为“影响很大”或“影响较大”的受访者占到92%的比例，而认为“影响不大”或“没有影响”的共有2.1%。这从一个侧面反映出中国民众对美国在国际事务中的重要影响力有着高度一致的看法。

问题三：中美关系的重要性

就中美关系的重要性而言，认为“很重要”或“比较重要”的受访者比例达到90.7%，认为“不太重要”或“不重要”的则只有1.3%。这反映出中国民众普遍认识到中美关系的重要性。

问题四：对美国的总体印象

调查表明，就对美国的总体印象而言，表示“很好”或“非常好”的受访者达36.1%，认为“一般”的占到48.8%，回答“比较消极”或“非常消极”的占15%左右。这在一定程度上表明中国民众对美国的总体印象并不那么消极。

问题五：最能代表美国形象的符号

当被问及心目中最能代表美国形象的符号时，“白宫”(26.5%)、“自由女神”(20.1%)、“华尔街”(8.5%)、“五角大楼”(7.4%)、“美元”(6.9%)位居受访者回答的前5位。

问题六：美国金融危机对世界经济的影响

调查表明，就美国经济出现的问题对世界经济的影响程度，认为“很大”或“比较大”的受访者共达93.3%，认为“比较小”或“很小”的累计只有0.7%。这反映出中国民众对美国经济在世界经济中的重要地位，有非常一致的看法。

问题七：美国国际影响力的变化趋势

受访者认为美国对国际事务的影响力将“迅速上升”或“上升”的比例共占20.4%，认为“基本持平”的占56.3%，而回答“下降”或“迅速下降”的则占23.4%。不难看出，多数受访者认为美国将会保持或提升其现有的国际影响力。

问题八：普通中国人是否了解美国

在被问及普通中国人对美国的了解程度时，受访者回答“很了解”或“了解”的人数共占13.2%，有54.5%的受访者回答“一般”，而回答“不了解”或“很不了解”的共占32.4%。超过一半的受访者选择“一般”，说明不少民众认为普通中国人对美国有一定程度的了解，尽管这种了解程度还算不上较高。

问题九：对当前中美关系的总体评价

共有15.8%的受访者回答“很好”或“好”，回答“一般”的占73.5%，回答“差”或“很差”的共占10.7%。七成以上受访者选择“一般”，表明相当多的民众对近年来中美关系的现状持有比较客观的态度，既看到两国关系中的积极因素，也能认识到其中的不足和问题。

问题十：对中美关系发展前景的看法

分别有9.3%和68.2%的受访者认为中美关系将会“顺利发展”和“曲折发展”，认为“不进不退”的占16.5%，回答“可能倒退”和“肯定倒退”的分别占4.8%和1.1%。

数据显示，多数民众对中美关系前景持有谨慎乐观的态度，尤其是选择“曲折发展”的占到68.2%，说明相当多的中国民众已经习惯于中美关系多年来曲折发展的进程，对中美关系的前景具有某种较为成熟的认识。

问题十一：未来中美关系中最重要的问题或领域

在被问及未来中美关系中最重要的问题或领域时，认为经贸、台湾和能源最重要的人数最多，分列前三位。35.8%的受访者认为是经贸问题，25.7%的人指出是台湾问题，还有17.5%的人表示是能源问题。

这些说明，在受访民众心目中，“台湾问题”在中美关系中仍然非常重要。与此同时，经贸、能源问题也变得愈发重要，认为经贸问题最为重要的受访者人数甚至超过了台湾问题，值得关注。

问题十二：受访民众对处理中美关系的态度

今后中国应当如何处理中美关系？调查显示，45.9%的受访民众主张“更坚持原则”，12.3%的人认为“无须改变”，还有41.3%的人建议“稍微灵活些”。

不难看出，无论是主张“更坚持原则”还是“稍微灵活些”，相当多的民众实际上主张改变处理对美关系的方式，但主张“更坚持原则”的比那些主张“稍微灵活些”的更多一些。

通过对于这次问卷调查数据的仔细分析，我们大致可得出以下几点结论：

中国民众对于美国国际地位及其影响力有着充分的认知。高达90%以上的受访民众认识到美国在国际事务中的影响力。与此相对应，超过90%的民众认为美国金融危机对世界经济产生了“很大”或“比较大”的影响，这表明中国民众对于美国经济在世界经济中的重要地位有着高度一致的共识。毕竟，在金融风暴席卷全球的大背景下，普通民众对此同样有着更为强烈的感受。即使在美国经济陷入低谷之际，还有超过一半的受访者认为美国将会保持其现有水平的国际影响力，甚至还有超过20%的民众认为美国对国际事务的影响力“迅速上升”或“上升”。

尽管过去一年多来中美双方摩擦增多，但中国民众对于美国的总体印象并没有变得十分负面。调查显示，接近一半的受访者对美国的印象“一般”，没有明显的好恶，从一个侧面表明中国民众对于美国的情感在很大程度上取决于美国的所作所为。这与前两次的民调相比，变化不大。

在受访者心目中，白宫、自由女神、华尔街和五角大楼最能代表美国的形象，这从一个角度反映了美国的政治、经济和军事的影响力。这和2008年的民意调查相比，既有一定的一致性，也出现了些许变化。在前一次民调中，当被问及最能代表美国形象的符号时，受访者的回答中，好莱坞、白宫、华尔街和自由女神名列前四位。其中，超过一半(54.9%)的受访者认为好莱坞最能代表美国的形象，位列第一；而此次民调中只有4.8%的受访者持有这样的看法，列第七位。

就整体上来看，中国民众对于中美关系的看法比较客观理性，没有明显的极端倾向。接近90%的受访者认识到中美关系的重要性。大多数受访者对于当前中美关系的看法谨慎，高达69.5%的民众对当前中美关系的总体评价是“一般”，而高达62.7%的受访者认为未来中美关系将“曲折发展”。这表明相对多的民众对于中美关系的现状有着相对客观的态度，既看到两国关系中的积极面，又能认识到存在的问题。

总体来讲，受访者对于未来中美关系的走向持有谨慎乐观的态度，受访者中认为中美关系“可能倒退”和“肯定倒退”的人数比例累计不到6%。经贸、台湾和能源被多数受访者视作未来中美关系中最重要的问题或领域，这和前一次的调查结果大体一致。不过，经贸和台湾的重要性互换了排序，经贸问题超过台湾问题被受访者认为是未来中美关系中最重要的问题，这或许和近年来全球爆发金融危机、中美经贸摩擦加大，而台海局势相对平稳的大背景有关。

就性别而言，男女受访者对各种问题的看法没有明显差异，甚至有趋同的趋势。而在以往的调查中，在如何处理中美关系的问题上，男性更趋强硬，而女性相对灵活。

在绝大多数问题上，各个年龄段受访者的看法并无明显差异。多数受访者对于中美关系的前景持有较为乐观的态度。不过老年受访者对于美国的印象较差，态度也稍稍强硬。而中青年受访者了解、接触美国的渠道更多，视野更为开阔，对于美国的认识多元化，对于美国及其影响力的认可度更高。这种微妙的差异也在前一次的调查结果中显现出来。

内陆和沿海民众的看法差异不大，只有些许的不同。在多数问题上，两个地区受访者的观点相差不大，只有些细微的差异，但这种差异具有特定的含义。沿海地区更多受访民众中将华尔街列为美国的符号，而内地则更多将五角大楼列为美国的符号，这表明沿海人士更关注经济层面，而内地则更看重美国军事。

受教育程度直接影响着民众对国际问题的看法。调查分析显示，在多数问题上，大专以上、以下两类受访者的观点相差不大，但大专以上学历被调查者的观点相对集中和一致，共识度更高，而大专以下受访者的看法则有些分散。这和前一次的调查结论相吻合。相形之下，所受教育程度对于民众看法的影响较职业和收入的因素更明显。

（本文原文出自中国社会科学院“中国人看美国”课题组2010年发表的《中国民众眼中的美国与中美关系》调查报告，有删改
引用网址：http://ias.cass.cn/photo/201081015136.pdf）

生词表

1. 双边	shuāngbiān	*adj.*	bilateral
2. 民众	mínzhòng	*n.*	the common people
3. 尤为	yóuwéi	*adv.*	particularly
4. 课题组	kètízǔ	*n.*	research group
5. 抽样	chōuyàng	*v.*	sample drawing
6. 问卷	wènjuàn	*n.*	questionnaire
7. 随机	suíjī	*adj.*	random
8. 地域	dìyù	*n.*	region

9. 分布	fēnbù	*v.*	distribution
10. 沿海	yánhǎi	*n.*	coastal
11. 内陆	nèilù	*n.*	inland
12. 征询	zhēngxún	*v.*	seek the opinion of
13. 有效	yǒuxiào	*adj.*	effective, valid
14. 受访者	shòufǎngzhě	*n.*	respondent, interviewee
15. 事务	shìwù	*n.*	matters, business
16. 侧面	cèmiàn	*n.*	side, aspect
17. 一致	yízhì	*adj.*	unanimous, consistent
18. 普遍	pǔbiàn	*adj.*	universal, widespread
19. 消极	xiāojí	*adj.*	negative
20. 符号	fúhào	*n.*	symbol
21. 自由女神	Zìyóu Nǚshén	*p. n.*	Statue of Liberty
22. 华尔街	Huá'ěrjiē	*p. n.*	Wall Street
23. 五角大楼	Wǔjiǎo Dàlóu	*p. n.*	The Pentagon
24. 位居	wèijū	*v.*	ranked
25. 曲折	qūzhé	*adj.*	circuitous, intricate
26. 倒退	dàotuì	*v.*	go backwards
27. 愈发	yùfā	*adv.*	even more, increasingly
28. 风暴	fēngbào	*n.*	storm
29. 席卷	xíjuǎn	*v.*	sweep across
30. 低谷	dīgǔ	*n.*	low ebb
31. 好恶	hàowù	*n.*	likes and dislikes
32. 所作所为	suǒ zuò suǒ wéi		doings, all one's actions
33. 好莱坞	Hǎoláiwù	*p. n.*	Hollywood
34. 理性	lǐxìng	*adj.*	rational
35. 倾向	qīngxiàng	*n.*	tendency
36. 局势	júshì	*n.*	situation

37. 趋同	qūtóng	*v.*	convergent
38. 强硬	qiángyìng	*adj.*	tough, strong
39. 开阔	kāikuò	*adj.*	wide
40. 微妙	wēimiào	*adj.*	delicate, subtle, tricky
41. 细微	xìwēi	*adj.*	tiny, minute
42. 分散	fēnsàn	*adj.*	disperse, scattering
43. 结论	jiélùn	*n.*	conclusion
44. 吻合	wěnhé	*v.*	coincide with
45. 相形之下	xiāng xíng zhī xià		by contrast, in comparison with

重点句型与词汇

1. 尤为+ Adj.　particularly, especially

(1) 了解中国民众对美国的认知、对中美关系的看法尤为重要。

(2) 对于学中文的学生来说，掌握准确的声调尤为困难。

(3) 北京的交通一直是个令人头疼的问题，每到上下班高峰，堵车现象尤为严重。

2. 对……持（谨慎/乐观/悲观/消极/积极/保守/开放/欢迎/肯定／否定的）态度

hold (cautious/optimistic/passive/pessimistic/positive/conservative/open/welcoming/affirmative/negative) attitude towards

(1) 多数民众对中美关系前景持有谨慎乐观的态度。

(2) 一些人对世界经济的前景持悲观的态度。

(3) 保守的父母一般都会对孩子网上交友持否定的态度。

3. 愈发+Adj.　even more adj., increasingly adj.

(1) 与此同时，经贸、能源问题也变得愈发重要。

(2) 接连几次的挫折让他对生活愈发悲观。

(3) 在实行了新的税收制度后，外商对这个城市的高科技产业的投资愈发强劲。

4. 与……相对应 correspond to

(1) 与此相对应，超过90%的民众认为美国金融危机对世界经济产生了“很大”或“比较大”的影响。

(2) 一个国家的国际地位不一定与其经济规模相对应。

(3) 电子书与纸质书相对应，是可以直接在计算机或手持设备中阅读的电子文件。

5. 在……之际 on the occasion of, in the event that

(1) 即使在美国经济陷入低谷之际，还有超过一半的受访者认为美国将会保持其现有水平的国际影响力。

(2) 在中美两国建交35周年之际，驻美中国大使馆举办了一系列的庆祝活动。

(3) 在中国经济步入中速稳定增长的新常态之际，美国经济也恢复了快速增长的势头。

6. 从一个侧面／一个角度 + 反映/表明/说明…… On one side/ From one angle, it reflects/demonstrates/explains...

(1) 调查显示，接近一半的受访者对美国的印象“一般”，没有明显的好恶，从一个侧面表明中国民众对于美国的情感在很大程度上取决于美国的所作所为。

(2) 喜欢穿什么样的衣服，从一个侧面反映了一个人的性格和审美倾向。

(3) 王教授的报告从另一个角度解读了错综复杂的中美关系。

7. ……取决于…… to be determined by..., depends on...

(1) 中国民众对于美国的情感在很大程度上取决于美国的所作所为。

(2) 一个人能否成功在很大程度上取决于他做事的态度。

(3) 我觉得婚姻的幸福取决于两个人的性格和家庭背景，跟收入没什么关系。

8. 位列/位居 ranked at

(1) 超过一半(54.9%)的受访者认为好莱坞最能代表美国的形象，位列第一。

(2) 美国经济总量多年来一直位列世界第一。

(3) 位居领导地位的人往往不能体会“草根”的苦与乐。

9. 更趋／日趋／趋于（趋向）／+ adj. become more/ tend towards/ gradually +adj.

(1) 在如何处理中美关系的问题上，男性更趋强硬，而女性相对灵活。

（2）东南亚国家担心中国在南海的政策会更趋强硬。

（3）一些思想家在年轻时想法很开通，但在老年时却变得趋于保守。

10. ……和……相吻合　coincide with, tally with, match

（1）调查分析显示，在多数问题上，大专以上、以下两类受访者的观点相差不大，这和前一次的调查结论相吻合。

（2）实验的结果与科学家开始的设想相吻合。

（3）这次出土的文物与史书上的记载相吻合。

11. 相形之下／相比之下，……　by comparison

（1）相形之下，所受教育程度对于民众看法的影响较职业和收入的因素更明显。

（2）大部分的同学都在忙着找工作，相形之下，我还是认为留校读研更适合我。

（3）美国高中生的生活还是很悠闲的，相形之下，大学生的生活就要忙碌多了。

词语搭配

1. 征询+ N.

~意见 | ~建议 | ~民意 | ~看法

（1）问卷的最后还专门留出空间，征询受访者的意见或建议。

（2）这个学校很民主，在制定新的政策时，学校通常会征询学生的意见。

（3）做决定前，征询民意很必要。

2. 处理+ N.

~中美关系 | ~危机 | ~问题 | ~人际关系 | ~事物

（1）今后中国应当如何处理中美关系？

（2）本轮“中美战略与经济对话”就如何处理不断下滑的中美关系达成了共识。

（3）从这起事故可以看出，政府的危机处理能力仍有待提升。

3. 陷入 + N. / V.

~低谷 | ~僵局 | ~衰退 | ~怪圈 | ~困境

（1）即使在美国经济陷入低谷之际，还有超过一半的受访者认为美国将会保持其现有水平的国际影响力。

（2）因为双方都不退让，谈判陷入了僵局。

（3）不少人担心，如果中国政府继续打压楼市，中国经济可能会陷入衰退。

4. 极端(的)+N.

~倾向 | ~宗教 | ~天气 | ~思想 | ~行为 | ~民族主义

（1）中国民众对于中美关系的看法比较客观理性，没有明显的极端倾向。

（2）恐怖主义常常与极端宗教有密切的关系。

（3）遭遇极端天气是这次飞机失事的主要原因。

5. 开阔的+N.

~视野 | ~心胸 | ~平原 | ~思维

（1）中青年受访者了解、接触美国的渠道更多，视野更为开阔，对于美国的认识多元化，对于美国及其影响力的认可度更高。

（2）优秀的艺术家既要发扬本土文化特色，又要以开阔的心胸吸纳外来艺术。

（3）在美国中部到处都能看到开阔的平原。

补充学习材料

视听理解

视频一　靠庄园会晤解决中美所有矛盾不现实

思考题：

1. 按照视频中评论员的说法，中美对这次会晤“谈什么”“怎么谈”，有哪些分歧？
2. 评论员说对这次两国首脑会晤要以“轻松的态度、冷静的观察来对待，要有平常心”，他为什么这么说？

生词表

1. 阳光谷	Yángguāngqǔ	*p. n.*	Sun Valley
2. 会晤	huìwù	*v.*	meet, meet with
3. 灿烂	cànlàn	*adj.*	brilliant, resplendent
4. 旨在	zhǐzài	*v.*	be aimed at, aim to
5. 冷静	lěngjìng	*adj.*	calm
6. 路漫漫	lù mànmàn		a long way to go
7. 长征	chángzhēng	*v.*	the long march
8. 风浪	fēnglàng	*n.*	stormy waves
9. 冲突	chōngtū	*n.*	conflict, clash
10. 化解	huàjiě	*v.*	defuse, resolve
11. 畅谈	chàngtán	*v.*	talk freely and to one's heart's content
12. 分歧	fēnqí	*n.*	difference, divergence
13. 争端	zhēngduān	*n.*	dispute, controversial issue
14. 平常心	píngchángxīn	*n.*	common heart
15. 短袖衫	duǎnxiùshān	*n.*	short sleeved shirt
16. 领带	lǐngdài	*n.*	tie
17. 务实	wùshí	*adj.*	deal with concrete matters relating to work, pragmatic, down-to-earth

视频二　中美关系不能被问题牵着鼻子走（一）

思考题：

1. 在习近平看来，中美两国领导人应该怎样对待两国间的问题？
2. 视频中，达巍认为中美两国对双方的战略意图产生了怎样的怀疑？

生词表

1. 牵着鼻子走	qiānzhe bízi zǒu		lead sb. by the nose
2. 交融	jiāoróng	*v.*	blend
3. 俱	jù	*adv.*	all, altogether
4. 构建	gòujiàn	*v.*	construct, build
5. 波折	bōzhé	*n.*	twists and turns, setback
6. 不足为怪	bù zú wéi guài		be not at all surprising
7. 判断	pànduàn	*v.*	judge
8. 意图	yìtú	*n.*	intention
9. 皆	jiē	*adv.*	all
10. 怀疑	huáiyí	*v.*	doubt
11. 疑虑	yílǜ	*v.*	doubt, misgivings
12. 遏制	è'zhì	*v.*	contain, restrain
13.摩擦	mócā	*n.*	friction
14. 在所难免	zàisuǒ nánmiǎn		can hardly be avoided
15. 主权	zhǔquán	*n.*	sovereign rights
16. 领土	lǐngtǔ	*n.*	territory
17. 善于	shànyú	*v.*	be good at
18. 集体	jítǐ	*n.*	collective
19. 超越	chāoyuè	*v.*	transcend

视频三　中美关系不能被问题牵着鼻子走（二）

思考题：

1. 如果你是美国国务卿克里的中文翻译，你会怎么翻译他说的话？
2. 为什么美国更重视中美共同利益，而不提“核心利益”？
3. 这个视频提到的中美之间的敏感问题有哪些？

生词表

1. 国务卿	guówùqīng	*n.*	Secretary of State
2. 致辞	zhì cí		deliver a speech (of encouragement, congratulations, etc.)
3. 守成	shǒuchéng	*v.*	maintain the achievements of one's predecessors
4. 寻求	xúnqiú	*v.*	seek
5. 包围	bāowéi	*v.*	surround
6. 诚意	chéngyì	*n.*	sincerity
7. 绵里藏针	mián lǐ cáng zhēn		needle hidden in silk floss; a ruthless character behind a gentle appearance
8. 潜台词	qiántáicí	*n.*	subtext, unspoken words
9. 跨境	kuà jìng		cross border
10. 磋商	cuōshāng	*v.*	negotiate
11. 协定	xiédìng	*n.*	agreement
12. 无端	wúduān	*adv.*	for no reason
13. 起诉	qǐsù	*v.*	prosecute
14. 黑客	hēikè	*n.*	hacker
15. 指控	zhǐkòng	*v.*	indict

16. 暂停	zàntíng	*v.*	suspend
17. 斯诺登	Sīnuòdēng	*p. n.*	Snowden
18. 间谍	jiàndié	*n.*	spy
19. 底气不足	dǐqì bùzú		lack of confidence
20. 撤销	chèxiāo	*v.*	revoke
21. 恢复	huīfù	*v.*	recover
22. 备	bèi	*adv.*	fully, in every possible way
23. 后续	hòuxù	*adj.*	follow-up
24. 指责	zhǐzé	*v.*	accuse, criticise
25. 提示	tíshì	*v.*	point out (what the others have not thought of)
26. 司法部	sīfǎbù	*n.*	Justice Department
27. 贸然	màorán	*adv.*	rashly, hastily
28. 对抗	duìkàng	*v.*	confront eyeball to eyeball
29. 猜疑	cāiyí	*v.*	suspicion
30. 频繁	pínfán	*adj.*	frequent
31. 香格里拉	Xiānggélǐlā	*p. n.*	Shangri-La
32. 裂痕	lièhén	*n.*	crack, rift

课后练习

一、选择最合适的词语填空

1. 市政府决定提升水价，却没有＿＿＿＿＿当地居民的意见，结果遭到了民众的抵制。

   A. 征询　B. 问卷　C. 获悉　D. 考证

2. 因为市场不景气，这家外贸公司的仓库里＿＿＿＿＿了近百万元的货物卖不出去，让老板非常着急。

   A. 累计　B. 沉淀　C. 积压　D. 翻番

3. 虽然我请假的理由很＿＿＿＿＿，但是我的导师还是没批准。

   A. 强硬　B. 尤为　C. 愈发　D. 充分

4. 在经济全球化的今天，人们了解各种信息的＿＿＿＿＿越来越多，而不仅限于传统媒体。

   A. 渠道　B. 群落　C. 作坊　D. 地域

5. 进行跨国投资时一定要考虑＿＿＿＿＿的风险，尤其是政治上的动荡带来的影响可能是致命的。

   A. 有效　B. 谨慎　C. 潜在　D. 理性

6. 到新公司上班后，李先生常常忙于种种销售＿＿＿＿＿，难得回家陪孩子。

   A.事务　B. 债务　C. 生计　D.业务

7. 我的室友网购后喜欢给卖家最高的＿＿＿＿＿，这样她就有机会得到卖家提供的优惠券。

   A. 结论　B. 反馈　C. 评价　D. 剖析

8. 埃及金字塔上的一些＿＿＿＿＿，看起来很像古代的象形文字，一般人很难读懂。

   A. 侧面　B. 符号　C. 形象　D. 标签

9. 恐怖主义往往与__________的宗教思想有密切的关系。

A. 虚高　B. 格外　C. 高端　D. 极端

10. 中国古代，统治者的__________会影响整个社会的风气。比如说，皇帝喜欢细腰的女子，社会上就会出现为减肥而饿死的人。

A. 口碑　B. 信誉　C. 好恶　D. 胃口

11. 一位专家指出，学生名单按姓氏字母__________是不公平的，因为老师一般来说习惯于关注名单上靠前的学生，从而会带给这些学生更多机会。

A. 排序　B. 处理　C. 分布　D. 位居

12. 经过多轮会晤，两岸在“三通”问题上最终达成__________，并签订了合作协议。

A. 一致　B. 持平　C. 趋同　D. 吻合

13. 每个人的情绪都会有变化，有高峰也有__________，这是正常的心理现象。

A. 倒退　B. 低谷　C. 窘迫　D. 消极

14. 比较这两款产品的设计，我个人更__________于选择红色的那款。

A. 进化　B. 倾向　C. 动机　D. 乐意

15. 海明威的小说《老人与海》的故事情节并不__________，但却能打动读者。

A. 曲折　B. 精准　C. 微妙　D. 细微

二、用所给的词语和句型回答问题

1. 你怎么看待同性婚姻？（对……持……的态度）
2. 人对生活的基本需求与经济收入的高低有没有相互关联性？（与……相对应）
3. 自从911事件发生以来，美国和伊斯兰国家的关系怎么样？（愈发）
4. 在美国，哪所大学每年获得的校友捐赠数额最多？（位列/位居）
5. 你认为初创公司能否成功取决于哪些因素？（取决于）
6. 从哪些方面可以看出美国文化对中国年轻人的影响越来越深？（……，从一个侧面 / 一个角度＋反映/表明/说明……）
7. 经济上的快速发展会缓解一个国家的贫富差距问题吗？（更趋 / 趋于（趋向） / 日趋 / ＋ adj.）
8. 你做过问卷调查吗？调查结果和你原来设想的一致吗？（……和……相吻合）
9. 就科技行业的发展而言，你认为美国和英国哪个国家更有潜力？（相形之下 / 相比之下）
10. 你马上要从大学毕业了，请给你最喜欢的中文老师写一张感谢卡。（在……之际）

三、用所给的词语填空

消极　所作所为　侧面　处理　随机　民众　受访者

1. 南京大学的学生为了了解＿＿＿＿＿对网络购物的看法，近日在南京市各大超市进行了＿＿＿＿＿调查。结果显示，＿＿＿＿＿大都同意电子商务给人们的生活带来了便利，促进了经济繁荣；但是也有三成左右的人对电子商务持比较＿＿＿＿＿的态度，认为网络对中国经济有更多负面影响。接受调查的一位大学生表示，中国经济转型的成功与否取决于电商的＿＿＿＿＿，特别是在如何＿＿＿与传统商业的关系方面更有挑战性。这次调查结果从一个＿＿＿＿说明了中国社会对网购认识的多元化。

相形之下　形象　累计　沿海　普遍　陷入　有效

2. 谈及中国近30年的变化，外国人＿＿＿＿＿认为中国创造了一个经济奇迹，把中国塑造成了“世界工厂”的＿＿＿＿＿。其实中国的发展极不均衡，＿＿＿＿＿地区的经济水平已经与欧美相当，＿＿＿＿＿，中西部地区则落后得多。为了避免西部＿＿＿＿＿经济边缘化的困境，中国政府1999年推出了“西部大开发战略”，截至2014年，国家对西部的投资已经＿＿＿＿＿近2万亿人民币，＿＿＿＿＿地促进西部经济发展。

四、翻译

1. The research team performed a random survey on college students' views on the prospects for development of Sino-US relations. The survey showed that more than half of the participants believed that the economic and trade relations as well as energy issues are two of the most important issues for the relationship between the two countries, which is consistent with our hypothesis.
2. In an increasingly competitive modern society, a person's success depends on his ability to work with others as well as on whether or not he has a serious and positive attitude towards his work.
3. Along with the continuous development of the Chinese economy, the Chinese market is also becoming increasingly important for Europe. In fact, compared to before, China's and Europe's relationship with each other has already undergone some subtle changes.

五、从句段到篇章：撰写调查报告

社会调查可以有效地帮助我们了解新生事物产生的社会影响或者人们对某些问题的态度。完成一个社会调查，需要经过设计问卷、采集数据、分析数据、撰写调查报告等步骤。本专题的主课文便是一篇对随机抽样调查的结果进行分析讨论后写成的调查报告。一篇高质量的调查报告应该客观真实，分析透彻，层次清晰，并对现实生活中的问题具有指导意义。

下面的列表介绍了调查报告的结构及一些常用的表达句式。

结构	内容	常用句型
引言	解释开展此项调查的原因及意义，描述调查的时间、地点、受访人群、调查方式、问卷内容等	1. 由于……，了解……尤为重要 2. 就……问题进行了问卷调查 3. 通过……的方法，对……问题开展了一次问卷调查 4. 在……地区发放了问卷 5. 在受访人群中，……占40%，……占60%
问卷及结果	列举调查问卷上的问题，受访人典型答复，描述收集到的数据	1. 调查发现，受访者普遍认为…… 2. 调查显示，大多数30岁以下的受访者倾向于…… 3. 35%的受访人群表示…… 4. 认为……的受访者达79%，而回答……的则只有15% 5. 这些数据说明，在受访民众心中，…… 6. 根据调查数据显示，多数女性对……持有乐观的态度
分析	分析、讨论调查结果，概括出经验或规律	1. 通过对于这次问卷调查数据的仔细分析，我们大致可得出以下几点结论：…… 2. 从整体上来看，中国民众没有……的倾向 3. 就性别而言，男女受访者对各种问题的看法没有明显差异。 4. 各年龄段受访者的看法有明显差异。 5. 受教育程度直接影响民众对……问题的看法。 6. 数据表明，在大多数问题上，…… 7. 调查结果显示……
总结与评价	总结全篇的主要观点，或作归纳性说明，也可以指出这次研究中存在的问题，为今后更深入的调查提出建议	1. 综合以上的分析，不难发现…… 2. 这次调查反映出…… 3. 通过这次调查，我们了解到…… 4. 调查的结论给我们这样的警示，……

六、新闻报告

中美自从1979正式建交以来，两国关系的发展并非一帆风顺。请从网上查找中美关系史上的一件大事，可以是一次冲突，也可以是一次合作，做成PPT报告，和全班同学分享。

报告中，请讨论以下内容：
- ☆ 这次事件发生的背景是什么？
- ☆ 事件过程以及对中美关系的影响
- ☆ 中美两国政府、民众对事件的态度或处理方法有何不同？
- ☆ 你对这次事件的评价是什么？

七、专题调查与报告

请参照课文中的抽样调查，设计一个“美国人看中国”的调查问卷，采访3至6名背景相同（如年龄、受教育程度）的美国人，了解受访者对中国的基本认知以及对中美关系的看法，下次课上汇报你的调查结果。

八、辩论

改革开放后，中国国力增强，国际地位也随之提高。中国的崛起令一些美国人感到不安，他们认为中国崛起势必对美国造成一定的威胁，美国需要在一定程度上遏制中国的发展。也有人认为，在这个全球化的时代，中国的崛起不仅不会对西方造成威胁，还会给美国带来新的发展机会，中国也可以成为美国在众多国际事务上的合作伙伴。你更支持哪一种的看法？选择一方就这个问题进行辩论。

- **辩论题：**中国的崛起是否对美国构成威胁？

九、讨论与写作：《美国人眼中的中国与中美关系》

请参考练习五列表中的结构和常用句型，结合练习七的调查结果，撰写一篇题为《美国人眼中的中国与中美关系》的调查报告。

视频一文本

靠庄园会晤解决中美所有矛盾不现实

主持人：进入金立智能手机连线时间。陈先生，您好。

陈　冰：您好。

主持人：那“习奥会”是即将要举行了，奥巴马在加州等待习近平。“习奥会”的地点呢就叫做阳光谷。那您觉得“习奥会”是不是也像会晤地点的名字那样阳光灿烂？

陈　冰："习奥会"旨在（为）建立新型中美关系打开一扇窗户。但是，也不可能解决所有的问题。所以，对中美元首之间的这场重要的会晤要抱着冷静的态度来看待。中美要建立合作共赢的新型大国关系，是"路漫漫"的长征。不过，两国有博弈是正常的，没有风浪才不正常。正因为两国间的信任度还需要增强，正因为有战略互疑、有战略冲突，才需要通过"习奥会"来化解，来理解彼此的主张。就"习奥会"本身，中美之间有畅谈的共识，也有建立首脑间良好关系的共同愿望。但是，对谈什么、怎样谈，仍然有一定的分歧。中国要谈战略、谈原则、谈新型大国关系；美国则要说具体的事，比如说网络安全，如何解决区域争端。中国想畅谈；美国则想直接要结果。我觉得对"习奥会"，我们还是以"轻松的态度、冷静的观察"来对待，要有平常心。指望一次庄园会晤就能彻底解决中美之间的矛盾，那肯定是不客观的，也不太可能。把"习奥会"看做是"短袖衫会晤""不打领带的会晤"就比较客观、务实。

视频二文本

中美关系不能被问题牵着鼻子走（一）

习近平表示，中美两国利益深度交融，合则两利，斗则俱伤。

习近平：构建中美新型大国关系呀，出现一些困难甚至波折不足为怪。有问题并不可怕，关键是我们要共同解决问题，而不能被问题牵着鼻子走。

习近平：中美两国如何判断彼此的战略意图，将直接影响双方采取什么样的政策、发展什么样的关系。不能在这个根本问题上犯错误，否则就会一错皆错。

达巍（Dá Wēi）：中美两个国家都对对方的战略意图产生了一定的怀疑，那么对于那个，比如说，美国对中国的战略意图，它觉得中国现在越来越强大了，中国是不是要把美国从亚洲赶出去。那么这个是美国对中国战略意图的一些疑虑。那么中国这个方面呢，我们来看美方的这些动作，那么中国也有很多的人在说，美国是不是要遏制中国。所以习主席是针对这样的双方两个国家内部都存在的一些对对方的疑问来说这个话，就是战略意图最重要。

习近平表示，中美在一些问题上存在分歧和摩擦在所难免，应该把握构建新型大国关系总目标，认清两国共同利益远远大于分歧。应该相互尊重，尊重彼此主权和领土完整、尊重彼此对发展道路的选择，应该善于管控矛盾和摩擦。

达巍：那么我们其实中方的领导人，几代领导集体都特别强调，就是要从战略高度看待中美关系，就是要超越这些具体的这些分歧，那么要从一个比较高的高度，还有一个比较长的历史跨度来看中美关系。你只有这样，你才能超越具体的一些分歧。

视频三文本

中美关系不能被问题牵着鼻子走（二）

美国总统奥巴马特别代表国务卿约翰·克里转达了奥巴马的致辞，他表示，守成大国和新兴大国确实有竞争的趋势，但是美方不相信和中国的竞争不可避免，美国不寻求包围中国。

克里：Too many of them suggest that somehow the United States is trying to contain China, or that things we chose to do in this region are directed at China. Let me emphasize to you today the United States does not seek to contain China. We welcome the emergence of a peaceful, stable, prosperous China that contributes to the stability and development of the region and chooses to play a responsible role in world's affairs.

达巍（Dá Wēi）：克里的这个讲话是有他的一定的诚意，或者说有他的积极面的，但是我们也要看到他说的这个话里面还是有一些跟我们是有一点分歧的，或者说是我们说他绵里藏针。比如说他讲这个共同利益，中美要加强，要寻找共同利益，那么这里面其实是有一点潜台词的，就是美国人，包括过去美国白宫的一些官员也讲过，中美要少讲“核心利益”，多讲“共同利益”。

在战略对话中，双方将就中美关系、各自内外政策、双边重要敏感问题、两国在亚太地区的互动以及共同关心的国际地区问题和全球性挑战深入交换意见。在经济对话中，双方将就宏观经济和结构改革、深化贸易与投资合作、金融业改革开放与跨境监管合作三大议题举行专题会议。

孙霁（Sūn Jì）：本轮对话，中美双方就60多项议题展开磋商，那么在一些方面中美的确存在分歧，如海洋纠纷、网络安全等。但在很多方面，中美有望取得重大进展，其中最受关注的就是中美投资协定。

今年五月，美国无端起诉五名中国军方人员对美国企业发起黑客攻击，中国否认美方指控，并且暂停了中美网络安全工作组，而不论此前斯诺登披露的文件，还是最新爆出的美德间谍案，都让外界感觉到美国的底气不足。此次对话，美国是否会撤销起诉，中美是否会恢复网络安全工作组，备受世界关注。

达巍：何时能够恢复或者会不会恢复，恐怕要看中美两个国家在这个网络问题上的后续的一些发展，包括现在美国还有很多对中国的指责。所以我想这个问题大概不会有太大的进展。但这个问题呢其实提示我们一件事情，就是当中美有这种分歧的时候，你采取一种什么样的方式来处理这种分歧。其实过去有分歧，大家坐下来一起谈，我觉得是在朝着一个解决问题、缩小分歧的方向在走。但是这个时候，美国司法部自己突然采取这样一个贸然的，对中国应该说非常直接的对抗性的行动，那么反而使中美解决这个问题的可能性变小了。

在海洋问题上，中美战略互疑也在加深，对彼此的猜疑和指责也达到新的高度。美方频繁就海上争议表态，多次公开指责中国。在不久前的香格里拉对话会议上，双方更是将矛盾公开化，而此次对话能否让中美避免“裂痕”继续扩大也是看点。

专题十一　中非关系

主要内容

二十世纪五六十年代，中国与非洲一大批国家建立了“兄弟般”的外交关系。那个时候，中非关系侧重于政治与意识形态领域，中国支持非洲人民的反殖民主义斗争，并在经济上向非洲国家提供大量援助；非洲国家则在政治舞台上与中国密切合作，比如帮助中国恢复在联合国的合法席位，支持中国的统一大业。改革开放以后，中国对非战略的经济因素加重，“合作”正慢慢代替“援助”成为中非关系的关键词。中国在非洲的发展对西方大国在非洲的利益和地位不可避免地构成了挑战，由此中国对非政策也受到一些非议。这一章可以帮助学生重新审视中非关系，加深对全球政治、经济关系的理解。

本专题以视频内容为主要学习材料。第一个视频阐述了中国对非政策的基本原则；第二个视频从非洲人的角度来看中非关系；第三个视频回应所谓的“中国新殖民主义”言论，同时强调中国企业在非洲应履行的社会责任对中非关系进一步发展的重要性。补充阅读材料阐述了中非在经济上的互补关系，以及在其他领域上的交流。

学习目标

1. 了解新时期中非关系发展现状和中国对非政策 。
2. 学习从正反两方面阐述问题。
3. 评价中国对非政策，比较中美对非战略的异同，讨论什么是最佳的对非政策。

重点学习材料　视听理解

视频一　习近平阐述中非关系

思考题：

1. 习近平在演讲中提到中国电视剧在坦桑尼亚热播的目的是什么？
2. 看了这段视频以后，你对中国的对非政策和中非关系有了哪些了解？

走过半个世纪的老朋友在新时期又会如何携手共进？从今天开启的非洲之行又有哪些特别值得关注的地方？马上进入今天的“子午视频”。

在抵达坦桑尼亚后不久，国家主席习近平就在达累斯萨拉姆尼雷尔国际会议中心发表了重要的演讲，全面地阐释了中非关系以及中国对非政策的主张。

这次演讲让当地的人们感觉很亲切。在一开场的时候，习近平就先用当地的斯瓦希里语向大家致意，而且还提到了正在坦桑尼亚热播的中国电视剧《媳妇的美好时代》。

在这次的演讲当中，除了叙旧还有展望。习近平说，在新的形势下中非关系的重要性不是降低了，而是提高了；双方共同利益不是减少了，而是增多了；而中方发展对非关系的力度不会削弱，只会加强。

习近平：双方成立了中非合作论坛，构建起新型战略伙伴关系，各领域合作取得显著成果。2012年中非贸易额接近2000亿美元，中非人员往来超过150万人次。截至去年，中国对非洲的直接投资累计超过150亿美元。

习近平指出，我们对待非洲朋友讲个“真”字，开展对非合作讲个“实”字，加强中非合作和友谊讲个“亲”字，解决合作中的问题讲个“诚”字。

习近平：特别是近年来，中国加大了对非援助和合作力度，只要是中方做出的承诺，就一定会不折不扣地落到实处。中国将继续扩大同非洲的投融资合作，落实好三年内向非洲提供200亿美元贷款额度的承诺。随着中国实力和综合国力不断提高，中国将继续为非洲发展提供应有的、不附加任何政治条件的帮助。

习近平同时指出，中国人民和非洲人民都有梦想，要加强团结合作，相互支持和帮助，努力实现各自的梦想。

习近平：13亿多中国人民正在致力于实现中华民族伟大复兴的中国梦；10多亿非洲人民正致力于实现联合自强、发展振兴的非洲梦。中非人民要加强团结合作，加强相互支持和帮助，努力实现我们各自的梦想。我们还要同国际社会一道，推动实现持久和平、共同繁荣的世界梦。

生词表

1. 携手	xiéshǒu	*adv.*	hand in hand
2. 开启	kāiqǐ	*v.*	initiate
3. 子午视频	Zǐwǔ Shìpín	*p. n.*	name of a TV news broadcasting program
4. 抵达	dǐdá	*v.*	arrive
5. 坦桑尼亚	Tǎnsāngníyà	*p. n*	Tanzania
6. 达累斯萨拉姆	Dáléisī Sàlāmǔ	*p. n.*	Dar Es Salaam, capital of Tanzania
7. 尼雷尔	Níléi’ěr	*p. n.*	Nyerere
8. 阐释	chǎnshì	*v.*	explain
9. 亲切	qīnqiè	*adj.*	kind, enthusiastic and caring
10. 斯瓦希里语	Sīwǎxīlǐyǔ	*p.n.*	Swahili

11. 致意	zhìyì	*v.*	send one's greetings
12. 媳妇	xífù	*n.*	daughter-in-law
13. 叙旧	xù jiù		talk about the past
14. 展望	zhǎnwàng	*v.*	look ahead
15. 力度	lìdù	*n.*	intensity of force
16. 援助	yuánzhù	*v.*	help, aid, assist
17. 承诺	chéngnuò	*v.*	promise
18. 不折不扣	bù zhé bú kòu		hundred-percent
19. 实处	shíchù	*n.*	place that has an actual effect, where it really matters
20. 投融资	tóuróngzī	*v.*	investment and financing
21. 落实	luòshí	*v.*	carry out, implement, make sure
22. 综合国力	zōnghé guólì		comprehensive national strength
23. 附加	fùjiā	*v.*	attached
24. 梦想	mèngxiǎng	*n.*	dream
25. 复兴	fùxīng	*v.*	revive
26. 自强	zìqiáng	*v.*	self-improvement, self enhancement
27. 振兴	zhènxīng	*v.*	develop vigorously, re-energize
28. 持久	chíjiǔ	*adj.*	lasting, enduring
29. 繁荣	fánróng	*adj.*	flourishing, prosperous

注释：

中国梦：是中国国家领导人提出的“中华民族伟大复兴”的构想，也是中国新一代领导集体的执政理念。“The Chinese Dream” is “the great rejuvenation of the Chinese nation,” the idea Chinese leader put forward after coming into power, but also the governing philosophy of China's new collective leadership.

重点句型与词汇

1. 向……致意　pay tribute to

（1）在一开场的时候，习近平就用当地的斯瓦希里语向大家致意。

（2）面对全场的欢呼，成龙频频向影迷们挥手致意。

（3）演奏会结束后，钢琴家在现场雷鸣般的掌声中起身向观众致意。

2. 加大＋（合作／执法／监管／调控／改革／……）力度　to increase the degree of (cooperation/ law enforcement / supervision / regulation and control / reform)

（1）特别是近年来，中国加大了对非援助和合作力度。

（2）为了遏制炒房行为，当地政府加大了对商品房销售的监管力度。

（3）为了实现“中国梦”，中国政府将进一步加大深化改革的力度。

3. 把（政策／措施／举措……）　落到实处　implement (policies / measures / initiatives)

（1）只要是中方做出的承诺，就一定会不折不扣地落到实处。

（2）总理在考察时强调要把惠民政策落到实处，使广大群众真正得到实惠。

（3）这位领导高度重视安全生产方面的工作，要求企业把安全生产措施落到实处。

词语搭配

1. 开启＋N.

~行程 | ~新时代 | ~（搜索）功能 | ~（静音）模式

（1）从今天开启的非洲之行又有哪些特别值得关注的地方？

（2）1978年开始实行的改革开放政策为中国的发展开启了新时代。

（3）按了这个键以后，电视机将会开启自动搜索功能。

2. 阐释＋N.

~主张 | ~内涵 | ~理念 | ~观点 | ~思想 | ~宗旨

（1）中国国家主席习近平就在尼雷尔国际会议中心发表了重要的演讲，全面地阐释了中非关系以及中国对非政策的主张。

（2）能否请你具体阐释一下中国发展对外关系的基本理念？

（3）在会上，中国国家主席阐释了“中国梦”的本质内涵，即“国家富强、民族复兴、人民幸福”。

3. 取得 + N.

~成果 | ~好成绩 | ~效果 | ~进步 | ~发展 | ~胜利

(1) 双方成立了中非合作论坛，构建起新型的战略伙伴关系，各领域合作取得了显著成果。

(2) 为了在考试中取得好成绩，他每天都学习到凌晨一两点。

(3) 该公司利用社交网络来吸引客户，取得了明显的效果。

4. 显著（的） + N. / V.

~成果 | ~改善 | ~效果 | ~进步 | ~变化 | ~提升

(1) 双方成立了中非合作论坛，构建起新型的战略伙伴关系，各领域合作取得了显著成果。

(2) 改革开放以来，人民的生活条件得到了显著的改善。

(3) 研究者声称这种新药对防治艾滋病有显著效果，但截至目前，我们还没看到相关的临床报告。

5. 开展 + N.

~合作 | ~交流活动 | ~研究工作 | ~业务

(1) 习近平指出，中国对待非洲朋友讲个“真”字，开展对非合作讲个“实”字，加强中非合作和友谊讲个“亲”字，解决合作中的问题讲个“诚”字。

(2) 中美之间积极开展各类文化交流活动，有利于增进两国人民的互相了解。

(3) 在这次研讨会上，学者们对如何开展野生大熊猫的研究工作提出了许多建议。

6. 加强 + N.

~合作 | ~调控 | ~监督 | ~管理 | ~（爱国主义）教育

(1) 中非人民要加强团结合作，相互支持和帮助，努力实现各自的梦想。

(2) 在经济发展的新阶段，中国应在多领域与周边国家加强合作，互利共赢。

(3) 为了避免发生金融危机，政府加强了对楼市的宏观调控。

成语

不折不扣：指没有折扣，表示完全、十足的意思。

(1) 只要是中方做出的承诺，就一定会不折不扣地落到实处。

（2）小李是一个不折不扣的足球迷，凡是足球比赛他非看不可。

（3）朗朗从小就刻苦学习钢琴，每天都不折不扣地完成老师布置的练习任务。

视频二　中国投资非洲引发争议

思考题：

1. 尼日利亚央行行长萨努西对中非关系有哪些负面的看法？
2. 南非总统祖马的立场与萨努西有什么不同之处？
3. 从视频来看，外国企业在非洲的“殖民主义做法”指的是什么？你是否同意这一说法？

我们知道，对于中国人在非洲影响力的扩大，非洲人的看法也非常复杂，非常多元。最近的英国《金融时报》发表了一篇尼日利亚央行行长萨努西（Sà Nǔxī）的文章。他说，非洲人应该抛弃对中国人的幻想。这篇文章的影响力非常的大，具体的内容我们来连线“第一财经”驻伦敦的记者卜怡佳（Bǔ Yíjiā）。

主持人：卜怡佳，这篇文章主要讲了什么？它的影响力究竟有多大？

卜怡佳：我们可以看出尼日利亚央行行长拉米多·萨努西的态度似乎并不是那么正面。他在文章当中指出，非洲诸国必须撇清对中国的浪漫想象，以面对经济的现实。他认为，中国与美国、欧洲和俄罗斯、巴西等国家一样，他们在非洲投资或者建设并不是为了非洲的利益，而是为了中国自身的利益。萨努西同时也指出，在非洲庞大的本土市场当中，中国和非洲国家应该是一个竞争对手的关系。

当然，非洲国家对于中国前来投资，更多的是持一个比较正面的、积极的态度。比如说，我们看到，这一次金砖国家峰会主办国南非的总统祖马，他同样也是在最近一段时间接受了英国《金融时报》的一个采访。他在采访当中就表示，西方企业必须改变针对非洲的殖民主义风格的举措，否则将在与中国等新兴经济体的企业的竞争当中败下阵来。他同时也指出，西方不应该继续借中国亲近非洲发出各种警告，而应该重新考虑他们自身在非洲的投资策略。

主持人：好的，谢谢小卜。看来如何看待中国在非洲影响力的扩张，各方的声音还真的不太一样。有南非总统祖马这样的温和派，也有尼日利亚央行行长萨努西这样的激进派。其实，萨努西的主要观点就是，"中国拿走非洲的初级产品，制造成成品之后再出售给我们，这是殖民主义的一种做法。"

生词表

1. 金融时报	Jīnróng Shíbào	*p. n.*	*The Financial Times*
2. 尼日利亚	Nírìlìyà	*p. n.*	Nigeria
3. 抛弃	pāoqì	*v.*	abandon
4. 幻想	huànxiǎng	*n.*	delusion
5. 正面	zhèngmiàn	*adj.*	positive
6. 撇清	piēqīng	*v.*	get rid of
7. 浪漫	làngmàn	*adj.*	romantic
8. 金砖国家	Jīnzhuān Guójiā	*p. n.*	The BRICS countries (Brazil, Russia, India, China & South Africa)
9. 峰会	fēnghuì	*n.*	summit meeting
10. 主办国	zhǔbànguó	*n.*	the host country
11. 南非	Nánfēi	*p. n.*	South Africa
12. 祖马	Zǔmǎ	*p. n.*	Jacob Zuma, president of South Africa
13. 殖民主义	zhímín zhǔyì		colonialism
14. 举措	jǔcuò	*n.*	measures, acts

15. 新兴经济体	xīnxīng jīngjìtǐ		emerging economies
16. 败下阵来	bàixià zhèn lái		be defeated
17. 警告	jǐnggào	*v.*	warn
18. 扩张	kuòzhāng	*v.*	expanse
19. 温和	wēnhé	*adj.*	moderate
20. 派	pài	*n.*	school, group
21. 激进	jījìn	*adj.*	radical
22. 初级产品	chūjí chǎnpǐn		primary products

注释：

金砖国家：2001年，美国高盛公司首席经济师吉姆·奥尼尔（Jim O' Neill）首次提出"金砖四国"这一概念，即用巴西（Brazil）、俄罗斯（Russia）、印度（India）和中国（China）的英文国名开头字母所组成的缩写"BRIC"指代这四个新兴市场国家，中文译为"金砖四国"。2010年"金砖四国"邀请南非（South Africa）加入，形成了现在的"金砖五国"（BRICS）。金砖国家人口和国土面积在全球占有重要份额，对世界经济增长的贡献以及国际影响力日益增长。The term "BRIC" is the abbreviation of the first letters of the countries Brazil, Russia, India, and China and refers to these four emerging markets. In 2001, Goldman Sachs chief economist Jim O'Neill first proposed the "BRIC" concept. In 2010 "BRIC" invited South Africa to join them, forming the current "BRICS." BRICS countries have an important share of the global population and land area and are making an increasing contribution to the growing global economy and in addition to their growing international influence.

重点句型与词汇

1. ……，以……　so as to, in order to

（1）萨努西在文章当中指出，非洲诸国必须撇清对中国的浪漫想象，以面对经济的现实。

（2）微信迫使用户在创建账号的时候输入自己的手机号码，以增加用户对微信软件的依赖度。

（3）中国政府决定设立"丝路基金"，以推动新丝绸之路沿线国家的经济发展。

词语搭配

1. 多元（化的）+ N.

~文化 | ~发展策略 | ~社会 | ~政治 | ~结构

(1) 对于中国人在非洲影响力的扩大，非洲人的看法也非常复杂，非常多元。

(2) 随着世界各国之间的交流越来越频繁，多元文化日益受到重视。

(3) 早在1991年，海尔公司就提出了多元发展战略，力争成为世界500强企业。

2. 庞大的 + N.

~市场 | ~人口 | ~用户群（体） | ~组织 | ~规模 | ~群体 | ~工程

(1) 萨努西指出，在非洲庞大的本土市场当中，中国和非洲国家应该是一个竞争对手的关系。

(2) 中国拥有庞大的人口，商品市场几乎是可以无限扩大的。

(3) 苹果公司的电子产品在中国拥有庞大的用户群体。

3. Adj./ N. / V.O. + 派

温和~ | 激进~ | 保守~ | 海~ | 强硬~ | 京~ | 鹰~ | 鸽~ | 亲美~ | 反美~

(1) 在对华政策上，有南非总统祖马这样的温和派，也有尼日利亚央行行长萨努西这样的激进派。

(2) 一般来说共和党是美国的保守派，但是历史上他们也提出过一些激进的思想。

(3) “海派文化”是上海特有的文化现象，既有江南文化的古典与雅致，又有国际大都市的现代与时尚。

视频三 中非关系不应被西方"殖民论"牵着走

思考题：

1. 发展中非关系跟中国企业在非洲的行为有什么关系？
2. 为什么一些西方媒体提出"中国殖民非洲"的言论？

这些年来，随着中国在非洲影响力的增强，"中国威胁论"频频被西方媒体鼓吹，甚至出现一些所谓"中国殖民非洲"的言论。对此，中方曾多次予以反驳。那么，在当前复杂的背景之下，中国处理与非洲的关系有哪些需要特别注意的问题呢？请时事评论员朱克奇作简要的评论。

朱克奇：中国国家主席习近平用"真""实""亲""诚"四个字来概括新形势下的中非关系已经非常精当，也可以把这四个字归拢为另外四个字，那就是"互利共赢"。其实中国需要非洲的能源、资源，这一点没有什么好遮掩的，并不是说获得了非洲的能源、资源就是什么"新殖民主义"了。在这方面，我们不必总是跟着西方所设置的议题进行回应，我们不必太在意他们说了什么，关键是中国得到了非洲的能源、资源，能够为非洲留下些什么？

中非合作应该促进非洲的经济发展，并且使非洲的普通百姓能够分享到经济发展所带来的好处，这样的合作才是可持续的，才能真正地开花结果。中非关系，从政府层面看，双方都非常重视。不过，发展中非关系不可避免地要通过大量的企业行为来落实，这也是中非关系新的时代特点所决定的。非洲人民对于中国的印象，会越来越多地基于他们对中国企业的观感，基于他们与中国企业打交道的经验。因此，中国企业在非洲合理地承担企业社会责任，将会非常重要。

不必讳言，"企业社会责任"这一块，我们以前重视不够，甚至可以很坦率地讲，国内很多企业在承担和履行“企业社会责任”上还有不少缺陷。其实，“企业社会责任”是一个涉及面非常广的概念，几乎涵盖了企业和社会发生关系的方方面面。这些年来，走进非洲的中国企业已经开始注意这个问题，并且有了比较大的提升，但我们应该时时记住：中国和非洲在宏观层面的互相尊重、互相理解正是基于中国企业与非洲社会之间的互相尊重、互相理解。

今天，中国进入非洲并不是要和西方国家在这个竞技场上来一场PK，而是必须与非洲国家携手共进，这就是以“真”“实”“亲”“诚”做到互利共赢。

生词表

1. 鼓吹	gǔchuī	*v.*	preach
2. 反驳	fǎnbó	*v.*	refute
3. 评论员	pínglùnyuán	*n.*	commentator
4. 简要	jiǎnyào	*adj.*	concise and to the point
5. 精当	jīngdàng	*adj.*	precise and appropriate
6. 归拢	guīlǒng	*v.*	put together
7. 遮掩	zhēyǎn	*v.*	cover, hide
8. 开花结果	kāi huā jiē guǒ		blossom and yield fruits
9. 讳言	huìyán	*v.*	avoid mentioning sth, dare not or would not speak up
10. 坦率	tǎnshuài	*adj.*	frank, candid
11. 履行	lǚxíng	*v.*	perform, fulfil
12. 涉及面	shèjímiàn	*n.*	aspects that are involved
13. 方方面面	fāngfāngmiànmiàn	*n.*	all aspects of
14. 竞技场	jìngjìchǎng	*n.*	arena

重点句型与词汇

1. 频频+V.　frequently, repeatedly

（1）这些年来，随着中国在非洲影响力的增强，“中国威胁论”频频被西方媒体鼓吹，甚至出现一些所谓“中国殖民非洲”的言论。

（2）医生与患者之间的矛盾在中国频频发生，其根本原因是看病难、看病贵的问题没有得到解决。

（3）他的演讲十分精彩，台下的听众十分认同他的观点，频频点头。

2. 用……来概括/说明/比喻/表现　use … to generalize/explain/draw analogy/manifest

（1）中国国家主席习近平用“真”“实”“亲”“诚”四个字来概括新形势下的中非关系已经非常精当。

（2）用苹果来比喻孩子的脸是最常见的修辞。

（3）如果要用一个字来概括孔子思想的话，我想就是“仁”字了。

3. 不可 + V.　not to be V -ed; cannot be V -ed

（1）发展中非关系不可避免地要通过大量的企业行为来落实。

（2）网络已成为现代人生活中不可缺少的部分。

（3）出卖朋友的行为是不可原谅的。

4. 不必讳言／无须讳言　There is no denying

（1）不必讳言，“企业社会责任”这一块，中国以前重视不够，甚至可以很坦率地讲，国内很多企业在承担和履行“企业社会责任”上还有不少缺陷。

（2）不必讳言，在当前社会竞争日益激烈的背景下，道德底线越来越难以坚守。

（3）改革开放以来中国经济取得了巨大的发展，但无须讳言，中国一些地方仍然比较落后。

词语搭配

1. 促进+N.

~发展 | ~循环 | ~建设 | ~改革 | ~交流 | ~合作 | ~……（的）顺利进行

（1）中非合作应该促进非洲的经济发展，并且使非洲的普通百姓能够分享到经济发展所带来的好处。

（2）洗热水澡可以促进血液循环。

（3）政府将更好地提供公共服务，促进和谐社会的建设。

2. 落实 + N.

~政策 | ~共识 | ~协议 | ~计划 | ~措施 | ~举措

（1）发展中非关系不可避免地要通过大量的企业行为来落实。

（2）为了落实两国元首达成的共识，两国的教育部推出了一系列的具体措施促进文化交流。

（3）美国和印度宣布将落实民用核能协议，在民用核能贸易领域开展商业合作。

3. 履行 + N.

~责任 | ~职责 | ~义务 | ~承诺 | ~合同

（1）很坦率地讲，国内很多企业在承担和履行"企业社会责任"上还有不少缺陷。

（2）权利与义务是不可分开的，公民在享有权利时也应履行相应的义务。

（3）在全国人民代表大会上，代表们积极履行职责，真实反映民意。

成语

开花结果：原指经播种耕耘后有了收获。现比喻工作有进展，并取得了成果。

（1）中非合作应该促进非洲的经济发展，并且使非洲的普通百姓能够分享到经济发展所带来的好处。这样的合作才是可持续的，才能真正地开花结果。

（2）尽管并不是所有的努力都会开花结果，但我们不会停止为理想而奋斗。

（3）一段感情能否开花结果，很大程度上取决于两人是否能互相理解、互相帮助。

补充学习材料 阅读

中非关系不仅仅是“生意经”

思考题：

1. 在经济方面，中国和非洲经济上是怎么互补的？
2. 20世纪70年代的时候，中国和非洲是如何互相支持的？
3. 从哪些方面可以看出中国在非洲的“软实力”？

自3月24日起，国家主席习近平对坦桑尼亚、南非、刚果等非洲三国进行友好访问。中非借助双边高层互访，推动多层次、多方面的互动和关系深化，是彼此间共同的需要和期待。

2000年时，中非贸易总额仅110亿美元，2012年已逼近2000亿美元。在当前欧美经济复苏迟缓、全球经济形势不明朗的背景下，中非贸易却风景这边独好；中国经济在严峻国际环境下仍能保证持续增长，“非洲因素”不容忽视；而自2000年起，非洲撒哈拉以南国家的年经济增长率一直稳定在5.0%以上，这又何尝与“中国因素”无关？

中国和非洲存在独特的互补关系：一方面，中国高速增长的经济、蓬勃发展的基础产业和制造业，需要大量能源、矿产和其他自然资源，而庞大的制造业产品、产能和大量的资金，又需要稳定、开放的市场需求；另一方面，非洲各国经济严重依赖资源出口，本身则资源丰富，而制造业的匮乏需要输入门类齐全、价格可以负担的工业品，落后的基础设施则需要借助外力兴建，方能获得持续发展的后劲。这种互补、双赢对彼此可谓弥足珍贵。自2009年起，中国就成为非洲第一大贸易伙伴。此次习近平主席出访非洲，继续强调双赢，仅在第一站坦桑尼亚，就签署了16项双边合作协议。

但中国和非洲之间具有丰富的、多层面的交往和关系，中非交往并非如一些国际传媒所言，建立在“纯重商主义”基础上；非洲之于中国，或中国之于非洲，也不仅仅是生意关系。

习近平主席在抵达坦桑尼亚后，将中坦关系称为“全天候朋友关系”，在发表演讲时强调，对待非洲朋友，中国讲究一个“真”字，要“永把非洲当做患难之交”，这并非虚言：中国在自身很困难的上世纪70年代，帮助坦桑尼亚修建了坦赞铁路，而作为回报，坦桑尼亚在中国重返联合国等过程中发挥了积极作用。中国在上世纪70年代有著名的“援非三大工程”（坦赞铁路、刚果布昂扎水电站和几内亚金康水电站），这表明中国的非洲政策是有延续性的。

非洲是具有深厚潜力的大洲：政治上，它拥有数量最多的联合国会员国；经济上，它被公认为在未来具有最深厚的发展潜力。但非洲人最迫切期待、而其他洲外经济体或不愿、或无力帮助的，是基础建设的升级和工业化的发展，这也正是他们殷殷期待于中国的。此次习近平主席访非，多个非洲国家传媒（包括远在西非、北非的国家，甚至和中国无外交关系的国家）均刊出文章，对此提出期待。而中方3年内将向非洲提供200亿美元贷款额度。习近平主席表示只要是中方作出的承诺，都会不折不扣地落到实处，这无疑是对此期待的正面回应。

在中国对非外交上，“软实力”更是不断取得长足进步，如孔子学院在非洲纷纷设立，中国传媒、中国电视剧等也在非洲为更多人所知晓，新一届中国领导集体在这方面已表现出新意，或许这同样是未来中非关系中重要的看点。

中国和非洲在彼此最困难的年代互相支持，如今又在合作共赢的基础上，双双步入发展快车道，借助双边高层互访，推动多层次、多方面的互动和关系深化，是彼此间共同的需要和期待。

（本文来源：《新京报》社论，2013年3月26日发表

引用网址：http://opinion.people.com.cn/n/2013/0326/c1003-20917644.html）

生词表

1. 刚果	Gāngguǒ	*p. n.*	Congo
2. 高层	gāocéng	*n.*	high-ranking
3. 逼近	bījìn	*v.*	approach
4. 迟缓	chíhuǎn	*adj.*	slow, tardy
5. 明朗	mínglǎng	*adj.*	bright and clear
6. 严峻	yánjùn	*adj.*	severe
7. 撒哈拉	Sāhālā	*p. n.*	Sahara Dessert
8. 何尝	hécháng	*adv.*	ever so (used in rhetorical questions)
9. 互补	hùbǔ	*v.*	complementary
10. 蓬勃	péngbó	*adj.*	vigorous, flourishing
11. 匮乏	kuìfá	*adj.*	deficient
12. 后劲	hòujìn	*n.*	stamina, ability to make future advances
13. 弥足珍贵	mízú zhēnguì		more precious
14. 签署	qiānshǔ	*v.*	sign
15. 重商主义	zhòngshāng zhǔyì		mercantilism
16. 全天候	quántiānhòu	*adj.*	all-weather
17. 患难之交	huànnàn zhī jiāo		companion in adversity, friendship made during misfortune
18. 虚言	xūyán	*n.*	empty words
19. 坦赞铁路	Tǎnzàn Tiělù	*p. n.*	the Tanzania Zambia Railway
20. 布昂扎	Bù'ángzhā	*p. n.*	Bouenza
21. 几内亚	Jǐnèiyà	*p. n.*	Guinea

22. 殷殷	yīnyīn	*adj.*	sincerely; ardently
23. 软实力	ruǎnshílì	*n.*	soft power
24. 孔子学院	Kǒngzǐ Xuéyuàn	*p. n.*	Confucius Institute
25. 知晓	zhīxiǎo	*v.*	know, be aware of

注释：

风景这边独好：出自毛泽东的诗句，意思是只有这边的风景最好，本文中的意思是在全球经济危机的情况下，中非贸易却能蓬勃发展。"Landscape here is unique" is from a poem by Mao Zedong. It means that the scenery from this side is the best. In this article, it is used to refer to the fact that China-Africa trade was able to flourish despite the global financial crisis.

课后练习

一、选择最合适的词语填空

1. 2008年后，北京市政府__________了治理污染的力度，空气质量有所改善。
   A. 加强　B. 加大　C. 激进　D. 扩张
2. 这家电子公司的业务__________移动通信、个人电脑和家电等多个领域。
   A. 阐释　B. 概括　C. 归拢　D. 涵盖
3. 2012年的经济刺激计划取得了__________效果，就业率提高了13个百分点。
   A. 显著　B. 关键　C. 庞大　D. 多元
4. 老刘说话很谨慎，似乎在__________什么秘密。
   A. 抛弃　B. 撇清　C. 遮掩　D. 讳言

5. 互联网的产生__________ 了人类社会的新时代，让沟通更为便利。

A. 开展　　B. 开启　　C. 促进　　D. 展望

6. 李克强总理于昨日晚间__________ 缅甸（Miǎndiàn, Burma），开始为期三天的正式访问。

A. 进化　　B. 倾向　　C. 倒退　　D. 抵达

7. 他从小就树立了远大__________，要为癌症病人带来康复的希望。

A. 梦想　　B. 幻想　　C. 想象　　D. 理想

8. 这种犬原产英格兰地区，性情十分__________，深受人们的喜爱。

A. 温和　　B. 正面　　C.坦率　　D. 亲切

9. 作为政府官员，他们没有好好地__________ 自己的职责，而是把个人利益放在首位。

A. 承担　　B. 履行　　C. 承诺　　D. 落实

10. 这篇短文是莫言小说《红高粱》的__________ 介绍，可以帮助你了解这部小说的主要情节。

A. 简要　　B. 精当　　C. 浪漫　　D. 微妙

11. 自从沾上了毒品以后，王小明就难以__________ 毒瘾发作带来的痛苦。

A. 反驳　　B. 鼓吹　　C. 抗拒　　D. 摆脱

12. 一般来说，子女认为父母都是__________ 的，不能理解自己追求自由的梦想。

A. 保守　　B. 封闭　　C. 缺陷　　D. 消极

13. 1997年前后，诺基亚（Nokia）处于最__________ 时期，没有人想到十年后几乎在一夜之间失去所有的市场份额。

A. 激进　　B. 强硬　　C. 鼎盛　　D. 急剧

14. 如果欧盟不采取新的__________，希腊的经济形势还将进一步恶化。

A. 端倪　　B. 事务　　C. 渠道　　D. 举措

15. 有的政治家认为要提高美国的就业率就必须__________ 制造业，尤其是汽车产业。

A. 复兴　　B. 振兴　　C. 崛起　　D. 升华

二、用所给的词语和句型回答问题

1. 在你看来，世界各国应如何应对日益严重的环境问题？（携手）

2. 美国常常在人权问题上批评中国，难道美国社会没有类似的问题吗？（不必讳言）

3. 怎样才能更有效地促进非洲国家的经济发展？（把……落到实处）
4. 在你看来，哪部电影可以算作是好莱坞的经典电影？为什么？（不折不扣）
5. 你认为美国应该限制私人拥有枪支吗？为什么？（频频）
6. 美国人什么时候会说"猪会飞的时候"？（用……来说明）
7. 如果中国的综合国力进一步提升，中美之间是否一定会有利益上的冲突？为什么？（不可XX）
8. 你认为中国政府应如何缩小东部地区和西部地区发展上的差距？（加大……的力度）
9. 一家成功的企业除了创造财富，还应该对社会有哪些贡献？（履行）
10. 你认为中国政府现在应该打击山寨产品还是应该予以支持？为什么？（……，以……）

三、用所给的词语填空

多元化　持久　不折不扣　力度　峰会　殖民主义　初级产品

中国外交部官员在中非领导人________上强调，非洲单一的经济结构造成非洲国家过度依靠出口________和原材料，这是过去的________统治留下的问题。中国愿意加大对非各国的投资________，帮助非洲实现________的发展。中国是非洲________的好朋友、好兄弟，希望非洲各国共同努力，实现________和平与经济繁荣。

竞技场　削弱　落实　致意　警告　附加　取得

这位联合国代表在会议上________说，如果不能在未来六个月里________援助非洲的各项政策，援助政策的效果将会被________；同时，他认为基于人道主义的援助活动要________更大成果，就不应该________某些政治条件，非洲是和平的舞台，而不是政治力量的________。最后，他用五种语言向参与援助行动的各国领导人________。

四、翻译

1. There is no denying that China faces many challenges and may even find itself in trouble because of its deficiencies in its economic structures. But as long as the

Chinese government persists in reforming and opening up the economy, as well as stepping up (increasing the degree of) financial reform, it will surely realize its dream of economic prosperity.

2. In explaining their policies around Africa, Chinese representatives said that using the term "new colonialism" to explain Chinese economic activity in Africa is not accurate. It is precisely because China does not attach any political terms and conditions to aid that the lives of so many African people have significantly improved.
3. The BRICS countries have a huge market, but there is not enough trade coordination between the countries. In the future, they will need to increase their degree of cooperation in order to reduce the frequent trade friction.

五、从句段到篇章：阐述正反两方意见

在讨论一个具有争议性的话题时，往往需要全面分析各方不同看法，以作为自己发表观点的基础。下面这段文字改编自第二段视频，文中阐述了不同人针对中国对非投资所持的正反两种意见。

对于中国人在非洲影响力的不断扩大，非洲人的看法也非常复杂，非常多元。

提出问题

最近英国《金融时报》发表了一篇尼日利亚央行行长萨努西的文章。他在文章中指出，非洲诸国必须撇清对中国的浪漫想象，理性地面对现实。他认为，中国与美国、欧洲和俄罗斯、巴西等国家一样，他们在非洲投资或者建设并不是为了非洲的利益，而是为了中国自身的利益。萨努西同时也指出，在非洲庞大的本土市场当中，中国和非洲国家应该是一个竞争对手的关系。

观点 A

当然，对于中国前来投资，更多的非洲人持比较正面的、积极的态度。比如说，南非的总统祖马最近也接受了英国《金融时报》的一个采访。他在采访中表示，西方企业必须改变针对非洲的殖民主义风格的举措，否则将在与中国等新兴经济体的企业的竞争当中败下阵来。他同时也指出，西方不应该继续借中国亲近非洲发出各种警告，而应该重新考虑他们自身在非洲的投资策略。

观点 B

看来如何看待中国在非洲影响力的扩张，各方声音并不一样。有南非总统祖马这样的温和派，也有尼日利亚央行行长萨努西这样的激进派。

总结

从语篇结构上看，阐述正反两方意见可分为四步：

第一步　点明问题，指出不同观点并存；

第二步　阐述一种看法，给出理由或者举例说明；

第三步　阐述相反看法，给出理由或者举例说明；

第四步　总结全文，可以权衡正反两方观点保持中立，也可以表明自己对其中一方观点的支持。

下面的列表介绍了这种语篇结构中一些常用的表达句式

步骤	表达句式
第一步 总起	1. 对于……的问题，人们持有不同的态度。 2. 对于这种现象，人们看法不一，既有支持，也有反对。 3. ……是一个饱受争议的话题，一部分人认为……，另一部分人则认为…… 4. 有关……，可谓莫衷一是。 5. 关于……，可谓是仁者见仁，智者见智。
第二步 观点A	1. 支持这种做法的民众认为…… 2. 在这个问题上，反对者认为…… 3. 在一部分人看来，……
第三步 观点B	1. 但是，更多人反对这样的做法。最近，知名学者某某提出…… 2. 当然，对于……，更多的人是持一个比较正面的、积极的态度。他们认为…… 3. ……是一把双刃剑。虽然一部分人从中获益，但也有很多人认为……造成了……的问题。 4. 与此同时，也出现了不同的声音
第四步 总结	1. 总之，……是一个复杂的问题，任何一面倒的观点都是不成熟的。希望有关部门能考虑各方意见，……. 2. 权衡这两方的观点，我个人认为……弊大于利。 3. 从上面的分析来看，……虽然不能满足所有人的需求，但总体上还是值得肯定的。 4. ……是一把双刃剑，…… 5. 我们应该辩证地看……问题，既不……，也不…… 6. 如何平衡……的利益，是应该考虑的重要问题。

练习：

1. 很多美国大学生选择利用假期到像海地、肯尼亚这些不够发达的国家做短期志愿者，支援当地的教育和公共卫生事业。有人说，这些大学生并不是受过训练的专业人员，不但帮不了什么忙，反而还会给当地的工作人员增添负担，因此不赞同这种志愿者活动。你是否支持这样的观点？

2. 除了中国以外，还有很多发展中国家都存在严峻的人口问题，这些国家的经济发展不足以支持快速的人口增长。在你看来，这些国家是否也应推行类似中国的人口政策？

六、新闻报告

本专题介绍了当前中国对非政策和中非关系发展中遇到的问题。最近几年，美国也开始调整对非政策。请在网上查找关于美非交流的新闻，比较中美两国对非政策有什么不同，下次课上和同学们分享。

报告中，可以讨论以下内容：

- 美非关系发展现状（政治、经济、文化交流等方面）
- 美国政府对非洲的重视程度、基本政策和利益关系
- 美国对非洲的援助方式及原则

七、专题调查与报告

请采访你认识的中国人，讨论一下他们对非洲的印象及他们对中非关系的看法。如果有条件，采访一两位非洲来的朋友或在非洲居住过的人，谈谈他们对中国的看法，下次课上汇报你的采访结果。

采访问题参考：

☆ 你是否去过非洲（中国）？是否有去那里旅行的计划？

☆ 你觉得目前中非关系发展得怎么样？请从不同角度谈一下（政治、经济、文化等方面）

☆ 提到非洲（中国），你会马上联想到哪些有代表性的人或事？

☆ 你认为非洲现在急需解决哪些问题？非洲目前最需要哪方面的援助？换句话说，其他国家应该如何帮助非洲？

八、辩论

在过去的几十年里，国际社会对非洲提供了巨大的经济援助和医疗文化上的支援。有些人认为，无偿的经济援助只能解决一时的问题，“治标不治本”，甚至在某种程度上让非洲政府和人民对援助产生依赖，从而阻碍了非洲的发展。你是否同意这样的看法?

- **辩论题：**国际社会的经济援助是否能帮助非洲走出困境?

九、讨论与写作:《当发达国家遇到发展中国家》

从第三段视频中，我们了解到随着中国在非洲影响力的增强，出现了一些所谓“新殖民主义”的言论，这样的批评或担忧不仅出现在中非关系中，也曾出现在美国和拉丁美洲之间。似乎相对发达的国家与比较落后的国家交往时，由于前者具有一定优势，后者则显得相对被动，很容易呈现出利益倾斜的表象，由此产生诸多矛盾与冲突。在全球化的今天，一个强国应当如何发展与欠发达国家之间的双边关系，是一个值得思考的问题。

动笔以前，请思考、讨论以下问题：

- 你认为目前发达国家与非洲之间的交往是贸易互补还是对非洲的资源掠夺?
- 两国之间什么样的交往会造成殖民关系?怎样的合作能达到互利共赢?
- 发展中国家需要哪些方面的帮助?他们如何能得到这样的帮助?
- 发达国家对某一国家提供经济援助时，是否应该附加如民主、改革、人权等方面的政治条件?
- 在历史上有哪些经验教训?近几年有没有两国合作互利共赢的例子?

专题十二　“愤青”的爱国情怀

主要内容

有人说，不会愤怒的年轻人，是没有远大追求的。纵观历史，一个国家的变革与进步都与这个国家年轻人的参与和追求紧密相关。“愤青”现象并非中国独有，但是每个国家“愤青”愤怒的原因和对象却有所不同。本专题以“愤青”为切入点，通过不同场景展现中国年轻人的爱国情怀，并分析爱国主义、民族主义与中国历史、现实的密切关系，从中不但能窥见中国年轻人对世界、中国社会的认知，也能看出西方媒体和主流舆论对中国发展的误解、质疑与低估。

本专题以阅读文章《美国知识青年眼中的中国“愤青”》为重点学习材料，从不同角度深度分析了在对外关系中，“愤青”现象产生的综合原因。第一个和第二个背景视频直观展现了“愤青”参与的抗议活动，视频三则更理性地分析了中国式爱国主义产生的历史根源与现实基础。

学习目标

1. 了解中国年轻人的爱国情怀，讨论产生“愤青”现象的多重原因。
2. 学习运用引用、转述他人话语阐述自己的观点。
3. 比较中国人与美国人的历史观及其对两国文化的影响，辨析爱国主义与民族主义的关系。

重点学习材料 阅读

美国知识青年眼中的中国“愤青”

思考题：

1. 在南京留学的12名美国学生的背景是什么？
2. 文章中提到“要理解中国年轻人的愤怒，就需要有一定的世界和中国近现代史知识”。你怎么理解这句话？
3. 读完这篇文章以后，你认为哪些因素与“愤青”现象有关？
4. 为什么“愤青”的情绪让一些人感到担忧？你认为这种担忧有必要吗？
5. 什么是“爱国主义”？什么是“民族主义”？两者有什么不同？

当美国青年遇上中国“愤青”，会擦出什么火花？

这个夏天，12名青年从美国来到中国，在他们的海外进修课程中，任务之一就是研究中国“愤青”。

美国约翰斯·霍普金斯(Yuēhànsī Huòpǔjīnsī)大学每年夏季学期都会有一门研究生课程——“中国当代传播”。这门课一般分两个阶段进行：先是在美国国内强化熟悉相关背景资料，阅读大量的指定材料和参考书；然后移师中国南京，在南京大学—约翰斯·霍普金斯大学中美研究中心完成另外三个星期的课程。

2009年夏天，这门课程在南京的主讲人是约翰斯·霍普金斯大学讲座教授吴旭(Wú Xù)。讲座的题目涉及中国新闻传播的各个方面，比如传统媒体架构、报业竞争态势、中国公共关系发展、网络民意与新趋势、中国电影业、中国形象塑造等等。所有学生都是约翰斯·霍普金斯大学在读的研究生，大部分专攻传播学、政府管理学和经济管理学。今年的班上共有12名学生，5男7女，平均年龄约28岁，一半的学生有媒体从业经验。在他们当中，有3名学生来自美国以外的国家，分别是日本、爱尔兰和巴基斯坦；只有两人以前来过中国，且停留时间不长。总体而言，他们对于中国的很多情况，特别是近年来的经济发展、社会转型和巨变，只是听说，并没有切实和客观的了解。为通过这门课，学生们必须完成指定的阅读文章，提交两次阅读笔记，一篇书评，一份研究项目计划书和一篇20页左右的学期论文。两次阅读笔记的题目由吴旭教授指定，其中一个就是关于中国“愤青”和所谓网络民族主义的阅读分析报告。

中国的“愤青”现象，虽在国内偶尔还会“冒泡”，但似乎已经“审美疲劳”。而在美国新闻界、政界和学界，却是一个受到高度关注的话题。吴旭要求学生们在完成阅读笔记前，必须认真研读四份指定的论文和报告：美国《纽约客》杂志去年发表的一篇重头调查报告《愤青：中国新一代的新保守主义民族主义者》，美国教授格雷斯 (Géléisī)的学术报告《中国的对日新思维》，普林斯顿大学教授林克(Lín Kè)在2008年5月美国国会听证会上的报告《解剖中国当今的民族主义》，以及美国南加州大学教授骆思典(Luò Sīdiǎn)的学术文章《中国的媒体与青年：关于民族主义和国际主义的态度分析》。他布置的作业是，在此基础上，学生还需搜寻相关的资料，写出一篇具有一定总结综述性的800字左右的阅读笔记，要求“言之有据、言之成理”，并且提供个人的评价。

“忘记过去就意味着背叛”对美国人毫无触动

吴旭发现，无论是在课堂上的深度讨论中，还是在课后的阅读报告里，美国研究生们对于中国同龄人的“愤怒”，都“有着浓厚的兴趣”，并给出了一番“别有意味的”解读。比如，要理解中国年轻人的愤怒，就需要有一定的世界和中国近现代史知识。但可能是因为美国建国历史太短的缘故，美国人更相信历史是创造的，而不是死记硬背的。吴旭发现，中国人常讲的“忘记过去就意味着背叛”，对于美国人一点触动都没有——“毕竟美国本身就是由一群想要忘记历史的叛逆者建立的”。“真是这样子吗?”“可那都是很久以前的事情了，为什么还要揪住不放地愤怒呢?”一些美国学生常常这样反问他。

美国学生的另一个评述角度，是关于中国的文化和民族心态。在他们看来，当中国人作为个体出现的时候，最能够忍辱负重；但是，作为一个群体出现的时候，反而显得心理承受力不够，敏感易怒。他们看到，这里面，中国根深蒂固的“面子文化”，是很重要的原因。另外，“中国刚刚崛起不久，还没有习惯被别人骂。像我们美国已经被世界骂了快一个世纪了，也就无所谓了。”“被别人骂是强大的标志，没必要愤怒的。”他们也这样劝解中国的“愤青”同龄人。

当然，也有人认为中国的“愤青”是政府“教育”的大规模量化产品。吴旭说，这种推理方式，放在5年前，确实让人难以辩驳，“中国整齐划一的教育体系，很难不让习惯了别出心裁、天马行空的美国人心中起疑。”可是，奥运会火炬传递时中国年轻人全球护送火炬、四川地震后同心协力的团结劲头，确实也震撼了美国同龄人。这些“80后”“90后”的所谓“鸟巢一代”，很多都在国外学习或工作过，有着接受所有新闻信息并做出独立判断的自由，对他们表现出的那种坚决、直接的激情和“愤怒”，美国青年也表达了正面的看法。

愤怒=不安全感+自信

在这样的碰撞和交锋之后，年轻的、大多数是第一次来中国的美国研究生们，开始走进了中国“愤青”的内心世界。

美国女孩阿德安·霍尔(Ādé’ān Huò’ěr, Adrienne Hoar)用了一个有趣的比喻来形容“愤青”心态：“有一个人，他并不十分关注你，而恰恰因此，你却希望成为他的朋友。尽管对方缺乏兴趣，你还是紧追着他并渴望着他的尊重。你的追逐使你对那个人产生了一个难以抑制的愿望——要他回报你对他的兴趣。但这也同时导致你不再喜欢那个人，因为他没有能满足你的愿望。许多中国青年正是怀着这样一种情绪来看待美国的。”她进一步分析说，处在东西方文化冲突融合之中的中国年轻人，有一种非常矛盾的心情：“一方面，他们想要过上美国电影里的那种生活，想拥有昂贵的汽车和衣服。但对西方文化的过分追求，带来了对东方传统的破坏。许多中国年轻人又因此讨厌这种对自己文化和身份的背离，渴望做回他们所认为的传统的中国人。”

有哲学和政治学功底的爱尔兰学生鲁莱·麦凯纳 (Lǔlái Màikǎinà, Ruarai McKenna)则从时代变迁的大背景来理解“愤怒”的来源：“很明显，愤怒的这一代中国年轻人，对西方了解的深入程度远胜过西方年轻人之于中国。这种愤怒现象也是多面的——是看似矛盾的不安全感和自信结合的产物。与以前不同，现在的中国年轻人之所以愤怒，是因为他们既可以第一时间了解西方的看法，又在中国前所未有的社会发展进程中及国家的鼓励下，获得了前人没有的自尊。”他还敏锐地注意到，“愤青”现象也折射出西方对中国的“认知赤字”：“尽管中国在上世纪90年代之后已经在许多关键领域取得了进步，西方对于中国的描述却仍然停留在30多年前。这种不正确的描述，直接导致了这批未来中国和世界领导者们的愤怒、仇恨和怀疑。”

中国“愤青”要“准备好被世界的口水淹没”

与此同时，不少人也指出，这种“愤怒”情绪是幼稚甚至危险的。

来自“愤怒”主要对象国之一日本的学生小林洋子(Xiǎolín Yángzǐ)这样写道：“日本的一些个人极端观点的快速传播，使得中国对日本反应过度，这是幼稚的。换句话说，极端的观点在日本是少数，它并不能代表绝大多数日本人。概括而言，现在的情形是在网络上形成了双方极端力量和观点的对垒，而且网络技术的发展，让这些人更有可能团结在一起对付另一方。”

美国女学生米切尔·范德霍夫(Mǐqiē'ěr Fàndéhuòfū, Michelle Vanderhoff)这样写道："'愤青'想要得到来自世界其他国家的尊重，但情绪化的呼吁和展示肌肉并不能赢得尊重，哪怕这种要求是合情合理的。"

美国女孩辛西娅·皮埃特(Xīnxīyà Pí'āitè, Cynthia Piette)直言不讳："我不认为美国人会因为中国的GDP数字高就尊重中国，中国'愤青'们要准备好了，在他们崛起成为世界领袖的过程中，可能会被世界的口水淹没。"

此外，相当一部分答卷表达了对"民族主义"情绪扩大和蔓延的担忧。其中，鲁莱·麦凯纳这样说："总而言之，'愤青'是这个国家的未来，因而他们也在很大程度上决定了21世纪的世界是否稳定。然而，这代'愤青'比过去一个世纪里的任何一代中国人都接触和掌握更多的信息，这是我们谨慎乐观的一个原因。乐观是因为他们对国内和国际事务的批评，很大程度上是自己理性思考的结果，且反映了他们的自尊；谨慎是因为这些批评是这样两种东西的混合物：对西方的敌意和历史上最具毁灭性的力量——民族主义。"

爱国主义不等于民族主义

从调查中不难发现，美国"知识青年"对于中国"愤青"的疑虑，主要集中在两个方面：一是"愤怒"会不会演变成为纯粹的"民族主义"，后者在西方被认为有走向"纳粹"和"军国主义"的风险；二是中国的愤青现象是否源于国家"有意的"爱国主义教育。

对于第一点，复旦大学欧洲研究中心博士简军波(Jiǎn Jūnbō)表示："以民族主义作为标签来概括所谓'愤青'的特征，也不是完全正确的。从整体来看，中国部分青年的民族主义情绪并非侵略性、扩张性和进攻性的，往往是自卫性、反击性和防御性的，只是在自己国家受到别国的伤害之后才产生的一种本能的情绪。这种情绪与其说是民族主义，还不如说是爱国主义。"谈到中国与周边国家存在领土纠纷问题，简军波说，"中国一直呼吁以和平方式而不是武力解决争端。中国对争议地区具有领土要求不是民族主义，我们不应该将世界上所有陷入领土纠纷的国家都称之为民族主义国家。”复旦大学美国研究中心副教授张家栋(Zhāng Jiādòng)也认为，“民族主义”的最基本定义，通俗地讲，就是“凡是本民族的，就是好的”。一个民族主义情绪强烈的国家，会在政治、经济和文化等方面存在极端的排外主义，例如当年韩国人为了支持民族汽车业，宁愿买质量不怎么太好的国产汽车，也不愿意买外国车。这种现象在中国几乎是不存在的，中国人走向世界的同时也接受世界来到中国。

对于第二个怀疑点，简军波认为，任何一个国家都具有自己独特的历史论述和爱国主义国民教育，如果在这个意义上说中国存在国家操控爱国主义的话，这是毫无疑问的——因为每一个国家都会这么做，因为任何一个国家都需要民族自豪感和表达对国家的忠诚。这不仅是权利，也是宪法义务。他说：“今天，中国在快速发展，这种发展带给每一个公民的自豪感是不需要掩饰的。”

（本文来源：《瞭望东方周刊》2009年第34期，作者：戴闻名、夏自钊、窦奇龙，2009年08月20日发表，有删改

引用网址：http://focus.news.163.com/09/0817/15/5GU9TVU500011SM9.html）

生词表

1. 愤青	fènqīng	*n.*	angry youth
2. 擦	cā	*v.*	rub
3. 进修	jìnxiū	*v.*	engage in advanced studies
4. 强化	qiánghuà	*v.*	strengthen, enhance
5. 指定	zhǐdìng	*v.*	appoint, specify, designate
6. 移师	yí shī		move the troops
7. 讲座	jiǎngzuò	*n.*	lecture

8. 架构	jiàgòu	*n.*	framework, organizational structure of a substance
9. 塑造	sùzào	*v.*	portray, mold
10. 传播学	chuánbōxué	*n.*	mass communication
11. 爱尔兰	Ài'ěrlán	*p. n.*	Ireland
12. 巴基斯坦	Bājīsītǎn	*p. n.*	Pakistan
13. 转型	zhuǎnxíng	*v.*	transformation
14. 切实	qièshí	*adj.*	practical, realistic
15. 提交	tíjiāo	*v.*	submit
16. 书评	shūpíng	*n.*	book review
17. 民族主义	mínzú zhǔyì		nationalism
18. 偶尔	ǒu'ěr	*adv.*	occasionally
19. 冒泡	mào pào		bubble up
20. 审美疲劳	shěnměi píláo		aesthetic fatigue
21. 保守主义	bǎoshǒu zhǔyì		conservatism
22. 解剖	jiěpōu	*v.*	dissect, anatomize
23. 布置	bùzhì	*v.*	assign, make arrangement for
24. 综述	zōngshù	*v.*	summarize, sum up
25. 言之有据	yán zhī yǒu jù		speak on good grounds, arguments based on facts
26. 言之成理	yán zhī chéng lǐ		it stands to reason, it was said with sold judgment
27. 浓厚	nónghòu	*adj.*	dense, strong
28. 缘故	yuángù	*n.*	reason, sake
29. 触动	chùdòng	*v.*	stir up (emotions, memories, etc.) by stimulus
30. 叛逆者	pànnìzhě	*n.*	betrayer
31. 揪	jiū	*v.*	hold tight, seize
32. 评述	píngshù	*v.*	review, comment

33. 忍辱负重	rěn rǔ fù zhòng		endure humiliation in order to carry out an important mission
34. 承受力	chéngshòulì	*n.*	capability of adapting oneself to
35. 根深蒂固	gēn shēn dì gù		deep-rooted, ingrained
36. 劝解	quànjiě	*v.*	mollify, mediate, soothe
37. 量化	liànghuà	*v.*	quantization
38. 推理	tuīlǐ	*v.*	infer
39. 辩驳	biànbó	*v.*	dispute, refute
40. 整齐划一	zhěngqí huàyī		neat and uniform
41. 别出心裁	bié chū xīn cái		adopt an original approach, try to be different
42. 天马行空	tiān mǎ xíng kōng		heavenly steed soaring across the sky; <fig. >powerful and unconstrained style of writing, calligraphy, thoughts, etc.
43. 火炬	huǒjù	*n.*	torch
44. 同心协力	tóng xīn xié lì		work together with one heart
45. 团结	tuánjié	*adj.*	united, solidary
46. 劲头	jìntóu	*n.*	strength, energy, spirit
47. 震撼	zhènhàn	*v.*	shock
48. 坚决	jiānjué	*adj.*	(of attitude, opinion, act) firm, determined
49. 渴望	kěwàng	*v.*	long after, yearn for
50. 追逐	zhuīzhú	*v.*	chase, seek
51. 融合	rónghé	*v.*	(of two or more solid metals) melt into one
52. 昂贵	ángguì	*adj.*	expensive, costly
53. 功底	gōngdǐ	*n.*	grounding in basic skills
54. 变迁	biànqiān	*v.*	change of situation or shift of phases of development
55. 前所未有	qián suǒ wèi yǒu		unprecedented

56. 自尊	zìzūn	*n.*	self-esteem
57. 折射	zhéshè	*v.*	refract
58. 仇恨	chóuhèn	*n.*	anger, fury
59. 口水	kǒushuǐ	*n.*	slobber, slaver
60. 幼稚	yòuzhì	*adj.*	immature, childish, naive
61. 对垒	duìlěi	*v.*	stand facing each other, ready for battle or contest
62. 情绪化	qíngxùhuà	*v.*	emotional
63. 肌肉	jīròu	*n.*	muscle
64. 直言不讳	zhí yán bú huì		speak without reservation
65. 敌意	díyì	*n.*	hostility
66. 毁灭	huǐmiè	*v.*	destroy, exterminate
67. 演变	yǎnbiàn	*v.*	evolve
68. 纯粹	chúncuì	*adj.*	pure, sheer
69. 纳粹	Nàcuì	*p.n.*	Nazi
70. 侵略	qīnlüè	*v.*	invade
71. 进攻	jìngōng	*v.*	attack, assault
72. 防御	fángyù	*v.*	defend
73. 忠诚	zhōngchéng	*adj.*	loyal
74. 宪法	xiànfǎ	*n.*	the Constitution
75. 掩饰	yǎnshì	*v.*	cover up

注释：

冒泡：网络论坛用语。中国网民把上网查看信息但不发言的做法叫做“潜水”，偶尔出来说句话，发一下言，叫做“冒泡”。“Bubble up” is an Internet forum lingo. Going online to check one’s messages but not saying anything is termed “diving” by Chinese netizens. Occasionally surfacing to say a few sentences or air an opinion is known as “bubbling up.”

2. 鸟巢一代：北京2008年奥运会青年志愿者的出色表现，令国际舆论感叹不已。这些年轻人成长于改革开放后，他们比父辈更加国际化，许多人为了成为奥运志愿者，苦学英语和国际礼仪，表现出富有激情、尊重规则、热爱祖国的新一代中国青年形象，因而被称为“鸟巢一代”。Bird's Nest Generation: The outstanding performance by young volunteers at the 2008 Beijing Olympics has stirred the admiration of the international public. These youths grew up after the reforms and are more international than their elders. Many of them put their heart into learning English and international etiquette in order to become volunteers. They displayed an image of the new generation of Chinese youth that was full of passion, respect for regulations, and patriotic and hence have been called the "Bird's Nest Generation."

重点句型与词汇

1. 作为　as, serving as...

（1）当中国人作为个体出现的时候，最能够忍辱负重；但是，作为一个群体出现的时候，反而显得心理承受力不够，敏感易怒。

（2）作为国家领导人，需要比普通人具有更高的道德标准和更强的工作能力。

（3）在中国现代化的进程中，不应一味地将欧美发达国家作为自己效仿的对象。

2. Subj.进一步VP　Subj. further VP, Subj. take a step further to VP

（1）她用了一个有趣的比喻形容“愤青”的心态，还进一步分析说，处在东西方文化冲突融合之中的中国年轻人，有一种非常矛盾的心情。

（2）我们今天先谈到这儿吧。如果以后有时间，可以再进一步讨论这个话题。

（3）中国人口众多，医疗资源本来就相当紧缺。而当下某些医疗体制上的缺陷使得看病难问题进一步恶化，迫切需要全面改革。

3. (A之于B) + 如同／胜过／不如 + C之于D　A to B is just like/more than/less than C to D

（1）愤怒的这一代中国年轻人，对西方了解的深入程度远胜过西方年轻人之于中国。

（2）上海之于中国如同纽约之于美国。

（3）考试中笔之于学生如同战场上枪之于士兵。

4. 使得　make, cause

（1）日本的一些个人极端观点的快速传播，使得中国对日本反应过度，这是幼稚的 。

（2）高油价使得已经低迷的汽车市场更加低迷。

（3）人口过多使得一些大城市的垃圾处理能力达到了极限。

5. 哪怕……，也／都／还……　even (if) ... will (still) ...

（1）“愤青”情绪化的呼吁和展示肌肉并不能赢得尊重，哪怕这种要求是合情合理的。

（2）为了赢得女朋友的芳心，哪怕是上刀山下火海，小刘也心甘情愿。

（3）有的工厂对考勤管理极为严格,哪怕迟到五分钟也会被扣工资。

6. 因而　thus, as a result

（1）总而言之，“愤青”是这个国家的未来，因而他们也在很大程度上决定了21世纪的世界是否稳定。

（2）许多知识是无法在课本中学到的，因而我们要鼓励学生暑假的时候多参加社会实践。

（3）玛丽花了一年的时间写她的博士论文,并做了很多调查研究,因而受到了老师们的一致好评。

7.（疑虑／问题／讨论／焦点／花费……）集中在……　(Doubts / questions / discussion / focus point / cost ...) focused on

（1）美国“知识青年”对于中国“愤青”的疑虑，主要集中在两个方面。

（2）王太太每个月的花费主要集中在购买化妆品上。

（3）这次会议讨论的重点主要集中在如何解决海地的贫困问题。

8. 源于　originate from, stem from

（1）美国学生的疑问之一是中国的愤青现象是否源于国家“有意的”爱国主义教育。

（2）英语主要源于日耳曼语系，而法语源于拉丁语。

（3）2008年的金融危机源于房地产泡沫。

9. 与其A，不如B would rather B than A, better to B than A

与其说A，不如说B It's better to say A than B

(1) 这位学者认为中国年轻人的这种情绪与其说是民族主义，还不如说是爱国主义。

(2) 你的女朋友已经不爱你了，与其勉强跟她在一起，不如早点跟她分手。

(3) 我觉得文化比语言更有意思，与其说我爱上了中文，不如说我爱上了中国文化。

10. 几个固定结构

a. 总体而言 generally speaking

(1) 总体而言，这些美国学生对中国近年来的经济发展、社会转型并没有切实和客观的了解。

(2) 虽然人民币升值与股市没有直接关系，但总体而言，会使股市走高。

(3) 虽然质量上可能存在一些缺陷，但总体而言，"山寨"产品具有很强的市场竞争力。

b. 换句话说 in other words

(1) 日本的一些个人极端观点的快速传播，使得中国对日本反应过度，这是幼稚的。换句话说，极端的观点在日本是少数，它并不能代表绝大多数日本人。

(2) 老张是个头脑简单的人，换句话说，人比较实在，没什么心计，很真诚，甚至有点幼稚。

(3) 有人认为，基督教的最大特点可以用"赎罪"来概括，换句话说，从文化的角度分析，基督教文化是一种赎罪文化。

c. 概括而言 all in all, in sum

(1) 概括而言，现在的情形是在网络上形成了双方极端力量和观点的对垒，而且网络技术的发展，让这些人更有可能团结在一起对付另一方。

(2) 概括而言，习奥会取得了五项重要成果。

(3) 什么是"中国梦"？概括而言，就是中华民族的伟大复兴。

11. 几个词缀 several affixes

a. N. + 界 新闻~ | 政~ | 学术~ | 体育~ | 文艺~ | 商~ | 法律

界 means collective reference to a certain industry, trade or profession.

(1) 在美国新闻界、政界和学术界，"愤青"是一个被高度关注的话题。

(2) 乔丹曾经是美国体育界最红的球星。

(3) 达尔文的《物种起源》(*On the Origin of Species*)在学术界有着巨大的影响力。

b. N./Adj. + 化　情绪~ | 大众~ | 城市~ | 现代~ | 工业~ | 美~ | 绿~ | 简单

化 is used as a suffix for a noun or an adjective to indicate sth. or sb. is becoming or made to have that attribute; 化 is similar to the suffix "-ize" or "-fy" in English.

(1) "愤青"情绪化的呼吁和展示肌肉并不能赢得尊重，哪怕这种要求是合情合理的。

(2) 中国高考已经完成了由"精英教育"向"大众化教育"的转变。

(3) 改革开放以后，中国经历了快速城市化的过程。

c. V./Adj. / N. + 性

侵略~ | 扩张~ | 进攻~ | 自卫~ | 反击~ | 防御~ | 普遍~ | 全球~ | 总结~ | 概括~ | 重要~ | 权威~ | 政治~ | 服务~ "性" means the nature, quality or attribute of something. Here, "性" is used as a suffix equivalent to "-ness" and "-al" in English, expressing abstract notions such as quality, range, degree, etc.

(1) 从整体来看，中国部分青年的民族主义情绪并非侵略性、扩张性和进攻性的，往往是自卫性、反击性和防御性的。

(2)《男孩危机》一书的作者认为"男孩危机"不光存在于中国，而是在世界范围内具有普遍性的问题。

(3) 温室效应是一个全球性的问题，需要各国合作共同解决。

词语搭配

1. 提交+N.

~阅读笔记 | ~申请材料 | ~参赛作品 | ~报告 | ~论文 | ~报名表 | ~方案

(1) 为通过这门课，学生们必须完成指定的阅读文章，提交两次阅读笔记，一篇书评，一份研究项目计划书和一篇20页左右的学期论文。

(2) 所有提交的申请材料必须是真实的，而且易于查证，这一点至关重要。

(3) 提交参赛作品的截止日期是12月31日，请大家抓紧时间。

2. 布置+N.

~作业 | ~餐桌 | ~任务 | ~工作 | ~会场

(1) 他布置的作业是，除了阅读四篇文章以外，学生还需搜寻相关的资料，写出一篇具有一定总结综述性的800字左右的阅读笔记。

（2）上周张老师布置的作业太容易了，学生们不到半个小时就做完了。

（3）明天学校要在礼堂举行一年一度的演讲比赛，今天晚上学生会的干部得布置会场。

3. 敏锐地 + V. ~注意到 | ~发现 | ~观察到 | ~感受到

敏锐的 + N. ~嗅觉 | ~目光 | ~思维 | ~直觉 | ~判断力

（1）他还敏锐地注意到，"愤青"现象也折射出西方对中国的"认知赤字"。

（2）马云的成功在于他十年前就敏锐地发现了电子商务的潜力。

（3）狗有敏锐的嗅觉。

4. 展示 + N.

~肌肉 | ~诚意 | ~功夫 | ~力量 | ~新产品 | ~形象 | ~能力

（1）这位美国女学生认为"愤青们"情绪化的呼吁和展示肌肉并不能赢得尊重。

（2）在领土问题上，谈判双方展示出了诚意，这为避免军事上的冲突打下了基础。

（3）这位老厨师向我们展示了他切菜的功夫，让我们大开眼界。

成语

1. 忍辱负重：为了完成艰巨的任务而忍受暂时的屈辱。

（1）在美国学生看来，当中国人作为个体出现的时候，最能够忍辱负重。

（2）我们公司刚进入欧美市场的时候，当地的经销商充满不信任，质疑我们产品的质量，销售业绩很不理想，但是我们没有放弃，几年来我们忍辱负重、坚持了下来，现在我们的产品在各大超市都能见到。

（3）中国传统文化特别推崇能够吃苦耐劳、忍辱负重的人。

2. 根深蒂固：比喻基础稳定，不容易动摇。蒂，瓜、果等跟茎、枝相连的部分。

（1）中国根深蒂固的"面子文化"，与"愤青"的激进行为有一定关系。

（2）多年来，这个地区"重男轻女"的思想根深蒂固，难以动摇。

（3）种族主义是存在了几百年的根深蒂固的偏见，不利于社会进步，必须消除。

3. 别出心裁：另有一种构思或设计。指想出的办法与众不同。别，另外；心裁，心中的设计、筹划。

(1) 中国整齐划一的教育体系，很难不让习惯了别出心裁、天马行空的美国人心中起疑。

(2) 这所艺术学院每年都会举办学生的作品展，展品的创意都别出心裁，令人耳目一新。

(3) 万圣节的时候，同学们都别出心裁地做出了自己的奇怪外衣。

4. 天马行空：马的奔驰如同腾空飞行。现多比喻诗文、书法、想法等气势豪放，不受拘束。

(1) 中国整齐划一的教育体系，很难不让习惯了别出心裁、天马行空的美国人心中起疑。

(2) 有人认为中国的教育制度整齐划一，使学生缺乏想象力；相比之下，美国学生则天马行空，想法不受限制。

(3) 王老师的演讲天马行空，虽然很有意思，但我听了之后还是不明白他说的主要内容是什么。

5. 同心协力：团结一致，共同努力。心，思想；协，合。

(1) 四川地震后"80后""90后"表现出来的同心协力重建家园的团结劲头，深深震撼了美国同龄人。

(2) 我们只有同心协力，才能实现这个共同的目标。

(3) 我们只有同心协力、互相配合，才能赢得这场比赛的胜利。

6. 直言不讳：形容说话坦率，毫无隐讳。讳，忌讳（jìhuì, taboo）。

(1) 美国女孩辛西娅·皮埃特（Cynthia Piette）直言不讳："我不认为美国人会因为中国的GDP数字高就尊重中国，中国'愤青'们要准备好了，在他们崛起成为世界领袖的过程中，可能会被世界的口水淹没。"

(2) 记者采访了很多高三学生的父母，有的家长直言不讳地表示现行的高考制度加深了社会的不平等。

(3) 我是一个直言不讳的人，如果说的话让你觉得不舒服，请不要太在意。

补充学习材料 视听理解

视频一 网民抵制"家乐福"

思考题：

1. 法国媒体近期对什么事件进行了大量报道？
2. 新闻中接受采访的法国华侨对"抵制法货"的态度是什么？
3. 如果在这一时期，有中国媒体采访家乐福，他们大概会得到什么样的答复？

生词表

1. 利益	lìyì	*n.*	benefit, interest
2. 民间	mínjiān	*n.*	non-governmental
3. 工商联合会	gōngshāng liánhéhuì		Federation Of Industry & Commerce
4. 规模	guīmó	*n.*	scale
5. 表态	biǎotaì	*v.*	declare where one stands
6. 声明	shēngmíng	*n.*	statement
7. 气氛	qìfēn	*n.*	atmosphere
8. 藏独	Zàngdú		Tibet independence
9. 宗教	zōngjiào	*n.*	religion
10. 武林	wǔlín	*n.*	martial arts circles

视频二　CNN就主持人辱华言论发表简短道歉声明

思考题：

1. 中国外交部和中国网友为什么要求卡弗蒂道歉？
2. 卡弗蒂说了哪些冒犯中国人的话？
3. CNN的道歉声明里是怎么为卡弗蒂辩解的？你觉得他应该道歉吗？

生词表

1. 辱骂	rǔmà	*v.*	hurl insults, call sb. names
2. 冒犯	màofàn	*v.*	offend
3. 辩解	biànjiě	*v.*	make an explanation for one's opinion for action that has been censured
4. 奥运	Àoyùn	*p. n.*	the Olympic
圣火	Shènghuǒ		flame
5. 传递	chuándì	*v.*	pass on
6. 暴民	bàomín	*n.*	mob, rabble
7. 匪徒	fěitú	*n.*	gangster, banditti
8. 签名	qiān míng		sign one's name
9. 诋毁	dǐhuǐ	*v.*	slander, defame
10. 良知	liángzhī	*n.*	conscience
11. 恶劣	èliè	*adj.*	vile, odious

视频三　中国人的爱国主义

思考题：

1. 在西方政治学中，爱国主义与民族主义有什么不同？
2. 中国近代历史上，中国人最主要的诉求是什么？
3. 视频中提到哪些原因让中国式的爱国主义更为强烈？

生词表

1. 辛亥革命	Xīnhài Gémìng	*p. n.*	Xinhai revolution, the revolution of 1911
2. 屡次	lǚcì	*adv.*	time and again, repeatedly
3. 徘徊	páihuái	*v.*	pace back and forth, loiter
4. 信仰	xìnyǎng	*n.*	faith, belief
5. 历久弥坚	lì jiǔ mí jiān		remain unshakable and become even firmer as time goes by
6. 贯穿	guànchuān	*v.*	run through, spread through
7. 爱国主义	àiguó zhǔyì		patriotism
8. 认同	rèntóng	*v.*	identification
9. 唤醒	huànxiǎng	*v.*	awaken
10. 工人阶级	gōngrén jiējí		working class
11. 诉求	sùqiú	*n.*	appeal
12. 模糊	móhu	*v.*	blur, confuse
13. 大一统	dàyītǒng	*adj.*	grand unification
14. 积贫积弱	jī pín jī ruò		impoverished and enfeebled, poor and weak
15. 受体	shòutǐ	*n.*	receptor, recipient
16. 扬眉吐气	yáng méi tǔ qì		feel proud and elated

17. 移植	yízhí	*v.*	transplant
18. 副产品	fùchǎnpǐn	*n.*	by-product

课后练习

一、选择最合适的词语填空

1. 老张和老李平时喜欢聊国家大事，今天因为看法不同，争吵起来，两个人都是急脾气，越吵越厉害，可是周围的朋友没有人出来__________。
   A. 辩驳　B. 劝解　C. 反驳　D. 叛逆
2. 中日两国一旦因钓鱼岛问题发生武力__________，就会有其他国家被卷入。
   A. 对垒　B. 冲突　C. 纠纷　D. 争端
3. 好不容易有了一个假期，我__________这几天都是好天气。
   A. 渴望　B. 梦想　C. 展望　D. 希望
4. 这位人大代表__________了一份议案，要求北京市政府加大环保力度。
   A. 提交　B. 解剖　C. 解读　D. 综述
5. 主持人认为拜金主义严重__________了社会主义核心价值观，应该予以批判。
   A. 演变　B. 转型　C. 变迁　D. 背离
6. 由于公司管理者提高了员工的工资标准，大家工作起来更有__________，生产效率得到迅速提升。
   A. 态势　B. 劲头　C. 趋势　D. 力度
7. 他们通过调查发现，女孩子常常比男孩子更早地完成老师__________的家庭作业。
   A. 设计　B. 架构　C. 布置　D. 塑造
8. 现代战争是没有赢家的游戏，因为现有的核武器足以__________整个地球。

A. 敌意　　B. 毁灭　　C. 仇恨　　D. 侵略

9. 这组绘画具有__________的16世纪风格，表现了人类对自由生活的向往。

A. 浓厚　　B. 切实　　C. 坚决　　D. 震撼

10. 这位华尔街著名经济师拥有__________的市场感觉，总是比别人更早察觉投资风险。

A. 幼稚　　B. 纯粹　　C. 敏锐　　D. 忠诚

11. 20世纪90年代后，中国的中产阶级迅速__________，成为社会生活的重要代表。

A. 追逐　　B. 蔓延　　C. 扩张　　D. 崛起

12. 虽然这部电影所讲的故事是无稽之谈，但却__________了当代社会现实。

A. 冒泡　　B. 折射　　C. 展示　　D. 推理

13. 我们所说的"汉族"并不是只有单一的族源，而是在几千年的历史进程中由多个民族__________而成的。

A. 团结　　B. 融合　　C. 交锋　　D. 碰撞

14. 学生们听了姚明的故事都有很大的__________，甚至有的孩子因此喜欢打篮球了。

A. 掩饰　　B. 抑制　　C. 淹没　　D. 触动

15. 他做报告就像__________，让人难以理解。

A. 前所未有　　B. 横空出世　　C. 天马行空　　D. 别出心裁

二、用所给的词语和句型回答问题

1. 你认为是中国年轻人更了解美国文化，还是美国年轻人更了解中国文化？（A之于B＋如同／胜过／不如＋C之于D）
2. 是什么原因导致中东局势不断恶化？（使得）
3. 你认为现在中美两国之间的关系怎么样？中美两国人民可以从哪些层面加强交流和了解？（进一步VP）
4. 企业的本土化是不是很重要？企业怎么实现本土化？（因而）
5. 有人说只要学习一种语言，就能融入一个社会，你同意这种观点吗？（哪怕）
6. 中国愤青为什么很容易对西方国家的批评产生愤怒的情绪？（因而）
7. 如果有人逼你跟一个非常讨厌的人结婚，你会同意吗？（哪怕）
8. 当前世界上最主要的问题有哪些？（〈疑虑／问题／讨论／焦点……〉集中在……）

9. 听说李小姐跟一个又老又丑的富翁结婚了，你觉得她真的爱他吗？（与其说……，不如说……）
10. 一般来说美国人都爱国吗？（总体而言……）
11. 现代中国为什么还有重男轻女的传统观念？（根深蒂固）
12. 你觉得国家领导人与普通人承担的责任有何不同？（作为）

三、用所给的词语填空

偶尔　言之有据　……界　……化　……性　因而　揪　抹

1. 什么是真实的历史？这是一个很有争论__________的问题，无论是一般的群众还是学术__________人士，对历史的看法总有分歧。对于某个历史事件的评价即使能做到__________，也会有人__________住某个具体细节不放，大加批判。所以，有人说“真正的历史并不存在，一切都是当代人的理解史”。我认为这样的看法固然有几分道理，但对历史的看法却随意__________太大。其实，历史是客观的，它对社会的影响是无法__________掉的，尽管人们__________会“错误地”理解历史，但最终还是会有人还原历史的真相。__________，“一切都是当代人的理解史”的说法只是人们对历史的一种看法，并不是历史本身。

缘故　忍辱负重　呼吁　整齐划一　直言不讳　自尊

2. 为了民族复兴，中国自1840年以后一直__________，不断寻找发展的方向。最后“教育兴国”成为人们的共识，因为只有振兴教育才能恢复中国的自信心与__________心。但是近年来，中国高等教育的一大弊端是把教育看成生产流程，__________地培养人才。这种教育模式强迫那些有个性的学生学习自己并不感兴趣的知识。因为这个__________，一些专家__________政府进行教育改革，更有学者__________，他们指出如果不进行教改，中国将失去民族复兴的希望。

四、翻译

1. On the issue of economic influence, Shanghai to China is almost comparable to New York to America. In the 60s, approximately 80% of everyday products in China were made in Shanghai factories.
2. The popularity of low-brow culture is not so much a result of the negative effects of

economic development, as it is that "serious" culture has caused aesthetic fatigue. It's understandable that the culture that has strong entertainment value is easier to be accepted by the general public.

3. There are some angry youth who are too sensitive—as long as there are any comments that are critical of China, even if the comments are substantiated and justified, they must refute them. In their view, any remark that is critical of China stems from a misunderstanding of China.

五、从句段到篇章：引用他人正式讲话，证明自己的观点

说话、写文章时，为了给自己的观点提供论据，使语言简明生动，增强说服力，我们常常引用他人的话或是名人名言。在《美国知识青年眼中的中国“愤青”》一文中，就有很多引用的例子。根据不同的引用方式，引用可分为“直接引用”与“间接引用”，“明引”与“暗引”等类型。直接引用是把他人说的话直接放到文中，并用引号括起来；间接引用则是说话人用自己的语言转述他人话语的意思。直接引用时加上引用词（如某某表示、认为等），明白告诉读者引用的出处是“明引”；不加说明词，不明确指明引用出处，直接把引用的话组织在作者自己的语言里，叫“暗引”。下面是一些出现在课文中的例子。

直接引用	明引	对于第一点，复旦大学欧洲研究中心博士简军波表示：“以民族主义作为标签来概括所谓‘愤青’的特征，也不是完全正确的。从整体来看，中国部分青年的民族主义情绪并非侵略性、扩张性和进攻性的，往往是自卫性、反击性和防御性的，只是在自己国家受到别国的伤害之后才产生的一种本能的情绪。这种情绪与其说是民族主义，还不如说是爱国主义。”
	暗引	他们看到，中国根深蒂固的“面子文化”，是很重要的原因。另外，“中国刚刚崛起不久，还没有习惯被别人骂。像我们美国已经被世界骂了快一个世纪了，也就无所谓了。”“被别人骂是强大的标志，没必要愤怒的。”他们也这样劝解中国的“愤青”同龄人。
间接引用（转述）		对于第二个怀疑点，简军波认为，任何一个国家都具有自己独特的历史论述和爱国主义国民教育，如果在这个意义上说中国存在国家操控爱国主义的话，这是毫无疑问的——因为每一个国家都会这么做，因为任何一个国家需要民族自豪感和表达对国家的忠诚。

汉语中用于引用的词汇非常丰富，下面列表中是一些常用的引用词和句式：

表示引用的词语	指出;认为;提出;建议;提议;强调;表示;重申;断言;声称;宣布;透露;相信;呼吁;否认 补充说;解释说;反驳说;谴责说;警告说
表示引用的句式	Subj. 说:"……" Subj. 并不认可这一观点,他说:"……" Subj. 对此持有保留态度,他认为,…… Subj.提出了质疑,…… Subj.在谈到……时,说过一段发人深思的话:"……" 在小说的开头有这样一段描写:"……"

练习:

1. 介绍一位你钦佩(qīnpèi, admire)的政治领袖、思想家或作家，请用明引或暗引的方式介绍他的思想和贡献。
2. 请介绍一位你尊重的生活中的智者，请用明引或暗引的方式来让我们了解他。

六、新闻报告

仔细观察历史和现实，出现“愤青”的国家，往往存在比较复杂的社会矛盾或深层的社会原因。“愤青”现象并非中国独有，但是每个国家“愤青”愤怒的原因和表现却有所不同。请在网上搜索、阅读有关国家“愤青”的事件和新闻，下次课上以口头报告的形式和其他同学分享。

报告中，请讨论以下内容:

☆ 这个国家的“愤青”做了什么?

☆ 当时的社会背景是什么?“愤青”们愤怒的原因是什么?

☆ 如何评价“愤青”的行为?

☆ 和本专题中介绍的中国“愤青”有哪些相同之处和不同之处?

七、专题调查与报告

请采访你认识的中国年轻人，了解他们的民族认同感。下次课上汇报你的采访结果。

采访问题参考:

☆ 你觉得自己爱国吗?在你看来，什么是“爱国主义”?请举例说明。

☆ 你小的时候接受过哪些爱国主义教育？你觉得有效吗？
☆ 你是否同意“爱国就应该支持国货”的做法？你曾经抵抗过日货或其他国家的产品吗？
☆ 你认为中国政府应如何处理钓鱼岛的问题？
☆ 如果客观条件允许，你是否愿意移民海外定居？你是否愿意放弃中国公民身份而成为其他国家的公民？

八、辩论

中国重历史，重传统；美国是一个新兴的国家，更强调创新。不同民族有着不同的文化和历史，人们对于“过往”抱有不同的态度。正如课文中所说的，中国人相信“忘记过去就意味着背叛”，而美国人却认为过去的就让他过去吧，如果抱着历史不放，就无法创造一个崭新的未来。对于以往悲痛的历史，一个民族在制定决策时是应该放下包袱(bāofu, burden)向前看，还是应该铭记(míngjì, engrave)历史以求不愧对先人？

- **辩论题：** 忘记过去是否意味着背叛？

九、讨论与写作

中国愤青们多次抗议西方主流舆论对于中国不公平的待遇和不尊重的态度，他们高举爱国旗帜、高呼爱国口号，一片赤子之心。然而，他们却被批评是新一代民族主义的接班人。爱国主义和民族主义之间是否存在着一个清晰的界限呢？请以《爱国主义与民族主义之我见》作为题目，写一篇800字短文，讨论这个问题。

动笔以前，可以思考、讨论以下问题：

- 从概念上如何区分爱国主义和民族主义？二者之间的关系是什么？
- 哪些行为算是爱国主义？哪些行为算是民族主义？
- 学校应如何进行爱国主义教育？
- 一个人应该怎么表达他对国家的自豪感？

视频—文本

网民抵制"家乐福"

法国媒体近期对中国国内的反法情绪，以及抵制"家乐福"为代表的法国在华利益的民间行为，进行了大量报道，而一些社会活动中的个别情绪化行为也引起了法国民众的不满。

（法语采访）

生活在法国的华人华侨，也担心这种民间的不友好情绪，会进一步伤害到双方的利益。

（法国华侨：）"确实，它就是伤了一些人对（这个）西方的一些感情。表现我们（是吧）这种民族情绪（是吧），给他们一定的教训（是吧），他们知道我们（这个）中国人要干什么，需要的是什么，我觉得这个是必要的，但是（这个）要大规模的这种抵制啊，这个我们应该要考虑到我们总体的影响。"

在采访的过程中，法国工商联合会和一些在华有重大投资的法国企业，均表示在此一特殊时期，不方便就事件进行表态，而"家乐福"对中国媒体记者也都是一律用"家乐福——中国公司"发布的声明进行答复。可以明显地感觉到，一种不信任的气氛的存在。

（记者：）"与此同时，法国'家乐福'集团总经理，却接受了法国《星期日报》的专访，而他就对中国网友指责'家乐福'参与支持藏独活动大吐苦水，表示'家乐福'从未以任何方式参与宗教和政治活动。法国工商联合会相关人士则在电话中向记者表示，近期的抵制行动，已经影响到了'家乐福'的经营业绩。"

法国媒体近日的热门话题，也成为了"法国是否也应该抵制中国制造的产品"，而在世界经济全球化的今天，当我们谈到抵制的时候，是否也要自问，这到底是一招武林高手的"必杀技"，还是杀敌一千自伤五百的"七伤拳"呢？

视频二文本

CNN就主持人辱华言论发表简短道歉声明

在中国外交部针对美国有线新闻网CNN主持人卡弗蒂(Kǎfúdì, Jack Cafferty)发表辱骂中国的言论提出谴责，并且要求CNN和卡弗蒂向全体中国人民道歉之后，CNN终于在昨天发表了简短的道歉声明。声明指出：卡弗蒂和CNN都无意冒犯中国民众，CNN愿意对任何因为卡弗蒂的言论而觉得受到冒犯的人致歉。CNN同时辩解说，卡弗蒂过去曾经批评过很多国家，其中也包括美国政府和美国总统。北京奥运圣火九号在旧金山传递时，卡弗蒂称中国产品是垃圾，他说在过去的50年里，中国人基本是一帮暴民和匪徒。这一番言论激起了华人旧金山社区的愤怒。网友在网上联署签名，要求CNN道歉。中国外交部也指责卡弗蒂诋毁中国和中国人民，违背新闻职业道德和做人的良知，严正要求CNN和卡弗蒂收回恶劣言论，并且向全体中国人民道歉。

视频三文本

中国人的爱国主义

辛亥革命以来，中国屡次徘徊在信仰的十字路口，各种主义来来去去，唯有一种历久弥坚，贯穿了中国近现代史，那就是“爱国主义”。在西方政治学当中，“爱国主义”是公民通过民主参与，自发形成的对国家和国体的合理情感，与自上而下，强调国家认同和主权独立的“民族主义”不同。有一些西方学者困惑，自下而上的“爱国”到了现代中国之后，似乎被赋予了特殊的内涵。在《中国的国家爱国主义》这篇文章当中，伦敦大学当代中国研究所所长菲尔·迪恩斯认为，一部中国近代史唤醒了中国人对主权的渴望。从城市资产阶级、工人阶级到乡村农民，从自由民主到马克思主义，中国人的诉求只有一个，那就是反抗帝国主义，探索现代化之路。迪恩斯发现，特殊的时代背景，模糊了中国人对民族主义和爱国主义的理解。但这些西方学者似乎忘了一点，中国人几千年来对大一统的向往，近百年的积贫积弱，都在为中国自上而下的爱国主义提供受体，只因为渴望国家强大，扬眉吐气。而这一点，恰恰是西方文化移植留下的化学副产品。感谢您收看《世界看中国》，我们下次见。

人物篇

专题十三　鲁迅

主要内容

新文化运动和五四运动是中国现代历史、思想史的重要转折点。许多知识分子为挽救民族命运做了诸多尝试，他们无情地批判中国几千年的传统文化，积极探索救国救民的真理，鲁迅便是其中的代表。

本专题以阅读文章为主要学习材料，主课文《药》是鲁迅的一篇代表作品，小说表现了当时民众的愚昧与落后，以及革命者的悲哀与寂寞，具有鲜明的时代特点。第一个和第二个背景视频介绍了鲁迅的生平与贡献，第三个视频介绍了五四新文化运动的历史意义、代表人物和思想内容。

学习目标

1. 通过阅读《药》这篇文章，了解鲁迅的写作目的和写作风格。
2. 学习如何评论一篇文学作品。
3. 了解五四运动与新文化运动的深刻历史背景，讨论它们对中国现当代社会的巨大影响和重要意义。

注：《药》这篇文章的语言是五四时期的白话文，某些用词和语法既带有那个时代的特征，也带有文学作品及鲁迅个人风格方面的特点，跟当代规范的普通话不完全一致。学习这篇文章应以阅读理解为主，不必过于纠结某些具体词语的用法。

重点学习材料 阅读

药

思考题：

1. 文中的华小栓得了什么病？他吃的药是什么？
2. 夏瑜（瑜儿）是怎么死的？小说中的人物对夏瑜的死有什么看法？
3. “药”在这篇文章中有几层意思？

一

秋天的后半夜，月亮下去了，太阳还没有出，只剩下一片乌蓝的天；除了夜游的东西，什么都睡着。华老栓（Huà Lǎoshuān）忽然坐起身，擦着火柴，点上遍身油腻的灯盏，茶馆的两间屋子里，便弥满了青白的光。

“小栓的爹，你就去么？”是一个老女人的声音。里边的小屋子里，也发出一阵咳嗽。

“唔。”老栓一面听，一面应，一面扣上衣服；伸手过去说，“你给我罢。”

华大妈在枕头底下掏了半天，掏出一包洋钱，交给老栓，老栓接了，抖抖的装入衣袋，又在外面按了两下；便点上灯笼，吹熄灯盏，走向里屋子去了。那屋子里面，正在窸窸窣窣的响，接着便是一通咳嗽。老栓候他平静下去，才低低的叫道，“小栓……你不要起来。……店么？你娘会安排的。”

老栓听得儿子不再说话，料他安心睡了；便出了门，走到街上。街上黑沉沉的一无所有，只有一条灰白的路，看得分明。灯光照着他的两脚，一前一后的走。有时也遇到几只狗，可是一只也没有叫。天气比屋子里冷多了；老栓倒觉爽快，仿佛一旦变了少年，得了神通，有给人生命的本领似的，跨步格外高远。而且路也愈走愈分明，天也愈走愈亮了。

老栓正在专心走路，忽然吃了一惊，远远里看见一条丁字街，明明白白横着。他便退了几步，寻到一家关着门的铺子，蹩进檐下，靠门立住了。好一会，身上觉得有些发冷。

“哼，老头子。”

“倒高兴……。”

老栓又吃一惊，睁眼看时，几个人从他面前过去了。一个还回头看他，样子不甚分明，但很像久饿的人见了食物一般，眼里闪出一种攫取的光。老栓看看灯笼，已经熄了。按一按衣袋，硬硬的还在。仰起头两面一望，只见许多古怪的人，三三两两，鬼似的在那里徘徊；定睛再看，却也看不出什么别的奇怪。

没有多久，又见几个兵，在那边走动；衣服前后的一个大白圆圈，远地里也看得清楚，走过面前的，并且看出号衣上暗红色的镶边。——一阵脚步声响，一眨眼，已经拥过了一大簇人。那三三两两的人，也忽然合作一堆，潮一般向前赶；将到丁字街口，便突然立住，簇成一个半圆。

老栓也向那边看，却只见一堆人的后背；颈项都伸得很长，仿佛许多鸭，被无形的手捏住了似的，向上提着。静了一会，似乎有点声音，便又动摇起来，轰的一声，都向后退；一直散到老栓立着的地方，几乎将他挤倒了。

“喂！一手交钱，一手交货！”一个浑身黑色的人，站在老栓面前，眼光正像两把刀，刺得老栓缩小了一半。那人一只大手，向他摊着；一只手却撮着一个鲜红的馒头，那红的还是一点一点的往下滴。

老栓慌忙摸出洋钱，抖抖的想交给他，却又不敢去接他的东西。那人便焦急起来，嚷道，“怕什么？怎的不拿！”老栓还踌躇着；黑的人便抢过灯笼，一把扯下纸罩，裹了馒头，塞与老栓；一手抓过洋钱，捏一捏，转身去了。嘴里哼着说，“这老东西……。”

“这给谁治病的呀？”老栓也似乎听得有人问他，但他并不答应；他的精神，现在只在一个包上，仿佛抱着一个十世单传的婴儿，别的事情，都已置之度外了。他现在要将这包里的新的生命，移植到他家里，收获许多幸福。太阳也出来了；在他面前，显出一条大道，直到他家中，后面也照见丁字街头破匾上“古□亭口”这四个黯淡的金字。

二

老栓走到家，店面早经收拾干净，一排一排的茶桌，滑溜溜的发光。但是没有客人；只有小栓坐在里排的桌前吃饭，大粒的汗，从额上滚下，夹袄也贴住了脊心，两块肩胛骨高高凸出，印成一个阳文的“八”字。老栓见这样子，不免皱一皱展开的眉心。他的女人，从灶下急急走出，睁着眼睛，嘴唇有些发抖。

“得了么？”

“得了。”

两个人一齐走进灶下，商量了一会；华大妈便出去了，不多时，拿着一片老荷叶回来，摊在桌上。老栓也打开灯笼罩，用荷叶重新包了那红的馒头。小栓也吃完饭，他的母亲慌忙说：

“小栓——你坐着，不要到这里来。”

一面整顿了灶火，老栓便把一个碧绿的包，一个红红白白的破灯笼，一同塞在灶里；一阵红黑的火焰过去时，店屋里散满了一种奇怪的香味。

“好香！你们吃什么点心呀？”这是驼背五少爷到了。这人每天总在茶馆里过日，来得最早，去得最迟，此时恰恰蹩到临街的壁角的桌边，便坐下问话，然而没有人答应他。“炒米粥么？”仍然没有人应。老栓匆匆走出，给他泡上茶。

“小栓进来罢！”华大妈叫小栓进了里面的屋子，中间放好一条凳，小栓坐了。他的母亲端过一碟乌黑的圆东西，轻轻说：

“吃下去罢，——病便好了。”

小栓撮起这黑东西，看了一会，似乎拿着自己的性命一般，心里说不出的奇怪。十分小心的拗开了，焦皮里面窜出一道白气，白气散了，是两半个白面的馒头。——不多工夫，已经全在肚里了，却全忘了什么味；面前只剩下一张空盘。他的旁边，一面立着他的父亲，一面立着他的母亲，两人的眼光，都仿佛要在他身上注进什么又要取出什么似的；便禁不住心跳起来，按着胸膛，又是一阵咳嗽。

“睡一会罢，——便好了。”

小栓依他母亲的话，咳着睡了。华大妈候他喘气平静，才轻轻的给他盖上了满幅补钉的夹被。

三

店里坐着许多人，老栓也忙了，提着大铜壶，一趟一趟的给客人冲茶；两个眼眶，都围着一圈黑线。

“老栓，你有些不舒服么？——你生病么？”一个花白胡子的人说。

“没有。”

“没有？——我想笑嘻嘻的，原也不像……”花白胡子便取消了自己的话。

“老栓只是忙。要是他的儿子……”驼背五少爷话还未完，突然闯进了一个满脸横肉的人，披一件玄色布衫，散着纽扣，用很宽的玄色腰带，胡乱捆在腰间。刚进门，便对老栓嚷道：

“吃了么？好了么？老栓，就是运气了你！你运气，要不是我信息灵……。”

老栓一手提了茶壶，一手恭恭敬敬的垂着；笑嘻嘻的听。满座的人，也都恭恭敬敬的听。华大妈也黑着眼眶，笑嘻嘻的送出茶碗茶叶来，加上一个橄榄，老栓便去冲了水。

“这是包好！这是与众不同的。你想，趁热的拿来，趁热的吃下。”横肉的人只是嚷。

“真的呢，要没有康大叔照顾，怎么会这样……”华大妈也很感激的谢他。

“包好，包好！这样的趁热吃下。这样的人血馒头，什么痨病都包好！”

华大妈听到“痨病”这两个字，变了一点脸色，似乎有些不高兴；但又立刻堆上笑，搭讪着走开了。这康大叔却没有觉察，仍然提高了喉咙只是嚷，嚷得里面睡着的小栓也合伙咳嗽起来。

“原来你家小栓碰到了这样的好运气了。这病自然一定全好；怪不得老栓整天的笑着呢。”花白胡子一面说，一面走到康大叔面前，低声下气的问道，“康大叔——听说今天结果的一个犯人，便是夏家的孩子，那是谁的孩子？究竟是什么事？”

“谁的？不就是夏四奶奶的儿子么？那个小家伙！”康大叔见众人都耸起耳朵听他，便格外高兴，横肉块块饱绽，越发大声说，“这小东西不要命，不要就是了。我可是这一回一点没有得到好处；连剥下来的衣服，都给管牢的红眼睛阿义拿去了。——第一要算我们栓叔运气；第二是夏三爷赏了二十五两雪白的银子，独自落腰包，一文不花。”

小栓慢慢的从小屋子里走出，两手按了胸口，不住的咳嗽；走到灶下，盛出一碗冷饭，泡上热水，坐下便吃。华大妈跟着他走，轻轻的问道，“小栓，你好些么？——你仍旧只是肚饿？……”

“包好，包好！”康大叔瞥了小栓一眼，仍然回过脸，对众人说，“夏三爷真是乖角儿，要是他不先告官，连他满门抄斩。现在怎样？银子！——这小东西也真不成东西！关在牢里，还要劝牢头造反。”

“阿呀，那还了得。”坐在后排的一个二十多岁的人，很现出气愤模样。

“你要晓得红眼睛阿义是去盘盘底细的，他却和他攀谈了。他说：这大清的天下是我们大家的。你想：这是人话么？红眼睛原知道他家里只有一个老娘，可是没有料到他竟会这么穷，榨不出一点油水，已经气破肚皮了。他还要老虎头上搔痒，便给他两个嘴巴！”

“义哥是一手好拳棒，这两下，一定够他受用了。”壁角的驼背忽然高兴起来。

“他这贱骨头打不怕，还要说可怜可怜哩。”

花白胡子的人说，“打了这种东西，有什么可怜呢？”

康大叔显出看他不上的样子，冷笑着说，“你没有听清我的话；看他神气，是说阿义可怜哩！”

听着的人的眼光，忽然有些板滞；话也停顿了。小栓已经吃完饭，吃得满头流汗，头上都冒出蒸气来。

“阿义可怜——疯话，简直是发了疯了。”花白胡子恍然大悟似的说。

“发了疯了。”二十多岁的人也恍然大悟的说。

店里的坐客，便又现出活气，谈笑起来。小栓也趁着热闹，拼命咳嗽；康大叔走上前，拍他肩膀说：

“包好！小栓——你不要这么咳。包好！”

“疯了。”驼背五少爷点着头说。

四

西关外靠着城根的地面，本是一块官地；中间歪歪斜斜一条细路，是贪走便道的人，用鞋底造成的，但却成了自然的界限。路的左边，都埋着死刑和瘐毙的人，右边是穷人的丛冢。两面都已埋到层层叠叠，宛然阔人家里祝寿时的馒头。

这一年的清明，分外寒冷；杨柳才吐出半粒米大的新芽。天明未久，华大妈已在右边的一坐新坟前面，排出四碟菜，一碗饭，哭了一场。化过纸，呆呆的坐在地上；仿佛等候什么似的，但自己也说不出等候什么。微风起来，吹动他短发，确乎比去年白得多了。

小路上又来了一个女人，也是半白头发，褴褛的衣裙；提一个破旧的朱漆圆篮，外挂一串纸锭，三步一歇的走。忽然见华大妈坐在地上看他，便有些踌躇，惨白的脸上，现出些羞愧的颜色；但终于硬着头皮，走到左边的一坐坟前，放下了篮子。

那坟与小栓的坟，一字儿排着，中间只隔一条小路。华大妈看他排好四碟菜，一碗饭，立着哭了一通，化过纸锭；心里暗暗地想，“这坟里的也是儿子了。”那老女人徘徊观望了一回，忽然手脚有些发抖，跄跄踉踉退下几步，瞪着眼只是发怔。

华大妈见这样子，生怕他伤心到快要发狂了；便忍不住立起身，跨过小路，低声对他说，“你这位老奶奶不要伤心了，——我们还是回去罢。”

那人点一点头，眼睛仍然向上瞪着；也低声吃吃的说道，“你看，——看这是什么呢?”

华大妈跟了他指头看去，眼光便到了前面的坟，这坟上草根还没有全合，露出一块一块的黄土，煞是难看。再往上仔细看时，却不觉也吃一惊；——分明有一圈红白的花，围着那尖圆的坟顶。

他们的眼睛都已老花多年了，但望这红白的花，却还能明白看见。花也不很多，圆圆的排成一个圈，不很精神，倒也整齐。华大妈忙看他儿子和别人的坟，却只有不怕冷的几点青白小花，零星开着；便觉得心里忽然感到一种不足和空虚，不愿意根究。那老女人又走近几步，细看了一遍，自言自语的说，“这没有根，不像自己开的。——这地方有谁来呢？孩子不会来玩；——亲戚本家早不来了。——这是怎么一回事呢?”他想了又想，忽又流下泪来，大声说道：

“瑜儿，他们都冤枉了你，你还是忘不了，伤心不过，今天特意显点灵，要我知道么?”他四面一看，只见一只乌鸦，站在一株没有叶的树上，便接着说，“我知道了。——瑜儿，可怜他们坑了你，他们将来总有报应，天都知道；你闭了眼睛就是了。——你如果真在这里，听到我的话，——便教这乌鸦飞上你的坟顶，给我看罢。”

微风早经停息了；枯草支支直立，有如铜丝。一丝发抖的声音，在空气中愈颤愈细，细到没有，周围便都是死一般静。两人站在枯草丛里，仰面看那乌鸦；那乌鸦也在笔直的树枝间，缩着头，铁铸一般站着。

许多的工夫过去了；上坟的人渐渐增多，几个老的小的，在土坟间出没。

华大妈不知怎的，似乎卸下了一挑重担，便想到要走；一面劝着说，“我们还是回去罢。”

那老女人叹一口气，无精打采的收起饭菜；又迟疑了一刻，终于慢慢地走了。嘴里自言自语的说，“这是怎么一回事呢？……”

他们走不上二三十步远，忽听得背后“哑——”的一声大叫；两个人都悚然的回过头，只见那乌鸦张开两翅，一挫身，直向着远处的天空，箭也似的飞去了。

一九一九年四月

生词表

1. 乌蓝	wūlán	*n.*	dark blue
2. 夜游	yèyóu	*v.*	roam at night
3. 擦火柴	cā huǒchái		strike a match
4. 遍身	biànshēn	*n.*	all over the body, from head to foot
5. 油腻	yóunì	*adj.*	greasy, oily
6. 灯盏	dēngzhǎn	*n.*	oil lamp
7. 弥满	mímǎn	*v.*	be full of
8. 青白	qīngbái	*n.*	bluish white

9. (一) 阵	(yí) zhèn	*measure word*	a fit, a spell
10. 咳嗽	késou	*v.*	cough
11. 扣	kòu	*v.*	buckle
12. 伸手	shēn shǒu		stretch out one's hand
13. 枕头	zhěntou	*n.*	pillow
14. 洋钱	yángqián	*n.*	silver dollar
15. 抖抖	dǒudǒu	*adj.*	trembling
16. 装入	zhuāngrù	*v.*	stuff into
17. 灯笼	dēnglong	*n.*	lantern
18. 吹熄	chuīxī	*v.*	blow out
19. 窸窸窣窣	xīxi-sūsū	*onom.*	rustling
20. 候	hòu	*v.*	wait
21. 料	liào	*v.*	reckon, guess
22. 黑沉沉	hēichénchén	*adj.*	very dark
23. 一无所有	yì wú suǒ yǒu		have nothing at all
24. 爽快	shuǎngkuai	*adj.*	refreshing
25. 神通	shéntōng	*n.*	magic power
26. 本领	běnlǐng	*n.*	special ability
27. 跨步	kuà bù		step, stride
28. 分明	fēnmíng	*adj.*	clear, obvious
29. 丁字街	dīngzìjiē	*n.*	t-shaped junction
30. 铺子	pùzi	*n.*	shop
31. 蹩	bié	*v.*	slink
32. 檐	yán	*n.*	eave
33. 立住	lìzhù	*v.*	stand still
34. 哼	hēng	*onom.*	hum
35. 不甚	búshèn	*adv.*	not quite
36. 攫取	juéqǔ	*v.*	grab, seize

37. 仰	yǎng	*v.*	face upward
38. 古怪	gǔguài	*adj.*	eccentric
39. 三三两两	sānsānliǎngliǎng		(gather) in twos and threes
40. 定睛	dìngjīng	*v.*	fix one's eyes upon
41. 圆圈	yuánquān	*n.*	circle
42. 号衣	hàoyī	*n.*	army uniform
43. 镶边	xiāngbiān	*v.*	border, piping
44. 眨眼	zhǎyǎn	*v.*	in a blink of an eye
45. 拥	yōng	*v.*	(of crowd) to come rushing across
46. 簇	cù	*measure word*	cluster
47. 堆	duī	*measure word*	pile
48. 潮	cháo	*n.*	fide
49. 颈项	jǐngxiàng	*n.*	neck
50. 捏	niē	*v.*	pinch, hold between fingers
51. 提	tí	*v.*	lift
52. 轰	hōng	*onom.*	bang, boom
53. 浑身	húnshēn	*n.*	all over, from head to foot
54. 刺	cì	*v.*	prick, stab
55. 缩小	suōxiǎo	*v.*	shrink
56. 摊	tān	*v.*	spread out, lay out
57. 撮	cuō	*v.*	pick up or hold (dust, powder, etc.) between the thumb and first finger
58. 馒头	mántou	*n.*	steamed bun
59. 滴	dī	*v.*	drip
60. 慌忙	huāngmáng	*adj.*	in a great rush, hurriedly
61. 焦急	jiāojí	*adj.*	anxious
62. 嚷	rǎng	*v.*	shout, yell

63. 踌躇	chóuchú	*v.*	hesitate
64. 抢	qiǎng	*v.*	snatch, grab
65. 扯	chě	*v.*	pull, tear
66. 纸罩	zhǐzhào	*n.*	paper shade
67. 裹	guǒ	*v.*	wrap
68. 塞	sāi	*v.*	thrust in
69. 抓	zhuā	*v.*	grad hold of
70. 单传	dānchuán	*v.*	patrilineal line of descent with just one son in each generation
71. 婴儿	yīng'ér	*n.*	baby
72. 置之度外	zhì zhī dù wài		not to take into consideration
73. 收获	shōuhuò	*v.*	reap
74. 匾	biǎn	*n.*	horizontal inscribed board, plaque
75. 古□亭口	Gǔ□tíngkǒu	*p.n.*	the real name was 古轩亭口 where the Chinese revolutionary, feminist and writer Qiu Jin 秋瑾 was executed after a failed uprising against the Qing Dynasty. □ represents a missing
76. 黯淡	àndàn	*adj.*	dim, dull
77. 收拾	shōushi	*v.*	put in order, clear away
78. 滑溜溜	huáliūliū	*adj.*	very smooth, slippery
79. 里排	lǐpái	*n.*	back row
80. 粒	lì	*measure word*	of grainlike things
81. 额上	éshàng	*n.*	forehead
82. 滚	gǔn	*v.*	roll
83. 夹袄	jiá'ǎo	*n.*	lined jacket
84. 贴	tiē	*v.*	stick
85. 脊心	jǐxīn	*n.*	middle of the spine

86. 肩胛骨	jiānjiǎgǔ	*n.*	blade bone
87. 凸出	tūchū	*v.*	protrude
88. 阳文	yángwén	*n.*	characters cut in relief
89. 不免	bùmiǎn	*adv.*	unavoidably
90. 皱	zhòu	*v.*	frown
91. 眉心	méixīn	*n.*	place between the eyebrows
92. 灶下	zàoxià	*n.*	in front of the cooking range
93. 睁	zhēng	*v.*	open (eyes)
94. 嘴唇	zuǐchún	*n.*	lip
95. 发抖	fādǒu	*v.*	tremble
96. 商量	shāngliang	*v.*	discuss
97. 荷叶	héyè	*n.*	lotus leaf
98. 整顿	zhěngdùn	*v.*	rectify, reorganize, consolidate
99. 碧绿	bìlǜ	*n.*	dark green
100. 火焰	huǒyàn	*n.*	flame
101. 驼背	tuó bèi	*v.*	humpbacked
102. 临街	línjiē	*v.*	frontage, face the street
103. 壁角	bìjiǎo	*n.*	in the corner by the wall
104. 粥	zhōu	*n.*	congee, porridge
105. 凳	dèng	*n.*	stool
106. 碟	dié	*n.*	small plate
107. 拗开	ǎokāi	*v.*	break by bending
108. 焦皮	jiāopí	*n.*	burned skinned
109. 窜出	cuànchū	*v.*	flee, dart out
110. 注进	zhùjìn	*v.*	inject, infuse
111. 禁不住	jīnbuzhù	*v.*	unable to control oneself from doing
112. 胸膛	xiōngtáng	*n.*	chest
113. 喘气	chuǎn qì		pant; breathe

114. 补钉（补丁）	bǔdīng(bǔdīng)	*n.*	patch
115. 夹被	jiábèi	*n.*	double coverlet
116. 铜壶	tónghú	*n.*	brass kettle
117. 趟	tàng	*clf.*	measure word for trips
118. 冲茶	chōng chá		add water to the tea
119. 眼眶	yǎnkuàng	*n.*	socket of the eye
120. 笑嘻嘻	xiàoxīxī	*adj.*	grin all over
121. 闯进	chuǎngjìn	*v.*	burst in
122. 满脸横肉	mǎnliǎn héngròu		with flesh bulging all over the face (descriptive of a bully)
123. 披	pī	*v.*	wear, drape over the shoulder
124. 玄色	xuánsè	*n.*	black
125. 布衫	bùshān	*n.*	blouse
126. 纽扣	niǔkòu	*n.*	button
127. 腰带	yāodài	*n.*	belt
128. 胡乱	húluàn	*adv.*	randomly
129. 捆	kǔn	*v.*	bundle, bind
130. 运气	yùnqi	*n.*	good luck
131. 信息灵	xìnxī líng		be in the know
132. 恭恭敬敬	gōnggōngjìngjìng	*adj.*	very respectful
133. 垂	chuí	*v.*	hang down, droop
134. 满座的人	mǎn zuò de rén		everyone at present
135. 橄榄	gǎnlǎn	*n.*	olive
136. 包	bāo	*v.*	guaranteed to
137. 与众不同	yǔ zhòng bù tóng		quite different from the run out of the mill
138. 趁	chèn	*v.*	while
139. 痨病	láobìng	*n.*	consumption

140. 搭讪	dāshàn	*v.*	say something to cover up one's embarrassment
141. 提高喉咙	tígāo hóulóng		raise one's voice
142. 怪不得	guàibude	*adv.*	no wonder
143. 低声下气	dī shēng xià qì		lower one's voice and stifle one's
144. 耸起耳朵	sǒngqǐ ěrduo		cock one's ears
145. 饱绽	bǎozhàn	*v.*	bulge out
146. 越发	yuèfā	*adv.*	more and more
147. 剥	bāo	*v.*	strip, peel off
148. 牢	láo	*n.*	gaol, prison
149. 盛	chéng	*v.*	put into, fill container
150. 瞥一眼	piē yì yǎn		cast a sidelong glance
151. 乖角儿	guāijuér	*n.*	a smart one
152. 告官	gào guān		bring an accusation (here to inform against)
153. 满门抄斩	mǎn mén chāo zhǎn		all members of a family put to death and all their property confiscated
154. 牢头	láotóu	*n.*	gaoler
155. 造反	zàofǎn	*v.*	rebel
156. 那还了得	nà hái liǎodé		whatever next
157. 气愤	qìfèn	*adj.*	angry, indignant
158. 盘底细	pán dǐxì		find out all about (someone)
159. 攀谈	pāntán	*v.*	strike up a conversation
160. 天下	tiānxià	*n.*	empire
161. 榨油水	zhà yóushuǐ		squeeze something out of
162. 气破肚皮	qìpò dùpí		so angry that his belly nearly exploded
163. 老虎头上搔痒	lǎohǔ tóu shàng sāo yǎng		asking for it

164. 嘴巴	zuǐba	*n.*	a smack on the mouth
165. 一手好拳棒	yì shǒu hǎo quánbàng		good at unarmed and armed combat
166. 贱骨头	jiàngǔtou	*n.*	bones born to be beaten
167. 可怜	kělián	*adj.*	pitiable
168. 看不上	kànbushàng	*v.*	look down upon
169. 神气	shénqì	*n.*	expression
170. 板滞	bǎnzhì	*adj.*	wooden, glazed
171. 停顿	tíngdùn	*v.*	pause, come to a standstill
172. 蒸气	zhēngqì	*n.*	vapour, steam
173. 恍然大悟	huǎngrán dà wù		see the light suddenly
174. 西关	xīguān	*n.*	the west gate
175. 城根	chénggēn	*n.*	close by the city wall
176. 官地	guāndì	*n.*	land owned by the government
177. 贪	tān	*v.*	have an insatiable desire for, seek
178. 便道	biàndào	*n.*	shortcut
179. 鞋底	xiédǐ	*n.*	sole (of a shoe)
180. 界限	jièxiàn	*n.*	boundary
181. 死刑	sǐxíng	*n.*	death penalty
182. 瘐毙	yǔbì	*v.*	die of illness or malnutrition in prison
183. 丛冢	cóngzhǒng	*n.*	cluster of graves, mass grave
184. 层层叠叠	céngcengdiédié	*adj.*	layer upon layer
185. 宛然	wǎnrán	*adv.*	as if, seemingly
186. 阔人	kuòrén	*n.*	rich man
187. 祝寿	zhù shòu		celebrate birthday
188. 清明	qīngmíng	*n.*	festival for visiting graves of deceased ancestors (April 5th or 6th)
189. 杨柳	yángliǔ	*n.*	willow

190. 芽	yá	*n.*	bud
191. 坟	fén	*n.*	the grave
192. 化纸	huà zhǐ		(in this context) burn paper money
193. 呆呆	dāidāi	*adv.*	vacantly
194. 确乎	quèhū	*adv.*	without doubt
195. 褴褛	lánlǚ	*adj.*	ragged
196. 衣裙	yīqún	*n.*	dress
197. 朱漆	zhūqī	*n.*	vermilion-colored paint
198. 纸锭	zhǐdìng	*n.*	paper money
199. 歇	xiē	*v.*	rest
200. 惨白	cǎnbái	*adj.*	pale, drained of all blood
201. 羞愧	xiūkuì	*adj.*	ashamed
202. 硬着头皮	yìngzhe tóupí		brace oneself (for sth. unpleasant)
203. 观望	guānwàng	*v.*	look on, look up and down (without taking any action)
204. 踉踉跄跄	qiàngqiàng liàngliàng	*adj.*	totteringly
205. 瞪	dèng	*v.*	stare
206. 发怔	fāzhēng	*v.*	dumbfounded, lost
207. 发狂	fā kuáng		go crazy
208. 煞是	shàshì	*adv.*	really
209. 老花	lǎohuā	*n.*	long sight due to age
210. 整齐	zhěngqí	*adj.*	neat and tidy
211. 零星	língxīng	*adj.*	sporadic, dotted here and there
212. 不足	bùzú	*n.*	dissatisfaction
213. 空虚	kōngxū	*adj.*	emptiness
214. 根究	gēnjiū	*v.*	get to the bottom of sth.
215. 亲戚	qīnqi	*n.*	relative

216. 本家	běnjiā	*n.*	clansmen descended from a common ancestor
217. 冤枉	yuānwang	*v.*	wrong
218. ……不过	...búguò		...utmost
219. 显灵	xiǎn líng		(spirit) manifest itself
220. 乌鸦	wūyā	*n.*	crow
221. 坑	kēng	*v.*	entrap, cheat
222. 报应	bàoying	*n.*	retribution
223. 铜丝	tóngsī	*n.*	copper wire
224. （一）丝	(yì)sī	*measure word*	a thread (of sound)
225. 颤	chàn	*v.*	quiver, vibrate
226. 笔直	bǐzhí	*adj.*	straight as a rod
227. 铁铸	tiězhù	*v.*	cast in iron
228. 出没	chūmò	*v.*	go in and out
229. 卸	xiè	*v.*	unload, be relieved of
230. 重担	zhòngdàn	*n.*	heavy load
231. 无精打采	wú jīng dǎ cǎi		listlessly, dejected
232. 迟疑	chíyí	*v.*	hesitate
233. 悚然	sǒngrán	*adj.*	fearful, feeling eerie
234. 翅	chì	*n.*	wing
235. 挫身	cuò shēn		lower itself ready for the upward spring

注释：

1. 药：这篇小说最初发表于1919年5月《新青年》第6卷第5号。按：篇中人物夏瑜隐喻清末女革命党人秋瑾。秋瑾于1907年7月15日遭清政府杀害，就义的地点在绍兴轩亭口。轩亭口是绍兴城内的大街，街旁有一牌楼，匾上题有“古轩亭口”四字。
   This article was originally published in May 1919 in *New Youth* Volume 6, No. 5. The character in the article, Xia Yu, is analogous to the female revolutionary in the late Qing

period, Qiu Jin. Qiu Jin was killed by the Qing Government on the 15th of July 1907. She died a martyr at Shaoxing Xuan Ting Kou. Xuan Ting Kou is the main street in Shaoxing city. There was an archway by the side of the road, with the four words "Gu Xuan Ting Kou" on the plaque.

2. 洋钱：指银元。银元最初是从外国流入中国的，所以俗称洋钱。"Yang Money" refers to silver dollars. Initially silver dollars flowed into China from overseas. Hence, it is commonly termed "Yang Money."
3. 号衣：指清朝士兵的军衣，前后胸都缀有一块圆形白布，上有"兵"或"勇"字样。"Hao Yi" refers to the Qing soldiers uniforms, which were decorated on the chest with a white fabric circle, on which were the words "soldier" or "courage."
4. 鲜红的馒头：即蘸有人血的馒头。旧时迷信，以为人血可以医治肺痨，刽子手便借此骗取钱财。"Blood Red Buns" refer to the buns dipped in human blood. According to old superstition, human blood could cure tuberculosis. Executioners took advantage of this to cheat people of their money.
5. 老虎头上搔痒：本意是在老虎的头上挠痒痒，比喻不自量力、胆大妄为。Scratching a tiger's head (asking for it): The original meaning is to scratch a tiger's head. It is a metaphor for being overconfident, overestimating oneself, and reckless.
6. 化纸：纸指纸钱，一种迷信用品，旧俗认为把它火化后可供死者在"阴间"使用。Burn Paper: Paper refers to paper money or incense paper, a kind of superstitious good or product. According to old customs, it was believed that after this paper money was burnt, the deceased would be able to use it in the "underworld."

重点句型与词汇

1. 便：就，于是　hence, then, thereafter

(1) 华老栓忽然坐起身，擦着火柴，点上遍身油腻的灯盏，茶馆的两间屋子里，便弥满了青白的光。

(2) 自从我读了《狂人日记》之后，便爱上了鲁迅的文章。

(3) 王小姐跟男朋友大吵了一架以后，便跟他分手了。

2. 仿佛……似的　as if..., like...

(1) 老栓倒觉爽快，仿佛一旦变了少年，得了神通，有给人生命的本领似的，跨步格外高远。

（2）人生仿佛一场梦似的。

（3）秋天的傍晚，天蓝得可爱，仿佛一池湖水似的。

3. 格外　exceptionally, particularly, especially

（1）老栓倒觉爽快，仿佛一旦变了少年，得了神通，有给人生命的本领似的，跨步格外高远。

（2）圣诞节马上就要到了，孩子们显得格外兴奋。

（3）毕业前夕，学生们格外忙碌，有的人忙着找工作，有的人忙着准备考研。

4.（如／像）……一般（adj.）　like, as if...

（1）一个还回头看他，样子不甚分明，但很像久饿的人见了食物一般，眼里闪出一种攫取的光。

（2）中午时分，一丝风都没有，湖面像镜子一般平静。

（3）这一天如此漫长，如同过了一个世纪一般。

5. 不免　cannot help but...

（1）老栓见（小栓）这样子，不免皱一皱展开的眉心。

（2）这是我第一次出国留学，不免让父母有些担心，他们不知道我能否适应陌生的环境。

（3）见到了这位“高富帅”后，王小姐不免有些心动，便把自己的电话号码留给了对方。

6. 禁不住　cannot help but, cannot stop from, cannot hold back from

（1）（小栓）禁不住心跳起来，按着胸膛，又是一阵咳嗽。

（2）看到小女孩如此可爱的动作，我们都禁不住笑了起来。

（3）亚当和夏娃禁不住诱惑，偷吃了树上的禁果，因此被上帝打入人间。

成语

1. 一无所有：什么也没有。

（1）街上黑沉沉的一无所有，只有一条灰白的路，看得分明。

（2）老刘三十年前刚到美国的时候一无所有，通过自己的努力，现在已经是两家贸易公司的老板了。

（3）吸毒和赌博将会使人最终变得一无所有。

2. 置之度外：不放在考虑之中。形容不把个人的生死利害等放在心上。度：考虑。

（1）他的精神，现在只在一个包上，仿佛抱着一个十世单传的婴儿，别的事情，都已置之度外了。

（2）面对死亡，他一心只想保护这些孩子，把个人的安危置之度外。

（3）有些战地记者为了更好更快地获得新闻，常常将自己的生命置之度外。

3. 与众不同：与别的不一样。

（1）“这是包好！这是与众不同的。”

（2）为了显得与众不同，小王将自己的头发染成了红色。

（3）这款手机在设计上很多细节都与众不同，用户群主要是追求个性的年轻人。

4. 低声下气：把说话和呼吸声都压得很低。形容说话时恭顺小心的样子。

（1）花白胡子一面说，一面走到康大叔面前，低声下气的问道，“康大叔——听说今天结果的一个犯人，便是夏家的孩子，那是谁的孩子？究竟是什么事？”

（2）为了得到王太太的原谅，王先生装出一副低声下气的样子。

（3）为了借钱付儿子学费，小李的父母低声下气到处求人帮忙。

5. 无精打采：形容没有精神或不高兴的样子。

（1）那老女人叹一口气，无精打采的收起饭菜。

（2）大卫失恋以后，连走路吃饭都显得无精打采。

（3）最近我老是失眠，晚上翻来覆去睡不着，早上起来无精打采。

补充学习材料 视听理解

视频一 鲁迅生平（一）

思考题：

1.“戊戌变法”是怎么回事？
2. 鲁迅一开始为什么想去日本学医？
3. 什么事情改变了鲁迅学医的计划？

生词表

1. 江南	Jiāngnán	*p. n.*	regions south of the Yangtze River
2. 绍兴	Shàoxīng	*p. n.*	a prefecture-level city on the southern shore of Hangzhou Bay in northeastern Zhejiang province, China
3. 唾骂	tuòmà	*v.*	spit on and curse, revile
4. 南京水师学堂	Nánjīng Shuǐshī Xuétáng	*p. n.*	Nanjing Naval Academy
5. 学堂	xuétáng	*n.*	school
6. 戊戌变法	Wùxū Biànfǎ	*p. n.*	the Hundred Days' Reform
7. 维新	wéixīn	*v.*	reform, usu. referring to political reform or reformative movement
8. 禁绝	jìnjué	*v.*	totally prohibit, completely ban
9. 图	tú	*v.*	pursue, seek

10. 治标	zhìbiāo	v.	merely alleviate the symptoms of an illness; provide temporary solutions to the problems
11. 治本	zhìběn	v.	get at the root of a problem; take radical measures
12. 改良运动	Gǎiliáng Yùndòng	p. n.	Reform Movement
13. 挽救	wǎnjiù	v.	save, remedy, rescue
14. 命运	mìngyùn		fate, destiny
15. 忧国忧民	yōu guó yōu mín		be concerned about one's country and one's people
16. 求索	qiúsuǒ	v.	search, quest
17. 明治维新	Míngzhì Wéixīn	p. n.	the Meiji Restoration
18. 医治	yīzhì	v.	cure, heal
19. 衰弱	shuāiruò	adj.	weak, feeble
20. 体质	tǐzhì	n.	body constitution, physique
21. 仙台	Xiāntái	p. n.	Sendai, a city in Japan
22. 镜头	jìngtóu	n.	camera lens
23. 侦探	zhēntàn	n.	detective
24. 俘虏	fúlǔ	v.	capture
25. 麻木	mámù	adj.	numb
26. 同胞	tóngbāo	n.	fellow countrymen
27. 健壮	jiànzhuàng	adj.	healthy and strong
28. 屠刀	túdāo	n.	butcher's knife
29. 祭品	jìpǐn	n.	sacrificial offerings
30. 看客	kànkè	n.	onlooker
31. 悲剧	bēijù	n.	tragedy
32. 灵魂	línghún	n.	soul
33. 急迫	jípò	adj.	urgent, imperative

注释：

戊戌变法：又称维新变法，是发生在清朝光绪二十四年戊戌年（1898年6月11日—9月21日）的短暂政治改革运动，这一年是中国的农历戊戌年。变法由光绪皇帝领导，深入到经济、教育、军事、政治等多个层面，目的是让中国走上君主立宪、富国强民的道路。然而变法遭到以慈禧太后为首的守旧派的强烈抵制与反对，1898年9月21日慈禧太后等发动戊戌政变，光绪帝被软禁于中南海瀛台，维新派倡导者康有为和梁启超分别逃往国外，谭嗣同等维新人士被捕杀害，慈禧太后重新当政，戊戌变法仅经历了103天就以失败告终，因此也叫"百日维新"。戊戌变法是中国近代史上一次重要的政治改革，也是一次思想启蒙运动，对促进中国近代社会的进步起了重要推动作用。变法失败亦引发了民间舆论支持孙中山等人更为激烈的推翻帝制、建立共和的革命主张。Wu Xu Bian Fa (Reformation Movement, or Hundred Days' Reform): Also known as the Modernization Movement, it was a brief political reform movement which took place in the Qing dynasty under Emperor Guangxu (June 11, 1898 to September 21). This year was Wu Xu year according to Chinese lunar calendar. The political reform was led by Emperor Guangxu and extended to aspects such as the economy, education, military, government etc. with the aim of allowing China to embark on the path towards constitutional monarchy and a prosperous and strong country. However, the reform met with strong resistence and opposition by conservatives led by the Empress Dowager Cixi. On the 21st of September 1898, Empress Dowager Cixi and others staged a coup d'etat, placing Emperor Guangxu under house arrest in Zhongnanhai Yingtai (one of the imperial gardens). Advocates of the reformation, Kang Youwei and Liang Qichao fled abroad, while Tan Sitong and other reformers were arrested and killed. Empress Dowager Cixi reassumed power and so the Reform Movement which had only been implemented for 103 days ended in failure. Hence, it is also called the "Hundred Days' Reform." The Reformation Movement is an important event of political reform in modern Chinese history, and also an important period of Enlightenment which played an important role in promoting the progress of modern Chinese society. The failure of the reform also triggered more intense public discussion of the revolutionary idea of supporting of Sun Yat-sen and others to overthrow the monarchy and establish a republic.

视频二　鲁迅生平（二）

思考题：

1.《狂人日记》的主人公是一个什么样的人？
2.《阿Q正传》的主人公阿Q是一个什么样的人？
3. 这两部小说的主人公和当时的时代背景有什么关系？

生词表

1. 域外	yùwài	*n.*	overseas
2. 小说集	xiǎoshuōjí	*n.*	novel collection
3. 译介	yìjiè	*v.*	translate and introduce
4. 文艺	wényì	*n.*	literature and art
5. 先声	xiānshēng	*n.*	herald, first signs
6. 阔别	kuòbié	*v.*	be separated for a long time
7. 应邀	yìng yāo		on invitation
8. 新青年	Xīn Qīngnián	*p. n.*	New Youth magazine
9. 白话	báihuà	*n.*	vernacular
10. 狂人日记	Kuángrén Rìjì	*p. n.*	*A Madman's Diary*
11. 主题	zhǔtí	*n.*	theme
12. 笔触	bǐchù	*n.*	style of drawing or writing
13. 手法	shǒufǎ	*n.*	(of art or literature) skill, technique
14. 新颖	xīnyǐng	*adj.*	new and original
15. 震惊	zhènjīng	*v.*	shock, astonish
16. 歪歪斜斜	wāiwāixiéxié	*adj.*	crooked
17. 仁义道德	rényì dàodé		benevolence, justice, morality and virtue
18. 横竖	héngshù	*adv.*	in any case

19. 缝	fèng	*n.*	seam, crack
20. 晨报	Chénbào	*p. n.*	*Morning Newspaper*
21. 副刊	fùkān	*n.*	supplement
22. 连载	liánzǎi	*v.*	publish in installment
23. 媲美	pìměi	*v.*	compare favorably with
24. 阿Q正传	Ā Q Zhèngzhuàn	*p. n.*	*The True Story of Ah Q*
25. 寓言	yùyán	*n.*	fable
26. 五官	wǔguān	*n.*	facial features
27. 辫子	biànzi	*n.*	braid, plait
28. 哀莫大于心死	āi mò dà yú xīn sǐ		Nothing is more lamentable than a dead heart.
29. 悲哀	bēi'āi	*n.*	grief, sorrow
30. 注定	zhùdìng	*v.*	be doomed, be destined
31. 觉悟	juéwù	*v.*	come to understand, become enlightened
32. 缩影	suōyǐng	*n.*	epitome
33. 主将	zhǔjiàng	*n.*	chief commander
34. 不计其数	bú jì qí shù		too many to count, countless
35. 断言	duànyán	*v.*	say with certainty

注释：

1. 蔡元培（1868—1940）：中国近代著名的教育家和政治家，曾任中华民国首任教育总长、北京大学校长等职务，其倡导的“思想自由”“兼容并包”等思想在中国近代史上产生过重要的影响。Cai YuanPei: A famous modern Chinese educator and politician. He was formerly the first minister of education of Republic of China as well as the Principal of Peking University in addition to other duties. His advocacy of “freedom of thought,” “inclusion” and other thinking produced significant influence in modern Chinese history.
2. 《新青年》：是中国近代史上最重要的革命报刊之一，由中国近代史上的著名思想家陈独秀创办。它从1915年创办到1926年停刊，历经十年，始终是中国新文化运动中宣传新思想的主要阵地。*New Youth* is one of the most important revolutionary newspapers in China's modern history. It was founded by Chen DuXiu, a famous thinker in China's recent history. It was founded in 1915 and ceased publication in 1926, spanning the history of a decade. It was ultimately the main avenue for the circulation of new ideas during China's New Culture Movement.

视频三　五四运动

思考题：

1. 什么是"新文化运动"？
2. 新文化运动中，《新青年》杂志和北京大学起到哪些作用？
3. "新文化运动"和"五四运动"的关系是什么？

生词表

1. 游行	yóuxíng	*v.*	parade, demonstration for celebration, commemoration or protest
2. 掀开	xiānkāi	*v.*	open, lift
3. 序幕	xùmù	*n.*	prelude
4. 五四运动	Wǔsì Yùndòng	*p. n.*	The May 4th Movement
5. 新文化运动	Xīnwénhuà Yùndòng	*p. n.*	The New Culture Movement
6. 鸦片战争	Yāpiàn Zhànzhēng	*p. n.*	The Opium War
7. 空前	kōngqián	*adj.*	unprecedented
8. 志士仁人	zhìshì rénrén		people who are actuated by high ideals, kind and upright men
9. 洋务运动	Yángwù Yùndòng	*p. n.*	The Self-Strengthening Movement
10. 惨痛	cǎntòng	*adj.*	deeply grieved, painful, agonizing
11. 先驱	xiānqū	*n.*	pioneer

12. 绝境	juéjìng	*n.*	hopeless situation
13. 复古	fùgǔ	*v.*	restore ancient ways
14. 思潮	sīcháo	*n.*	trend of thought
15. 封建	fēngjiàn	*n.*	feudalism
16. 纲常	gāngcháng	*n.*	the three cardinal guides and the five constant virtues as specified in the feudal ethical code
17. 礼教	lǐjiào	*n.*	feudal code of ethics
18. 针锋相对	zhēn fēng xiāng duì		give tit for tat
19. 倡导	chàngdǎo	*v.*	advocate
20. 兼容并包	jiān róng bìng bāo		absorb anything and everything
21. 方针	fāngzhēn	*n.*	policy, guiding principles
22. 触及	chùjí	*v.*	touch
23. 完美无缺	wánměi wú quē		perfect and flawless
24. 暴露	bàolù	*v.*	expose, reveal
25. 开刀	kāi dāo		make sb. or sth. the first target of attack
26. 回避	huíbì	*v.*	avoid
27. 陈腐	chénfǔ	*adj.*	old and decay
28. 闸门	zhámén	*n.*	sluice gate, water gate
29. 阻挡	zǔdǎng	*v.*	stop, resist

注释：

1. 五四运动：1919年5月4日最初由北京高校的青年学生发起，后来演变成广大群众、市民、工商人士等共同参与的包括示威游行、请愿、罢课、罢工等形式的全民爱国运动。事件起因是在第一次世界大战结束后举行的巴黎和会中，西方列强把德国在山东的权益转让给日本。当时政府未能捍卫国家利益，引发国人极端不满，从而上街游行示威。五四运动既是一场伟大的群众爱国运动，也是一场深刻的思想解放运动，在中国近代史上具有影响深远的影响。May 4th Movement: On May 4th, 1919, what was originally initiated by college students in Beijing later evolved into a large scale national patriotic movement which included demonstrations, walkouts, strikes, etc. in which the masses, the citizens, business people, etc. participated together. The reason for the event was because in Paris Peace Conference held after the end of the first world war, the Western powers transferred Germany's colonial rights in Shandong to Japan. The Qing government at the time failed to defend national interests, causing extreme dissatisfaction among the citizens, who then took to the streets to demonstrate. The May 4th Movement was not only a great mass patriotic movement, but also a profound ideologically liberating movement, with far-reaching impact on China's modern history.

2. 新文化运动：指在五四运动爆发前后，由胡适、陈独秀、鲁迅等一些受过西方教育的人发起的一次“反传统、反儒教、反文言”的思想文化革新与文学革命运动。这次运动沉重打击了统治中国2000多年的传统礼教，启发了人们的民主觉悟，推动了现代科学在中国的发展。“New Culture Movement” refers to an “anti-traditional views, anti-Confucianism, anti-classical Chinese” ideological and cultural reform as well as literary revolution movement that happened around the May 4th movement, which was initiated by a number of Western-educated people such as Hu Shi, Chen Duxiu, and Lu Xun. This movement dealt a heavy blow to the traditional Confucianism that had ruled China for over 2000 years and aroused the people's democratic consciousness, promoting the development of modern science in China.

3. 洋务运动：19世纪60—90年代由清朝洋务派所领导，是近代中国第一次大规模模仿和实施西式工业化的运动，也是一场维护封建皇权的前提下由上到下的改良运动。这场运动虽然以失败告终，但却为中国近代化的起步开辟了道路，是中国近代化的开端。Westernization Movement (or The Self-Strengthening Movement): Led by the Qing government officials who advocated for Westernization from the 60s to the 90s in the 19th century, Westernization Movement was the first large-scale simulation and implementation of Western industrialization in modern China. It was also a reform exercise premised on protecting and maintaining feudal imperial power. Even though the campaign ended in failure, it opened the way for China's modernization and is the beginning of China's

modernization.

4. 辛亥革命：发生于中国农历辛亥年（1911年），是以推翻清朝专制统治、建立民主共和国为目的的全国性革命。辛亥革命成功推翻了清朝统治，结束了中国长达两千年之久的君主专制制度，开启了民主共和新纪元，在中国近、现代史上具有极其重要的影响。Xinhai Revolution (or The Revolution of 1911): It occurred in the Chinese Lunar Year Xinhai (1911). It was a national revolution with the purpose of overthrowing the autocratic rule of the Qing Dynasty and establishing a democratic republic. The Xinhai Revolution successfully overthrew the Qing rule and ended up to two thousand years of autocratic monarchy in China, opening up a new era of the democratic republic. It has had a very important influence on the history of modern China.

课后练习

一、选择最合适的词语填空

1. 她顺手拿了一只橘子，慢慢_________开皮，却没有吃的意思。

   A. 捆　　B. 剥　　C. 挑　　D. 扣

2. 小女孩取出一根火柴，“哧”地一声_________亮了，在亮光中她看到奶奶向她笑着走来。

   A. 提　　B. 抓　　C. 掏　　D. 擦

3. 我正要说“有人偷东西”，那个小偷恶狠狠地_________了我一眼，我吓得不敢作声。

   A. 嚷　　B. 瞪　　C. 瞥　　D. 卸

4. 张小虎在工人面前大声批评这个，指挥那个，可是在老板面前却_________，真让人看不惯。

   A. 低声下气　　B. 忍辱负重　　C. 无精打采　　D. 苦不堪言

5. 现在经济不景气，还是再__________一段时间再决定向哪家公司投资吧。
A. 板滞　B. 停顿　C. 迟疑　D. 观望
6. 那条鱼__________的，用手抓不住。
A. 滑溜溜　B. 明晃晃　C. 笑嘻嘻　D. 黑沉沉
7. 一出门就打到了车，我们的__________真不错。
A.福气　B. 神气　C. 运气　D. 脾气
8. 法官认为证据很充分，并没有__________罪犯。
A. 冤枉　B. 羞愧　C. 可怜　D. 气愤
9. 半夜的时候，我听到窗户外__________的声音，打开窗户一看，原来是风吹动了树叶。
A. 恭恭敬敬　B. 层层叠叠　C. 跄跄踉踉　D. 窸窸窣窣
10. 一见到年轻的女孩子，王小明就去__________，可却没几个女孩子理会他。
A. 攀谈　B. 搭讪　C. 照顾　D. 反馈
11. 原来你家来客人了，__________这么热闹。
A. 怪不得　B. 撇不开　C. 禁不住　D. 谈不拢
12. 他家里很富裕，警察想不出他抢钱的__________是什么。
A. 底细　B. 根究　C. 功底　D. 动机
13. 如果没有准备好就__________行动，失败的可能性就很大。
A. 悚然　B. 俨然　C. 宛然　D. 贸然
14. 刘小姐一辈子没有结婚，晚年精神非常__________，常常到附近的酒吧喝酒打发时间。
A. 惨白　B. 纯粹　C. 空虚　D. 封闭
15. 父母双方管教孩子的方法__________，因此常常为此争论不休。
A. 与众不同　B. 别出心裁　C. 截然不同　D. 五花八门

二、用所给的词语和句型回答问题

1. 鲁迅后来为什么放弃做医生了？（便）
2. 请用一个生动的比喻形容小孩子红扑扑的脸。（如 / 像……一般）
3. 请用一个生动的比喻形容思想麻木的人。（仿佛……似的）
4. 当碰到拿着刀子抢劫的坏人时，绝大部分的人会有什么样的反应？（不免）
5.《药》中的夏瑜作为革命者，在乎自己的生死吗？在他心目中什么是最重要的（置之度外）

6. 鲁迅小说哪个方面给你留下的印象特别深刻？（格外）
7. 李先生因为赌博输光了所有的财产，你会怎么形容他的处境？（一无所有）
8. 现在美国最火的小说家是谁？他的小说有什么特点？（与众不同）
9. 为什么现在很多人离不开咖啡？（无精打采）
10. 你觉得哪位喜剧演员的表演最好笑？观众看了他的表演以后，会有什么样的反应？（禁不住）

三、用所给的词语填空

低声下气　古怪　恍然大悟　三三两两　弥漫　褴褛　慌忙　油腻　徘徊

中午，饭店的生意很好，客人们__________地进来吃饭，可是后来一个衣着__________，行为__________的人在店外__________了几分钟，然后走到店里来，__________地向客人们乞讨。乞丐衣服上都是__________，一进来饭店里便__________一股难闻的气味。客人们十分不满，大声嚷了起来，饭店老板__________出来劝说那个乞丐离开饭店。乞丐偏不理会，哇哇大哭起来。客人们实在受不了了，都气呼呼地离开了。等客人一离开饭桌，乞丐便迅速把桌子上的饭菜装到自己的口袋里，老板__________，原来他是用这种让人讨厌的办法要饭。

仰　拍　盛　盖　提　抱　端　收拾

赵二姐做好了饭，给奶奶__________了一碗，恭恭敬敬地__________了过去。奶奶怀里正__________着两个多月的孙子，见是赵二姐送饭来了，小心地把小孙子放到床上，__________上被子。那小孩子也不哭闹，__________头看着上面。赵二姐弯下腰，轻轻__________着小孩子，不一会他就睡着了。等奶奶吃完了饭，赵二姐迅速__________了碗筷，然后__________着篮子出门了。

四、仔细阅读课文，回答下面的问题

1. 华老栓是一个什么样的形象？他为什么给小栓买蘸血的馒头？他去买馒头的时候，心情如何？买到了馒头以后，他的心情如何？血馒头为什么没治好小栓的病？
2. 小说中的康大叔是一个什么样的形象？他反复对华老栓说“包好”，表现出什么？他对夏瑜的死有什么看法？

3. 小说中夏瑜（瑜儿）是一个什么样的人物？他在牢里为什么说阿义“可怜”？他说：“大清的天下是我们大家的。”这句话是什么意思？
4. 夏瑜的妈妈是否理解儿子的行为？
5.《药》这篇文章里有很多人物，根据作者对这些人物的情感和态度，可以把他们分成几类？哪个人物给你的印象最深刻？
6. 这篇文章里，作者对于自然环境和社会环境的描写十分生动、清晰。在第一部分和第四部分，他是怎么描写刑场和坟场这两个地方的？这样的描写对突出人物形象及当时的心情有什么作用？
7. 小说最后，夏瑜的妈妈发现夏瑜的坟上有“一圈红白的花，围着那尖圆的坟顶”，“没有根，不像自己开的”，“亲戚本家早不来了”。作者为什么在小说结尾做这样的安排？这种安排表达了作者什么样的感情？
8. 华家、夏家这两户人家的悲剧是小说的两条线索。叙述华夏两家的悲剧具体是什么。两个悲剧之间的关系是什么？
9. 华、夏两家的悲剧，哪个更悲惨？为什么？“华夏”这个词在中文里有什么意思？鲁迅选择这两个字作为两家的姓氏，寓意是什么？
10. 鲁迅为什么把这篇小说命名为《药》？

五、新闻报告

无论是说鲁迅推动了新文化运动的发展，还是说新文化运动创造了鲁迅这样一个文坛英雄，鲁迅和新文化运动都有着密不可分的关系。只有对新文化运动有一定的了解才能读懂鲁迅的作品。请在网络上搜索有关“新文化运动”的信息，将调查结果做成PPT，以口头报告的形式和其他同学分享。

报告中，请讨论以下内容：

☆ 五四运动发生的历史背景和导火索是什么？
☆ 五四运动和新文化运动是否是一个概念？二者有什么关系？
☆ 新文化运动有哪些口号？
☆ 新文化运动有哪些代表人物？他们提出哪些主张？
☆ 新文化运动对中国的社会和文化产生了哪些深远的影响？

六、专题调查与报告

采访一个中国人，请他介绍一篇他最欣赏的新文化运动时期的文学作品。下次课上汇报你的采访结果。

采访问题参考：

☆ 这篇作品，属于什么文学类型（小说、散文、杂文、诗歌等）？作品主要内容是什么？

☆ 你为什么喜欢这篇作品？作品哪个方面（语言、情节、思想等）给你留下最深刻的印象？

☆ 这篇作品的作者是谁？新文化运动中，他占据怎样的地位？他的作品对后人有何影响？

七、篇章与写作：评论一篇小说

文学评论是对作家、作品和相关文学现象进行批评或议论的文章，其主要任务是分析作品的内容和形式，探讨作家创作的方法与特点，总结艺术规律，帮助其他读者提高阅读和鉴赏能力。一般来说，小说的文学评论由以下四部分构成：

一、**引入：**简明介绍作者信息、创作背景及作品的类型和主题等。选择针对哪个方面（思想内容、表现手法、人物形象、语言风格、文章结构等）进行评论。

二、**内容复述：**概括复述作品内容，注意突出和你观点相关的部分。

三、**分析评价：**

1. 选择作品最有特色的方面进行深入分析，如人物塑造、文章结构、语言、写作手法、作品主题以及社会意义等。
2. 联系实际及自己的感受，探讨作品的文学影响、学术贡献或社会意义。

四、**总结：**重申照应开头，进一步明确、深化论点。

文学评论不论长短，都要做两件事情：一是介绍作品的有关内容，二是发表评论者的观点。前者用叙述，后者用议论。文学评论中的叙述主要起两种作用：一是介绍故事梗概；二是具体情节或细节的援引。议论部分应联系实际或自身感受写出新意，议论部分不必面面俱到，要学会选取一个角度，突出评论要点。一篇好的评论文章要做到叙议结合，有理有据。

下面列表总结了一些小说评论的常用结构、句式及词汇。

结构		常用句式、词汇
引入		1.……创作于……年;2.……是……的重要作品;3.……引起了……的关注/讨论/注意/争鸣;4.在……方面,尤为特别;5.将从……方面对……进行分析/评价
内容复述		1.小说讲述了一个……的故事;2.……的故事情节是……;3.小说按照……的顺序进行展开;4.故事的线索是……;5. 故事发生在……;6.小说最后结局是……;7.一个值得注意的细节是……;8. 给我印象最深刻的细节是……;9.悲惨/幸福/遗憾/圆满/愉快/伤心/悲剧/喜剧;10.时间 / 地点 / 人物 / 事件起因 / 经过 / 结果 / 主人公 / 经历/命运/社会背景 / 历史背景 / 场景
从不同角度进行分析、评价	结构方面	1.这篇小说运用了……的叙述方式(顺叙/倒叙/插叙);2.故事以……为线索展开(人物、时间、空间为等);3.故事的发展有两条线索:一条是……,另一条线索是……;4.小说采取双线结构/单线结构/;5. 这篇小说的明线是……,暗线是……;6.开门见山/以小见大/层层深入/过渡自然/前后呼应/伏笔铺垫
	人物塑造	1.作者笔下的人物生动鲜活,富有生活气息;2.作品中的每一个人物都性格鲜明,各具特色,给人留下深刻的印象 3.在人物塑造上,作者使用了……的方法;4.肖像描写/心理描写/语言描写/动作描写/环境描写
	语言特色	1.这篇小说在语言上具有……的风格;2.幽默/辛辣/平实/质朴/明快/清新/含蓄/深沉/准确/简练/生动形象/绚丽;3.在……(文章中某一细节),小说使用了……的修辞手法;4.比喻/拟人 / 反问/对偶/对比/夸张/反语/双关/排比/反复
	主题思想	1.作者通过对……的刻画,反映了……的社会现实,表现了……的主题思想; 2.这篇作品主题深刻,具有……的意义; 3.然而,作品也带有一定的历史/社会局限性,具体表现在……
总结与评价		1.小说在……方面获得极大成功,称得上是……的作品;2.虽然在……方面还有缺陷,但……不失为……作品;3.是……的代表作 / 经典 / 里程碑;4.是了解……的一扇窗户;5.具有……意义;6.反映了……的社会现实

练习:写一篇关于鲁迅小说《药》的文学评论,内容可以侧重于作品的主题和社会意义,也可以侧重于作品中的人物形象、情节或语言。

视频一文本

视频一：鲁迅生平（一）

1881年9月25日，鲁迅诞生在风景优美的江南城镇绍兴。鲁迅18岁的时候离开了故乡绍兴，到了被绍兴许多人所唾骂、所看不起的新式学堂，不要学费的南京水师学堂就读。就在鲁迅赴南京求学的那一年，发生了“戊戌变法”事件。维新变法运动虽然失败了，但维新思想却是无法禁绝的。中国已经到了大变革的前夜，只图治标而不治本的改良运动已无法挽救中华民族的命运。忧国忧民的知识分子继续求索振兴中华的真理。

1902年，鲁迅受公派到日本留学。鲁迅自己说，他学医是知道西方的医学对日本的明治维新有很大的促进作用，他希望学会了西医回国以后可以医治国人衰弱的体质，同时也可以推动维新思想。在仙台医专学习期间，学校在课后时常放一些时事影片给学生们看。当时，日俄两国在我国东北交战。一次影片中发现了这样的镜头：一个给俄国人做侦探的中国人被日军俘虏后要杀头，一群中国人围在一旁呆看。课堂上看影片的学生欢呼“万岁”，这欢呼声刺痛了鲁迅的心。那些被杀头的和那些在一旁麻木观看的同胞，身体不能说不健壮，可他们要么成为别人屠刀下的祭品，要么充当观赏别人屠杀自己同胞的看客，这难道不是更大的悲剧吗？由此看来，对于有着亡国灭种危险的中华民族来说，拯救灵魂比拯救身体更急迫，更重要。

视频二文本

视频二：鲁迅生平（二）

1909年，鲁迅和弟弟周作人（Zhōu Zuòrén）将翻译的作品编成《域外小说集》，出版了两册，成为中国译介欧洲新文艺的先声。也是在这一年，鲁迅回到阔别七年的祖国。鲁迅回国后不久，应蔡元培（Cài Yuánpéi）之邀到北京教育部工作。

1918年5月，鲁迅在《新青年》发表了中国第一篇白话小说《狂人日记》。作品主题之大胆，笔触之深刻，手法之新颖，令读者大为震惊。小说的主人公是一个疯子。他之所以被人看作疯子，是因为他比谁都清醒，“我翻开历史一查，这历史没有年代，歪歪斜斜的每页上都写着‘仁义道德’几个字。我横竖睡不着，仔细看了半夜，才从字缝里看出字来，满本都写着两个字是‘吃人’”。

1921年12月，鲁迅在《晨报》副刊连载发表了一部足以同世界上任何伟大作品媲美的小说《阿Q正传》。鲁迅用一种寓言的文体，创造出一个寓言式的人物——阿Q，而这个人物连名字都没有。根据中国人的研究，这个Q就是一张没有五官的脸，后面有一根辫子。“哀莫大于心死”，阿Q的最大悲哀在于，他注定不能觉悟，而更加不幸的是，阿Q的性格恰恰是那个时代中国人性格的缩影，或者说，阿Q的悲剧正是那个时代中华民族的悲剧。

鲁迅不仅是伟大的思想家和文学家，中国现代文化革命的主将，同时也是中国人民对外交流的积极活动家。他一生中所交的外国朋友不计其数，而他所翻译的外国文学作品的字数同他创作的字数几乎一样多。

1936年10月19日凌晨5时25分，鲁迅的心脏停止了跳动。鲁迅刚刚去世的时候，与他同时代的一位作家郁达夫（Yù Dáfū）曾这样断言：“鲁迅虽死，其精神当与中华民族永存。”

视频三文本

视频三：五四运动

1919年5月4日，北京学生在天安门前举行爱国游行示威，掀开了中国现代历史的序幕。五四运动，不是一次偶然的历史事件。在五四前后的数年间，中国的思想界发生了一次意义极为深远的新文化运动。鸦片战争之后，在面临西方文明的空前挑战面前，中国的志士仁人，为了拯救祖国和数千年的文化传统，进行了一次又一次的艰难探索。从技术层面到制度层面，逐步深化，开始了向西方的全面学习。然而从洋务运动、戊戌变法，到辛亥革命，一次又一次的惨痛失败，把中国的思想先驱们逼到了绝境。这时，出现了一种复古倒退的思潮，企图恢复封建纲常礼教制度。与此同时，陈独秀（Chén Dúxiù）创办了《新青年》杂志，针锋相对地倡导社会进步的思想，宣传民主、科学、开放和革新。北京大学是五四新文化运动的中心，当时的校长蔡元培（Cài Yuánpéi）实行了“思想自由，兼容并包”的办学方针，于是一些思想巨人们逐渐汇聚到这里。新文化运动终于触及中国人的灵魂深处，一向被认为完美无缺的文化传统暴露出种种缺陷，要挽救这个文化就必须向它开刀。一场深刻而痛苦的精神手术已经无可回避。陈独秀与胡适（Hú Shì）大力鼓吹文学革命，鲁迅用他那支犀利的笔开始解剖国人被陈腐文化所败坏的灵魂，而李大钊（Lǐ Dàzhāo）则把目光投向了马克思主义。五四新文化运动打开了一道历史的闸门，现代中国的进步潮流终于不可阻挡地滚滚向前。

专题十四　“80后”

主要内容

“80后”是深受改革开放与计划生育政策影响的一代人，他们“在改革中出生，在开放中成长，在发展中成熟”，如今已经逐渐成为推动中国社会发展的中坚力量。“80后”的成长经历是当代中国社会发展的缩影，在某种程度上，可以说这一代人是未来中国乃至世界的领导者。了解“80后”的成长环境及其群体特征不但可以帮助我们更深入地了解当代中国社会，也可以以此预测中国未来发展的方向。

本专题以阅读文章为主要学习材料，主课文《“80后”青年的时代特征》从不同方面分析了“80后”成长的特殊社会背景与其群体特征之间的关系。背景视频一和视频二介绍了两位“80后”的代表人物，视频三则总结了这一代人独特的群体特征。

学习目标

1. 了解“80后”的群体特征，成长的时代背景以及公众对其的评价。
2. 学习撰写学术性议论文。
3. 结合时代背景和社会环境分析不同人群的群体特征。

重点学习材料　阅读

“80后”青年的时代特征——历史社会化的产物

思考题：

1. 本文中，“80后”的定义是什么？
2. 本文作者认为“80后”成长的社会大背景有哪些特点？
3. 作家简宁列举了哪些“80后”的缺点？在你看来这些行为是不是缺点？简宁为什么认为是缺点？
4. 本文作者认为评价某一群体的特征时应注意哪些方面？

【摘要】“80后”青年是伴随改革开放进程成长的一代，社会化进程中的重要条件与事件都对他们有重要的影响。本文从经济、政治、文化与社会四个因素来分析“80后”青年成长的社会化条件，将“80后”的特性融入社会时代背景加以讨论，分析“80后”青年时代特性与社会结构的嵌入性，指出“80后”青年是历史社会化的产物，应在社会历史背景和社会发展趋势中评价“80后”青年。

【关键词】80后；社会评价；社会化

“80后”这个概念最早由少年作家恭小兵(Gōng Xiǎobīng)提出，是文坛对上世纪80年代出生的年轻作家的统称。随后“80后”的指称迅速流传并在网络中被高频率使用，用来指代整个20世纪80年代出生的年轻人。由于“80后”青年所具有的城市文化性[1]，本文所论述的“80后”具体所指为1978年到1989年间出生的城市青年。本文试以社会学视角，发挥社会学想象力来分析评价“80后”青年所具有的时代特征，而不同于以往从个体表现来演绎总体特征。

迈克尔·布雷克[2]认为："年龄是形成一个行为角色社会的和文化的特点的基础。"一代人有一代人的特点和问题，马克思曾说过："问题是时代的格言，是表现时代自己内心状态的最实际的呼声。"作为"80后"的当代青年，有着独特的成长环境和发展历程，具有鲜明的时代特征。"80后"是生于改革开放的新时代，长于物质、信息爆炸式增长的新时代的青年。他们成长的时期，正是中国社会急剧变革，经济建设发展最快、社会结构转型最为激烈、科学技术发展最为迅速、人们思想观念最为解放、价值观也最为多元化的时期——这构成了这代人成长与发展的社会大背景。

一、优越的"80后"在于富足的经济生活

1978年中国共产党举行十一届三中全会，开启了一个"以经济建设为中心"的时代。通过30年的改革开放，我国建立了以公有制经济为主导，多种经济形式并存的所有制结构，及以市场调节为主要手段的资源配置体制和遵循价值规律的竞争体制，大大地解放和发展了生产力，综合国力显著增强，人民的生活水平得到了改善和提高，从贫困到小康再到富裕；而计划生育政策的实行，使大部分城市孩子成为家庭的中心。

可以说，"80后"的成长过程与整个中国社会的现代化进程相伴随。他们喝着可口可乐和酸奶长大，手机、笔记本电脑是他们的高级玩具。在物质生活上，"80后"青年具有一种天生的优越感，他们没有对过去极端贫困的记忆，艰苦奋斗似乎与他们有着天然的距离，因此在不少老一辈人眼里，80后勤劳勤俭意识差，克服困难取得成功的动力相对较弱。

二、自由的"80后"来自趋向于民主宽松的政治环境

"80后"青年诞生时，僵化的政治环境已经得以转型，向趋于民主宽松的方向发展。随着经济的迅速发展，我国的社会阶级结构、阶层结构由

单一转向了多元化，新兴社会力量的政治参与不断扩大，这给传统政治体制提出了巨大的挑战，推动了政治体制改革。人们获得较广泛的言论自由，思想得以深度解放，敢于挑战一些传统框框和权威迷信。

在这种民主宽松的环境中成长的“80后”青年，感受着基层民主的实践，积极参与网络民意表达。在政治思想上，“80后”青年透着与自由浑然一体的气息，他们反对泛政治化，在他们眼里没有那么严肃的意识形态；他们相信事实，大道理不太能打动他们，他们认为自己有理就会坚持到底；他们思维独立，具有批判精神。“80后”追求对事物的理解有不一样的角度，他们评判事物的标准往往不同于父母和教师，而且还会想方设法让父母和教师接受他们的评价标准。同时“80后”青年充满激情，富于创新，有开拓精神，但他们的激情往往来得快、去得也快，而且团队意识也稍差[3]。

三、多样的“80后”源于多元的文化结构

“80后”生活在思想解放和文化多元的社会。其少年时代，即在20世纪90年代初期后，是我国社会文化呈多元化发展的重要时期。十几年的改革开放，当代社会和经济领域的巨大变化有目共睹，但隐藏在这种社会现实变化背后的人的精神状态、价值观念和文化形态的变化，处于一种暧昧不明的状态，而敏感的“80后”青年更是受此时的文化精神状态影响。

电影、电视、数码照相机、DV、网络、短信、广告、时装秀、游戏机、时尚杂志、动漫、宣传画等大众媒介所传播的各种符号和图像，正在迅速地侵入我们生活的每一个角落，占据着人类生存的一切空间[4]。多样的“80后”青年是与社会的多元文化发展相一致的。“80后”赶上了一个众声喧哗的文化时代，文化的冲突、观念的碰撞、思想的互渗，构成了中国思想文化发展史上前所未有的多元开放景观。多元的社会给个人提供了

多样选择的机会，也给这代新人充分发挥自己的个性创造了广阔的空间，他们不再被陈规陋俗所束缚，不再被各种教条所禁锢。这些变化导致行为选择的多元化，在求学、就业、择友、消费等方面他们都表现出行为选择的多元化特征。

四、开放的“80后”青年源自开放的社会

从70年代末期开始，中国人如饥似渴地学习吸收国外各种新事物、新文化，中国从此由封闭走向开放。“80后”青年拥有了一个与其前辈完全不同的成长环境，“开放”这样一种特质，也在青年身上“发生”着，成为一种可贵的精神品格。

“80后”善于以国际化为背景，关注世界的各种新变化，不盲从、不狂热，善于独立思考问题。他们通过现代信息技术、旅游、交流等多种渠道，发表自己对各种国际化问题的意见。去网络上浏览一番，就可感受到当代青年积极参与的巨大热情。同时，作为改革开放背景下成长起来的一代，当代青年在外国人面前显得非常自信，他们利用各种途径，积极参与各种国际化活动，参与各种国际竞争。他们能以现代化、国际化的眼光观察世界，使他们形成了更加面向世界，更具有全球意识的新特征。

在很长一段时间，社会各界对“80后”青年有着较多的指责和担心，不少人都认为“80后”在思想上存在不思进取、价值观念功利化、责任意识淡薄、价值思想过于理想化等问题[5][6]。2006年3月15日，上世纪60年代出生的作家简宁(Jiǎn Níng)在《南都周刊》上撰文指出，“发现‘80后’一代人身上存有普遍的缺陷，有的缺陷还是致命性的。”在列举了“不叠被子”“爱喝饮料”“爱看动画片”等特征后，这位作家继续写道：“这就是‘80后’的一代，我真是担心，20年后这个社会要由他们来支撑。”文章发表后被几经转载，引发了社会各界对“80后”评价与“80后”自我评价的观点对峙。

无论社会如何评价他们，他们终究还是走向了历史的前台。2008年，随着“80后”在西藏事件、奥运火炬海外传递、汶川大地震、奥运会与残奥会志愿者服务等一系列重大事件中的突出表现，社会对“80后”批判的锋芒渐弱，转而出现来自各界的高度褒扬之声。《他们胜于过去任何一代人》《是灾难成就了“80后”，还是“80后”早已成长》《西藏事件让中国“80后”一代备受关注》《“80后”将是最伟大的一代中国人》等报道与撰文章铺天盖地而来，社会再度掀起了对“80后”评价的热潮，不同以往的是主流声音饱含热切的肯定，而非尖锐的批判。

从国外的类似研究来看，无论是美国的“垮掉的一代”，还是法国的“迷惘的一代”与日本的“新人类”[7]，都不曾真正迷惘和垮掉，他们年轻时的格格不入并不影响他们作为一代人为推动社会和时代进步所做的贡献。由此给我们的警示是：对“80后”的评价不能以点概面，更不能凭主观感受妄加论断。

“80后”是飞速向前、急迫成长的一代，他们接受新事物的速度之快，思想观念与行为方式的独立与多样，都是上一代人难以企及的，他们成为最先把握世界上新信息、新事物、新变化的人群。笔者认为，脱离社会历史背景和社会发展趋势来评价“80后”是一种历史虚无主义。任何对于“80后”青年的评价都必须有这种自觉，才能不至于一叶障目。无论我们采用什么样的标准和视角来评价“80后”青年，无论“80后”青年这一代是优是劣，他们都是社会的产物，而不宜对这一群体横加指责与苛求。

参考文献

[1] 方奕，关于“80后”概念的思考，《中国青年研究》，2008(8)。

[2] [加]迈克尔·布雷克，《越轨青年文化比较》，北京理工大学出版社，1988。

[3] 苏华、肖坤梅，论“80后”员工的工作特点及管理，《当代青年研究》，2008(4)。

[4] 王瑛，当代文化的图像化特征透视，《山西煤炭管理干部学院学报》，2007(2)。

[5] 王雪莲，试论“80后”大学生责任意识的弱化及教育培养对策，《上海青年管理干部学院学报》，2008(1)。

[6] 马秀英、商素等，80后大学生理想、信念建构研究，《河北工程大学学报(社会科学版)》，2007(1)。
[7] [日]千石保，《日本的“新人类”》，上海：上海社会科学院出版社，1989。

（文本选自《中国青年研究》2009年第7期，作者：魏水英，有删改
引用网址：http://www.cycs.org/FMInfo.asp?FMID=2&ID=13002）

生词表

1. 概念	gàiniàn	*n.*	concept
2. 文坛	wéntán	*n.*	the literature arena, the literature world
3. 统称	tǒngchēng	*v.*	be called by a joint name
4. 演绎	yǎnyì	*v.*	deduce
5. 格言	géyán	*n.*	maxim, motto
6. 呼声	hūshēng	*n.*	opinions and requirements of the masses
7. 十一届三中全会	Shíyījiè Sānzhōng Quánhuì	*p. n.*	The Third Plenary Session of the Eleventh Central Committee
8. 所有制	suǒyǒuzhì	*n.*	system of ownership
9. 调节	tiáojié	*v.*	regulate, adjust, monitor
10. 配置	pèizhì	*v.*	configuration, allocation
11. 体制	tǐzhì	*n.*	system of organization
12. 小康	xiǎokāng	*adj.*	relatively comfortable life, family’s financial condition that ensures a middle-level living
13. 富裕	fùyù	*adj.*	prosperous, affluent, well-off
14. 酸奶	suānnǎi	*n.*	yogurt
15. 优越感	yōuyuègǎn	*n.*	sense of superiority
16. 艰苦奋斗	jiānkǔ fèndòu		work hard and perseveringly, struggle hard amid difficulties
17. 勤劳	qínláo	*adj.*	diligent, industrious
18. 勤俭	qínjiǎn	*adj.*	hardworking and thrifty
19. 克服	kèfú	*v.*	overcome

20. 趋向于	qūxiàng yú		tend to
21. 宽松	kuānsōng	*adj.*	loose and comfortable
22. 僵化	jiānghuà	*v.*	fossilize
23. 伴随	bànsuí	*v.*	accompany
24. 框框	kuàngkuàng	*n.*	restrictions and regulations
25. 权威	quánwēi	*n.*	authority
26. 浑然一体	húnrán yì tǐ		all blend into one harmonious whole
27. 批判精神	pīpàn jīngshén		critical spirit
28. 评判	píngpàn	*v.*	evaluate and judge
29. 想方设法	xiǎng fāng shè fǎ		find ways and means to
30. 激情	jīqíng	*n.*	passion
31. 开拓精神	kāituò jīngshén		pioneering spirit
31. 有目共睹	yǒu mù gòng dǔ		be obvious to anyone who has eyes
33. 隐藏	yǐncáng	*v.*	hide, conceal, remain under cover
34. 暧昧	àimèi	*adj.*	(of attitude, intentions, etc.) noncommittal, ambiguous
35. 时装秀	shízhuāngxiù	*n.*	fashion show
36. 游戏机	yóuxìjī	*n.*	video game player
37. 侵入	qīnrù	*v.*	invade, intrude into
38. 喧哗	xuānhuá	*v.*	make an uproar, make a racket
39. 互渗	hùshèn	*v.*	mutually infiltrate
40. 景观	jǐngguān	*n.*	scenery, landscape
41. 陈规陋俗	chén guī lòu sú		outdated conventions and bad customs
42. 束缚	shùfù	*v.*	tie, bind up, fetter, keep within a narrow scope
43. 禁锢	jìngù	*v.*	imprison
44. 如饥似渴	rú jī sì kě		as if thirsting or hungering for sth., with great eagerness

45. 前辈	qiánbèi	*n.*	senior, predecessor, older generation
46. 特质	tèzhì	*n.*	special quality
47. 盲从	mángcóng	*v.*	follow blindly
48. 狂热	kuángrè	*adj.*	fanatic
49. 浏览	liúlǎn	*v.*	browse
50. 不思进取	bù sī jìnqǔ		make no attempt to make progress
51. 功利	gōnglì	*n.*	utilitarian
52. 淡薄	dànbó	*adj.*	not woo fame and fortune
53. 撰文	zhuàn wén		write articles
54. 致命	zhìmìng	*v.*	fatal
55. 叠	dié	*v.*	fold
56. 几经	jǐjīng	*adv.*	several time, time and again
57. 对峙	duìzhì	*v.*	stand facing each other, confront each other
58. 终究	zhōngjiū	*adv.*	after all, eventually
59. 前台	qiántái	*n.*	front desk
60. 残奥会	Cán'àohuì	*p. n.*	the Paralympic Games
61. 锋芒	fēngmáng	*n.*	cutting edge, talent displayed
62. 褒扬	bāoyáng	*v.*	praise
63. 铺天盖地	pū tiān gài dì		blot out the sky and cover up the earth, be swarming with sth.
64. 饱含	bǎohán	*v.*	full of
65. 热切	rèqiè	*adj.*	warm and cordial, earnest
66. 尖锐	jiānruì	*adj.*	sharp, incisive, keen
67. 垮掉	kuǎdiào	*v.*	break down
68. 迷惘	míwǎng	*adj.*	perplexed, be at a loss
69. 格格不入	gégé bú rù		incompatible with, out of tune with
70. 警示	jǐngshì	*v.*	caution
71. 妄加	wàngjiā	*v.*	give sth. recklessly or lightly

72. 难以企及 nányǐ qǐjí unattainable
73. 虚无主义 xūwú zhǔyì nihilism
74. 一叶障目 yí yè zhàng mù have one's view of the important overshadowed by the trivial, failed to see the whole picture of a thing or the essence of a question clearly
75. 横加 héngjiā *v.* do sth. to sb. unreasonably forcibly, willfully
76. 苛求 kēqiú *v.* be overcritical, judge too harshly

注释:

十一届三中全会:"中国共产党第十一届中央委员会第三次全体会议"的简称,于1978年12月18至22日在北京召开。在这次会议上,中国共产党做出实行改革开放,建设有中国特色社会主义新道路的决策,因此这次会议具有重大的历史转折意义。"The Third Plenary Session of the Eleventh Central Committee" is the short term for "The Third Plenary Session of the 11th Central Committee of the Communist Party of China" which was held in Beijing from the 18th-22nd of December 1978. At the meeting, the Chinese Communist Party made strategic policy decisions to implement reform and open up, and to build a distinct socialist country with Chinese characteristics. Hence, this meeting was a momentous turning point in history.

重点句型与词汇

1. 得以 so as to make it possible to ..., so that ... can...

(1)"80后"青年诞生时,僵化的政治环境得以转型,向趋于民主宽松的方向发展。

(2)正是因为中国严格执行计划生育政策,人口问题才得以缓解。

(3)美国出台了大量刺激经济的政策,最终使其经济得以缓慢复苏。

2. "于"的用法

(1)趋(向)于 tend to ..., incline to...

1)自由的"80后"来自趋向于民主宽松的政治环境。

2）这位纪录片导演的作品越来越趋于商业化，跟他早年作品的风格大相径庭。

3）中国的制造业已经趋于饱和，甚至有生产过剩的现象。

(2) 富于　be full of (abstract N.)

1）“80后”青年充满激情，富于创新，有开拓精神，但他们的激情也往往来得快、去得也快，而且团队意识也稍差。

2）美国人富于冒险精神是众所周知的。

3）梵高(Fàngāo, van Gogh)的画富于激情，常常给人非常深刻的印象。

(3) 源于　originate/stem from ...

1）“80后”行为选择的多样化源于多元的文化结构。

2）经济危机源于资本主义制度，因此是不可避免的。

3）很多英语词汇源于拉丁文。

(4) 处于……（状态／境地／环境／时期／优势／劣势） be in (certain circumstances), at a ...(state/ situation / environment / period / advantage / disadvantage)

1）改革开放后，人的精神状态、价值观念和文化形态的变化，处于一种暧昧不明的状态，而敏感的“80后”青年更是受此时的文化精神状态的影响。

2）随着中美关系的发展，中美两国已不再处于敌对状态。

3）由于社会的偏见，女大学生在就业市场上相对处于劣势。同等条件下，用人单位更喜欢聘用男性申请者。

(5) 善于 + V.　be good at V-ing

1）“80后”善于以国际化为背景，关注世界的各种新变化，不盲从、不狂热，善于独立思考问题。

2）我弟弟不太善于表达自己，因此到现在还没有女朋友。

3）这位作家在北京住过十几年，因此十分善于描写北京的风土人情。

3. 由……走向／转向……　transform from ... to ..., change from ... to ..., (taken a) turn towards

(1) 从70年代末期开始，中国人如饥似渴地学习吸收国外各种新事物、新文化，中国从此由封闭走向开放。

(2) 这位专家认为，中国进入消费新时代，正在由工业大国走向服务业大国。

(3) 近几年，中国高校科研重点大有从人文科学转向自然科学的趋势。

4. 凭……VP　VP depending on..., VP based on...

(1) 对“80后”的评价不能以点概面，更不能凭主观感受妄加论断。

(2) 我不是“官二代”，也不是“富二代”，要凭自己的真本事吃饭。

(3) 从事学术研究不能凭自己的想象，得进行严密的研究、论证。

5. 妄加 + V.　V. improperly, V absurdly

横加 +V.　V. without reason, V arbitrarily

(1) 对“80后”的评价不能以点概面，更不能凭主观感受妄加论断。

(2) 无论“80后”青年这一代是优是劣，他们都是社会的产物，而不宜对这一群体横加指责与苛求。

(3) 你不了解事情的真相，就不要对此事妄加评论。

(4) 他希望成为一名钢琴家，而他的家人却对这一梦想横加阻挠(zǔnáo, obstruction)。

词语搭配

1. 鲜明的 + N.

~时代特征 | ~个人风格 | ~特点 | ~个性 | ~特点 | ~主题 | ~印象 | ~观点 | ~旗帜

(1) 作为“80后”的当代青年，有着独特的成长环境和发展历程，具有鲜明的时代特征。

(2) 李白的诗充满了想象力，具有鲜明的个人风格。

(3) 这款手机没有什么鲜明的特点，价格也偏高，因此销量不太好。

2. ________制

所有~ | AA~ | 九年~ | 私有~ | 公有~

（1）通过近30年的改革开放，我国建立了以公有制经济为主导，多种经济形式并存的所有制结构。

（2）我和朋友们在外聚餐，之后一般采取AA制付账。

（3）中国法律规定实行九年制义务教育，也就是说所有适龄儿童都必须接受小学六年和初中三年的教育。

3. A、B并存

古今~ | 繁简~ | 新旧思想~ | 中外文化~

（1）通过近30年的改革开放，我国建立了以公有制经济为主导，多种经济形式并存的所有制结构。

（2）杭州是一座古今并存的城市，既是历史文化名城，又是时尚潮流之都。

（3）面对中外文化并存的现象，我们既要大力弘扬优秀传统文化，也要虚心向别的国家学习。

4. ________意识

勤俭~ | 环保~ | 法治~ | 责任~ | 爱国~ | 自我~ | 团队~ | 民主~ | 潜~

（1）在不少老一辈人眼里，80后勤劳勤俭意识差，克服困难取得成功的动力相对较弱。

（2）我们应该从小就培养孩子的环保意识。

（3）增强公民的法治意识是全面依法治国的重要任务。

5. 克服+ N.

~困难 | ~障碍 | ~恐惧心理 | ~不利因素（的影响）

（1）在不少老一辈人眼里，80后勤劳勤俭意识差，克服困难取得成功的动力相对较弱。

（2）为了克服自己与他人沟通的障碍，她决定接受心理专家的治疗。

（3）最近十来年，中国克服了国内外种种不利因素带来的影响，继续保持国民经济的稳定增长。

6. 僵化的+N.

~政治环境 | ~社会结构 | ~关系 | ~体制 | ~思想 | ~观念

(1)"80后"青年诞生时，僵化的政治环境已经得以转型，向趋于民主宽松的方向发展。

(2)僵化的社会结构会导致贫富差距进一步扩大，不利于社会和谐发展。

(3)自从上次大吵一架以后，他们夫妻俩就一直维持着这种僵化的关系，互不理睬。

7. ________精神

批判~ | 爱国主义~ | 科学~ | 法制~ | 创新~ | 开拓~

(1)同上一代人相比，"80后"思维独立，具有批判精神。

(2)中国的正统教育非常重视培养学生的爱国主义精神。

(3)做学术研究要有独立思考和大胆批判的科学精神。

8. 浏览 + N.

~网页 | ~新闻 | ~报纸 | ~图片 | ~博客

(1)去网络上浏览一番，就可感受到当代青年积极参与的巨大热情。

(2)王先生习惯在每天吃完早饭后浏览一下当天的《人民日报》。

(3)越来越多的人选择在网络上浏览新闻，这对纸质媒体是一个很大的挑战。

9. 尖锐的+N.

~批判 | ~矛盾 | ~叫声 | ~指责 | ~声音 | ~金属物

(1)社会再度掀起了对"80后"评价的热潮，不同以往的是主流声音饱含热切的肯定，而非尖锐的批判。

(2)姐弟两人原本感情很好，如今为了财产分配产生了尖锐的矛盾，两家人已经很久没有联系了。

(3)人群中突然发出尖锐的叫声，把大家都吓了一跳。

成语

1. 艰苦奋斗：在艰难困苦的条件下进行顽强的斗争。

(1)在物质生活上，"80后"青年具有一种天生的优越感，他们没有对过去极端贫困的记忆，艰苦奋斗似乎与他们有着天然的距离。

(2) 艰苦奋斗一直以来都是中华民族的优良传统。

(3) 没有前人的艰苦奋斗，就没有我们今天的幸福生活。

2. 想方设法：为了达到某个目标，想尽种种办法。

(1) “80后”评判事物的标准往往不同于父母和教师，而且还会想方设法让父母和教师接受他们的评价标准。

(2) 为了实现自己的创业梦，他想方设法筹集到了一笔不小的资金。

(3) 这两家网上订车公司曾想方设法争夺用户，没想到却在2015年的情人节宣布合并了。

3. 有目共睹：有眼睛就看得见，形容极为明显。睹：看见。

(1) 十几年的改革开放，当代社会和经济领域的巨大变化有目共睹。

(2) 近年来，各级政府的反腐成效是有目共睹的。

(3) 电子商务在中国的高速发展是有目共睹的。

4. 陈规陋俗／陈规陋习：指已经过时的不合理的规章制度和坏的习惯。陋：坏，不合理的。

(1) 多元的社会给个人提供了多样选择的机会，也给这代新人充分发挥自己的个性创造了广阔的空间，他们不再被陈规陋俗所束缚，不再被各种教条所禁锢。

(2) 我们要改革创新，坚决打破封建社会的那一套陈规陋俗。

(3) 在法律上强调性别平等，维护妇女权益，有利于消除中国传统上重男轻女的陈规陋习。

5. 如饥似渴：形容要求很迫切，就像饿了急着要吃饭，渴了急着要喝水一样。

(1) 从70年代末期开始，中国人如饥似渴地学习吸收国外各种新事物、新文化，中国从此由封闭走向开放。

(2) 一拿到新书她就如饥似渴地读了起来。

(3) 他是机器人技术的专家，刚一回国就有很多企业跟他联系，他明显感到国内企业对机器人技术的需求可谓“如饥似渴”。

6. 不思进取：不想努力上进，无所作为。

（1）在很长一段时间，社会各界对“80后”青年有着较多的指责和担心，不少人都认为“80后”在思想上存在不思进取、价值观念功利化、责任意识淡薄、价值思想过于理想化等等问题。

（2）张师傅虽然工作平凡，但一生自强自立，不喜欢不思进取的人。

（3）他安于现状，自以为是知足常乐，在别人看来却是不思进取。

7. 铺天盖地：形容来势浩大、猛烈，到处都是。

（1）《他们胜于过去任何一代人》《是灾难成就了“80后”，还是“80后”早已成长》《西藏事件让中国“80后”一代备受关注》《“80后”将是最伟大的一代中国人》等报道与撰文铺天盖地而来，社会再度掀起了对“80后”评价的热潮。

（2）政府宣布这项新的医疗政策以后，网络上的评论就铺天盖地席卷而来。

（3）去年年底找工作特别难，虽然公司招聘广告铺天盖地，但我却一个工作都没找到。

8. 格格不入：指互相抵触，彼此不协调，不相容。格格：抵触，阻碍。

（1）他们年轻时的格格不入并不影响他们作为一代人为推动社会和时代进步所做的贡献。

（2）在这个农村小镇里，李小姐艳丽的着装显得跟当地的环境格格不入。

（3）他坚持自己慢节奏的生活，这似乎与当今讲究“高速高效”的社会格格不入。

9. 一叶障目／一叶蔽（bì）目：一片树叶挡住了眼睛。形容为局部的或暂时的现象所迷惑，不能认清事物的全貌或问题的本质。障：挡住。

（1）任何对于“80后”青年的评价都必须有这种自觉，才能不至于一叶障目。

（2）媒体不应一叶障目，仅仅因为一些小失误就否定这位科学家取得的全部成就。

（3）处理问题时要全盘考虑，才能避免一叶障目。

补充学习材料 视听理解

视频一 "80后"代表人物——姚明

思考题：

1. 小时候，哪些"第一次"的经历让姚明印象深刻？
2. 退役后，姚明对什么事情非常重视？

生词表

1. 偶像	ǒuxiàng	*n.*	idol
2. 榜样	bǎngyàng	*n.*	example, model
3. 退役	tuì yì		retire
4. 慈善	císhàn	*adj.*	charity
5. 充电	chōng diàn		charge (a battery)
6. 参政	cān zhèng		participate in politics
7. 议政	yì zhèng		discuss political affairs
8. 本源	běnyuán	*n.*	origin
9. 卡西欧	Kǎxī'ōu	*p. n.*	Casio
10. 新潮	xīncháo	*adj.*	trendy
11. 联赛	liánsài	*n.*	league matches
12. 特批	tèpī	*v.*	special approval
13. 临时工	línshígōng	*n.*	temporary worker
14. 正式工	zhèngshìgōng	*n.*	full-time employee
15. 条例	tiáolì	*n.*	regulations, rules

16. 积极性	jījíxìng	*n.*	enthusiasm
17. 调动	diàodòng	*v.*	mobilize
18. 公益	gōngyì	*n.*	public interest
19. 延续性	yánxùxìng	*n.*	continuity

注释：

两会：是对自1978年以来历年召开的“中国人民政治协商会议”和“全国人民代表大会”的统称。Lianghui (literally “Two Conferences”) is the collective name for the “Chinese People's Political Consultative Conference (CPPCC)” and the “National People's Congress (NPC)” which have convened together over the years beginning in 1978.

视频二　“80后”代表人物——韩寒

思考题：

1. 韩寒觉得自己是一个叛逆的人吗？他是怎么证明的？
2. 韩寒认为学习和上学是一个概念吗？你是否同意他的观点？
3. 视频最后，韩寒说“人绝对可以中断上学”，主持人杨澜马上说“某些人，某些人”。她为什么这么说？

生词表

1. 赛车	sàichē	*n.*	car racing
2. 游刃有余	yóu rèn yǒu yú		a cook cut the whole beef into pieces with great skills and move his cleaver freely at the bones without any hindrance; <fig.> do a job with skill and ease

3. 玩票	wán piào		be engaged in theatrical performance during spare time; do sth. just for fun
4. 轻松自若	qīngsōng zìruò		relaxed and calm
5. 个中	gèzhōng	*n.*	(fml.) therein
6. 翘楚	qiáochǔ	*n.*	(fml.) an outstanding and talented person
7. 休学	xiū xué		suspend one's schooling without losing one's status as a student
8. 典型	diǎnxíng	*adj.*	typical
9. 骨子里	gǔzi lǐ		in one's innermost feelings, in substance, in the bones
10. 专辑	zhuānjí	*n.*	album
11. 自修	zìxiū	*v.*	study on one's own
12. 回顾	huígù	*v.*	look back, retrospect
13. 英明	yīngmíng	*adj.*	wise, brilliant
14. 高估	gāogū	*v.*	overrate
15. 智慧	zhìhuì	*n.*	wisdom
16. 突击	tūjī	*v.*	make a concentrated effort to finish a job quickly
17. 留级	liú jí		fail to go to the next school grade
18. 从头到尾	cóng tóu dào wěi		from the beginning to the end
19. 中断	zhōngduàn	*v.*	interrupt, discontinue, break off

视频三　个性！“80后”独特的群体特征

思考题：

1. 视频中提到“80后”有哪些群体特征？
2. 社会上对“80后”有哪些不同的看法？

生词表

1. 个性	gèxìng	*n.*	individual character, individuality
2. 人群	rénqún	*n.*	crowd, group of people
3. 逆反	nìfǎn	*adj.*	rebellious
4. 吃亏	chī kuī		suffer losses, be at a disadvantage
5. 言听计从	yán tīng jì cóng		listen to sb.'s words and follow his counsels
6. 自我意识	zìwǒ yìshi		self-awareness
7. 营造	yíngzào	*v.*	construct, create
8. 私密	sīmì	*adj.*	private
9. 应试教育	yìngshì jiàoyù		examination-oriented education
10. 抵触	dǐchù	*v.*	conflict, collide
11. 惧怕	jùpà	*v.*	fear
12. 排斥	páichì	*v.*	ostracize, repulse
13. 自暴自弃	zì bào zì qì		give oneself up as hopeless, be self-abandoned
14. 开除	kāichú	*v.*	expel
15. 主动	zhǔdòng	*adj.*	take the initiative, do sth. of one's own accord, proactive
16. 递交	dìjiāo	*v.*	submit
17. 退学	tuì xué		drop out, discontinue one's schooling

18. 前卫	qiánwèi	*adj.*	avant-garde
19. 而立之年	érlì zhī nián		thirty years of age, the year in life at which a person should be independent
20. 烂泥糊不上墙	lànní húbúshàng qiáng		mud does not hold the wall, a slang used to describe someone who is hopeless
21. 嘛	má	*pron.*	(dial.) what
22. 中坚	zhōngjiān	*n.*	nucleus, backbone, hard core
23. 救援	jiùyuán	*v.*	rescue
24. 刮目相看	guā mù xiāng kàn		treat a person with increased respect
25. 顶住	dǐngzhù	*v.*	stand up to

课后练习

一、选择最合适的词语填空

1. 当前“无人驾驶汽车”还只是一种__________产品，真正投入到大批生产的样车还没有出现。

   A. 概念　　B. 格言　　C. 思想　　D. 观念

2. 李先生的演讲__________真情实感，许多听众落下了泪水。

   A. 富裕　　B. 富足　　C. 宽松　　D. 饱含

3. 在领土争端方面，两国的矛盾十分__________，短时间内难以缓和。

   A. 鲜明　　B. 尖锐　　C. 急剧　　D. 崭新

4. 在我看来，执法部门的基本责任是__________善的行为，打击恶的行为。

A. 批判　　B. 评判　　C. 褒扬　　D. 拥护

5. 古代建筑与现代建筑＿＿＿＿＿的现象为这座城市增加了动人的风情。

A. 对峙　　B. 并存　　C. 互渗　　D. 动摇

6. 虽然他们是父子关系，但两人的感情十分＿＿＿＿＿，常年都不往来。

A. 隐藏　　B. 暧昧　　C. 淡薄　　D. 封闭

7. 旧的管理体制已经＿＿＿＿＿，必须用大胆改革才能给企业带来新的活力。

A. 束缚　　B. 僵化　　C. 禁锢　　D. 盲从

8. 科学研究十分辛苦，如果没有为科学献身的＿＿＿＿＿就难以坚持下去。

A. 精神　　B. 意识　　C. 景观　　D. 特质

9. 尽管他收入很少，但还是＿＿＿＿＿了诸多困难，把三个孩子送进一流的学校念书。

A. 克服　　B. 侵入　　C. 垮掉　　D. 开启

10. 我最近工作太忙，没时间看电视，但是睡觉前都会快速地＿＿＿＿＿一下当天的新闻标题。

A. 欣赏　　B. 浏览　　C. 阅读　　D. 观看

11. 中国人春节发红包并不在乎钱的多少，重要的是它＿＿＿＿＿了在新的一年红红火火的美好祝愿。

A. 演绎　　B. 传递　　C. 伴随　　D. 转载

12. 在上海这样的大城市，月收入5000块钱很难＿＿＿＿＿一个三口之家的生活。

A. 调节　　B. 配置　　C. 支撑　　D. 调整

13. 正是邓小平提出了对外开放的政策，深圳才＿＿＿＿＿快速发展，几年之间从小渔村变成了大都市。

A. 得以　　B. 趋向于　　C. 善于　　D. 源于

14. 表演结束时，观众席上响起了＿＿＿＿＿的掌声。

A. 激情　　B. 热切　　C. 热烈　　D. 狂热

15. 一拿到韩寒的小说《三重门》，张明就＿＿＿＿＿地读了起来，连吃饭都忘记了。

A. 想方设法　　B. 如饥似渴　　C. 理所当然　　D. 有目共睹

二、用所给的词语和句型回答问题

1. 你认为未来10年会出现很多像苹果公司这样的企业吗？（难以企及）

2. 中国实施的计划生育政策，有没有缓解人口问题？（得以）

3. 70年代中美关系有什么变化？（由……走向 / 转向……）
4. 在你看来，目前中日关系怎么样？（处于）
5. 2014年的时候，俄罗斯和乌克兰的关系一度非常紧张，现在两国关系如何？（趋向于）
6. 你最好的朋友有什么长处？（善于）
7. 哪一个国家的人最有冒险精神？请举例说明。（富于）
8. 如果别人毫无道理地指责你，你愿意接受吗？你会怎么反驳他？（横加指责）
9. 在美国高中生怎么做才能被一流大学录取？（凭）
10. 美国总统大选前关于候选人的电视广告多吗？（铺天盖地）

三、用所给的词语填空

缺陷　综合国力　公有制　迷惘　僵化　不思进取　有目共睹

（1）改革开放以前，中国基本上所有的企业都实行________，体制比较________，在管理方面也有很多________，出现了企业缺乏活力，________的状况。1978年以后，中国逐步建立了公有制为主体、多种所有制经济共同发展的基本经济制度。此后，中国经济发展迅速，________大大提高，改革的成就________。但经济快速发展的同时，不少国有企业老职工遭遇“下岗”，他们对前途感到________，找不到自己的方向。

占据　锋芒　陈规陋俗　统称　勤俭　富于　撰文　格格不入

（2）“90后”是对上世纪90年代出生者的________。他们的想法常常与老一辈人的________，甚至把父母的做法视为________。最近有人________指出“90后”身上存各种缺点，比如没有________节约的精神，缺乏理想，只爱打游戏机等等。总之，对他们批评的声音一直________着舆论的中心。但随着“90后”长大成人，他们中不少人已经在中国社会发展中露出________，______创造精神的个性也使他们在科技行业大展拳脚。

四、翻译

1. After almost 40 years of hard work and struggle, the development of Chinese society has made clearly remarkable achievements, and is currently in transitioning from a moderately

prosperous, middle-class society to a new period of affluence.

2. Using state power to arbitrarily interfere with markets is incompatible with ideas of opening up, and may even result in financial disaster. Establishing a free market with the addition of appropriate macro-control has become of widespread consensus.
3. It is only by changing the rigid ownership structure and by getting rid of various outmoded stereotypes and bad habits, that enterprises can be pushed to think of ways to increase production efficiency, and young people can be encouraged to exert their innovative and pioneering spirits, and to work hard.

五、从句段到篇章：撰写学术论文

学术论文是指按照一定的学术规范，针对某个学科、领域中的学术课题进行研究、探讨、分析论证的文章。学术论文的作者应站在一定的理论高度来观察和分析带有学术价值的问题，引述各种事实或道理去论证自己的新发现、新见解，向学术界表述自己研究的最新成果。学术论文既可以在期刊上发表或参加学术会议为目的，也可以是大学课程中各种学术性的写作练习，如期末课程论文、阅读笔记、调查报告、项目研究论文等研究分析性的文章都属于学术写作。

下面列举了一般学术论文的基本结构，以及相关说明和实例。

基本结构	说明	实例
题目	题目是对论文内容的高度概括，一个好的题目应该贴切、简明、新颖，既能迅速吸引读者的注意，也能使读者透过它了解论文核心内容。中文题目一般不宜超过24个字，必要时可增加副标题。	1. “80后”青年的时代特征：历史社会化的产物 2. 中国民间环保组织：现状、问题与前景 3. 浅谈中国“蚁族”现象 4. 试论对外汉语教学中近义词的教学原则
摘要	摘要是以最概括、最简洁的语言概括正文全部内容，包括研究目的、研究背景、研究方法、主要发现、研究意义等内容。正式学术论文摘要字数在100—300字之间，一般不分段落用一段话完成。	“80后”青年是伴随改革开放进程成长的一代，社会化进程中的重要条件与事件都将对其有重要的影响。本文从经济、政治、文化与社会四个因素来分析“80后”青年成长的社会化条件，将“80后”的特性融入社会时代背景加以讨论，分析了“80后”青年时代特性与社会结构的嵌入性，指出“80后”青年是历史社会化的产物，应在社会历史背景和社会发展趋势中评价“80后”青年。
关键词	关键词是指从论文中选取出来的最能反映全文主要内容、主要论点和结论的词语，学术论文的关键词一般为3—5个。	“80后”；社会评价；社会化

引言	引言属于整篇论文的引论部分，一般包括以下内容：研究的理由、目的、背景、前人的研究成果述评、理论依据和实验基础，预期的结果以及这项研究在相关领域里的地位、作用和意义等。	主课文的前两段
正文	正文是学术论文的核心部分。如果说引言是提出问题，正文则是分析问题和解决问题。正文一般要划分为几个部分，每个部分由几个段落组成。一般情况下，每个部分前都会加上小标题，读者通过这些标题可以了解各个部分之间的逻辑关系，从而掌握论文的整体结构。	主课文引言后面加注标题的四大部分
结论	结论是对论文的总结，主要概括经过论证得到的结果，或进一步强调已得出的结论，也可以对课题的进一步研究进行展望。有些学术论文没有专门的结论部分，而是与正文融合在一起。	例如，阅读课文的最后一段
附注	附注是对论文中某些内容进行补充说明或解释的文字。目的是为了在不影响正文行文的情况下，让别人对文章中特定的语词、引文或某种内容有进一步的了解。附注方式通常包括尾注（出现在论文最后）、脚注（出现在当前页面的下方）和夹注（在行文当中说明，主要用于列举引用文献）。	
参考文献	参考文献是学术论文的必要组成部分。凡是文中引用了他人的材料、数据、论点等内容，均应表明出处。不同的出版物，对参考文献的格式有不同的要求，参考文献的基本格式内容包括：作者姓名、书籍或论文名称、出版者、出版时间（或版本、期、卷号数）、页码等项。	
附录	附录是论文的附件，不是论文必要的组成部分。通常把研究中用到的问卷调查表、原始数据、实验观察记录以及其他不宜放入正文中的资料等列于附录之中，以便读者参考和查证。	

六、新闻报告

“80后”这个词是2003年最早出现的，此后派生出了“90后”“00后”等新词。请在网络上搜集有关“90后”的信息，将调查结果做成PPT，以口头报告的形式和其他同学分享。

报告中，请讨论以下内容：

☆“90后”有哪些代表人物？

☆这代人成长的社会环境有哪些特点？

☆“80后”与“90后”有何异同？

☆公众对“90后”这一代人的评价是什么？

☆中国的“90后”和美国的“90后”有何异同？

七、专题调查与报告

采访一两个不是“80后”的中国人，请他们谈一谈对“80后”的看法，下次课上汇报你的采访结果。

采访问题参考：

☆你对“80后”印象如何？

☆你认为“80后”跟你这一代人有什么相同与不同之处？

☆你觉得“80后”是不是幸福的一代？他们得面临哪些挑战？如果可以选择，你是否愿意成为“80后”？

八、辩论

主课文介绍了“80后”成长过程中，在经济、政治、文化上享受到的优越条件。然而，成年后的“80后”却有着不同的感受，网上流传着这样一首“80后”诉苦的诗：

可怜的“80后”

当我们读小学的时候，读大学不要钱

当我们读大学的时候，读小学不要钱

我们还没能工作的时候，工作是分配的

我们可以工作的时候，撞得头破血流才勉强找份饿不死人的工作做

当我们不能挣钱的时候，房子是分配的

当我们能挣钱的时候，却发现房子已经买不起了

当我们没有进入股市的时候，傻瓜都在赚钱

当我们兴冲冲地闯进去的时候，才发现自己成了傻瓜……
当我们不到结婚年龄的时候，骑单车就能娶媳妇
当我们到了结婚年龄的时候，没房没车就娶不到媳妇
当我们没找对象的时候，姑娘们是讲心的
当我们找对象的时候，姑娘们是讲金的

- **辩论题：**中国“80后”是幸福的一代吗？

九、讨论与写作

每一代人的成长都有其特定的历史环境和社会背景。本专题主课文介绍了中国“80后”，也提到了美国“垮掉的一代”、法国“迷惘的一代”和日本“新人类”。请仿照课文的结构并结合有关学术论文写作的介绍，选择某一个国家具有特定时代背景的一代人，写一篇学术文章，分析他们成长的社会环境和群体特征。

动笔以前，可以思考、讨论以下问题：

- 这一代人的定义是什么？有哪些代表人物？
- 他们具有哪些群体特征？跟其成长的社会背景有什么关系？
- 历史对这一代人的评价是什么？

视频—文本

“80后”代表人物——姚明

姚明，知名篮球运动员，他被视为中国体育运动的时代象征之一，他不仅是中国年轻人的偶像，也是美国青年的榜样。2011年退役后，姚明并没有离开大众的视野，做球队老板，投身慈善事业，回校园充电，参加“两会”参政议政……姚明说他的梦想是让体育教育回归本源。

姚明出生于1980年，那是改革开放刚起步的年代，在他儿时的记忆中有很多“第一次”让他印象深刻。

姚明：我们小时候恐怕家里记得很清楚，买了第一台彩电上海老牌子金星牌电视。我记得什么时候，有了自己第一块卡西欧电子手表，日本产品流入中国的时候其实大家都挺好奇的。

上世纪80年代末，洋快餐进入中国。同所有爱赶新潮的孩子一样，10岁的姚明排了两个多小时的队，第一次吃上了肯德基。

姚明：我第一次吃肯德基是在人民公园，我妈带我排队排了2个多小时，（19）90年我记得。

1995年，中国篮球联赛改革起步，主客场赛大幕拉开。年末，当时15岁的姚明被“特批”从上海青年队转入上海队，从“临时工”变成“正式工”。

姚明：第一个月工资是由于某种特殊的条例，所以三个月一发的，然后三个月合在一起是832元钱。

这些人生中的这许多“第一次”，姚明觉得，无不与改革开放有关。

姚明：社会的活力释放了很多，人的积极性调动起来，我相信其实改革开放，1978年三中全会之后最重要的开放就是为了调动人的积极性，积极性一旦调动起来之后，人的劳动力得到了释放，人的创造力得到了释放，使这个社会充满了各种各样的可能性。

退役后的姚明还有一个他自己非常看重的角色：慈善和社会公益事业的参与者，而他参与公益的一个重要途径就是跟教育的结合：姚基金、希望小学篮球季、NBA姚明篮球学校等。姚明说他的梦想是让体育回归教育。

姚明：我坚定地相信，体育是教育的一部分，特别是在22岁大学毕业之前，体育一定是教育的一部分。它应该成为教育的一种补充手段。

改革开放至今已35年，姚明认为最重要的是学会了持续性看问题。

姚明：关键是我们通过过去的35年知道了我们看问题，我们一定要看延续性，我们学会了持续性，那我们在接下去的35年里面，我们每考虑一个问题的时候就要用我们的耐心，用我们过去35年学到的东西去想想我们现在做出的决定不仅仅是可以使现在的社会变得更好，是不是也可以使35年之后的社会受益。

视频二文本

"80后"代表人物——韩寒

16岁开始写小说，18岁开始赛车，26岁开始音乐创作，28岁拥有自己的杂志《独唱团》。他在多个身份间游刃有余，像玩票一样轻松自若，却都玩成了个中翘楚。当然，同样的他，高一办理休学，接着频繁开骂，对名人指指点点，可谓人所共知的叛逆典型。他就是韩寒。

杨　澜：有的人说，有的时候这个叛逆是一个年龄段，你比如说从15岁到20岁，所有的孩子都不同程度全都要叛逆；有的人是骨子上就是叛逆，所以他一辈子都会很叛逆，你觉得自己是哪一种？

韩　寒：我也真没觉得自己骨子上有多叛逆，我其实挺能够接受别人的意见的，虽然最后还是按照（自己的想法去做）。

杨　澜：是吗？说说看你怎么接受了别人的意见？你身上有什么传统的地方？

韩　寒：我觉得我各个部分都挺传统的。

杨　澜：比如说呢？

韩　寒：我肯定会结婚，没有意外的话。然后该做什么的，我觉得也会去这么做。我只是不明白为什么人家一直说我叛逆，这点是我一直不明白。

（2006年9月28日韩寒发布首张个人专辑《十八禁》）

受访者一：今天就是专门来看他的，然后如果见到他的话，我就希望他能签个名给我，因为走了很久的路才走到。

受访者二：初中的时候看过一本杂志《中文自修》，上面多多少少写了一些他的东西，所以说挺关注的。

受访者三：上大学以后，开始在网上面把他的书重新地回顾了一下。

受访者四：（他）特立独行的，比较自我的那种。

记　　者：你生活当中是这样吗？

受访者四：初二初三的时候，也受他影响吧。

受访者五：可能吸引我们的，不是他那种完美，可能反而是一些小缺点，一些小毛病。

韩　　寒：我觉得人很多时候，看似很英明的决定，其实都是被迫做出来的，并不是他主动那么做的。我当时写那东西（《三重门》），我是高估了自己的能力和智慧。我觉得我当时慢慢写东西，然后我在差不多离考试还有一个月的时候，我再突击一下那些数学、化学、物理，我觉得我还是能通过的。但是（事实上）完全不能，所以我留级了。

韩　　寒：我从来就没有说过，大家都一定要来退学，或者说一定都不能在学校里面念书，这是不好的。我一直说，好多人都会觉得，我不读书了，这怎么行？其实我从头到尾，我一直在学习，我真的觉得上学跟学习是完全不一样的。人不能中断学习，但人绝对可以中断上学。

杨　　澜：某些人，某些人。

视频三文本

个性！"80后"独特的群体特征

"80后"是指出生在1980年到1989年间的人群，因为他们的出生和成长正是中国社会发生显著变化的时期，80后们的性格形成了鲜明的特色。用一个词来形容"80后"那就是"个性"。在学习、生活、工作各个方面，"80后"有着自己的价值观。

"80后"个性之一：对父母的逆反心理。"不听老人言，吃亏在眼前。"传统的中国式礼仪要求儿女孝顺，对父母言听计从。可是到了"80后"这一代，他们自我意识强烈，学会了对父母说"不"。

"会和父母有些不一样的意见。"

"会有冲突吗？"

"应该有吧。"

"如果意见不一样的话，肯定那个心态就不一样了。"

“80后”个性之二：思想独立，保护隐私。“80后”喜欢营造一片自己的私密空间，尤其是女孩，“80后”习惯了把隐私锁在自己的内心深处。

“80后”个性之三：对应试教育的抵触。80后的受教育条件已经是越来越好，可不知为什么这代人对于学校教育往往有抵触心理，惧怕、排斥老师。

韩寒：“后来发现高中的数理化不像初中的数理化，它没有那么简单。后来就自暴自弃了，老师马上就要开口说‘可能学校要开除你了’，我就赶在学校要开除我之前，就主动递交了退学的申请。”

80后个性之四：思想前卫，敢说敢做。对于一些敏感话题，80后比他们的父辈要开放得多。

转眼间最大的“80后”已是而立之年，最小的“80后”也已是二十出头，但是在父辈的心里，他们好像还处在一个没有成熟的阶段，还像当年的小孩子。

“‘80后’也有的就挺有个性的，别管做什么事，都挺有个性的，是吧。有的就是所谓烂泥糊不上墙，他就是干嘛嘛不行。”

不错，因为“80后”暴露出的种种问题，他们曾被视为“垮掉的一代”。可是，当“80后”渐渐成为中国社会的中坚力量，尤其在汶川地震救援中的表现，让世人刮目相看。他们中的佼佼者更是用成就来证明，“80后”没有垮掉，“80后”顶住了。

词语总表

A

阿Q正传	Ā Q Zhèngzhuàn	13–3
阿尔卡特	Ā'ěrkǎtè	5–1
阿里巴巴	Ālǐbābā	7–2
哀	āi	3–1
哀莫大于心死	āi mò dà yú xīn sǐ	13–3
爱尔兰	Ài'ěrlán	12–1
爱国主义	àiguó zhǔyì	12–4
暧昧	àimèi	14–1
安徽	Ānhuī	3–1
安卓	Ānzhuó	9–1
按钮	ànniǔ	9–1
案例	ànlì	4–4
黯淡	àndàn	13–1
昂贵	ángguì	12–1
熬夜	áo yè	7–3
拗开	ǎokāi	13–1
傲慢	àomàn	5–1
奥运	Àoyùn	12–3

B

巴基斯坦	Bājīsītǎn	12–1
把握	bǎwò	5–2
白话	báihuà	13–3
白热化	báirèhuà	5–2
百度	Bǎidù	2–1
百思买	Bǎisīmǎi	5–3
摆脱	bǎituō	7–3
败下阵来	bàixià zhèn lái	11–2
拜金	bàijīn	2–1
板滞	bǎnzhì	13–1
伴随	bànsuí	14–1
绑架	bǎngjià	8–3
榜样	bǎngyàng	14–2
包	bāo	13–1
包办	bāobàn	2–1
包裹	bāoguǒ	7–2
包围	bāowéi	10–4
褒扬	bāoyáng	14–1
饱含	bǎohán	14–1
饱绽	bǎozhàn	13–1
宝马	Bǎomǎ	2–1
保时捷	Bǎoshíjié	2–3
保守主义	bǎoshǒu zhǔyì	12–1
报端	bàoduān	4–1
报复	bàofù	3–1
报价	bàojià	6–4
报应	bàoying	13–1
暴露	bàolù	13–4

暴民	bàomín	12–3
曝光	bào guāng	1–3
爆发	bàofā	3–1
爆炸	bàozhà	7–4
悲哀	bēi’āi	13–3
悲剧	bēijù	13–2
备	bèi	10–4
备战	bèizhàn	7–2
背离	bèilí	2–4
被迫	bèipò	8–1
本家	běnjiā	13–1
本领	běnlǐng	13–1
本土化	běntǔhuà	5–1
本源	běnyuán	14–2
本质	běnzhì	2–1
迸发	bèngfā	5–1
逼近	bījìn	11–4
逼迫	bīpò	6–3
逼死	bīsǐ	1–2
鼻涕	bítì	2–3
比重	bǐzhòng	5–4
笔触	bǐchù	13–3
笔直	bǐzhí	13–1
鄙视	bǐshì	3–4
碧绿	bìlǜ	13–1
壁角	bìjiǎo	13–1
边缘	biānyuán	8–2
贬值	biǎn zhí	6–4
匾	biǎn	13–1
变迁	biànqiān	12–1
变相	biànxiàng	8–1
便道	biàndào	13–1
遍身	biànshēn	13–1
辩驳	biànbó	12–1
辩护	biànhù	2–1
辩解	biànjiě	12–3
辩证	biànzhèng	6–1
辫子	biànzi	13–3
标榜	biāobǎng	7–3
标签	biāoqiān	9–1
标志	biāozhì	5–1
表述	biǎoshù	7–1
表态	biǎotài	12–2
别出心裁	bié chū xīn cái	12–1
别有用心	bié yǒu yòng xīn	6–3
蹩	bié	13–1
秉承	bǐngchéng	9–1
拨款	bō kuǎn	8–4
波折	bōzhé	10–3
剥	bāo	13–1
博客	bókè	1–2
搏杀	bóshā	2–1
补钉(补丁)	bǔdīng(bǔdīng)	13–1
补贴	bǔtiē	6–3
……不过	...búguò	13–1
不可小觑	bùkě xiǎo qù	6–4
不免	bùmiǎn	13–1
不容	bùróng	9–3
不甚	búshèn	13–1
不思进取	bù sī jìnqǔ	14–1
不妥	bù tuǒ	1–4
不言而喻	bù yán ér yù	5–1
不折不扣	bù zhé bú kòu	11–1
不振	búzhèn	6–3

不足	bùzú	13–1
不足为怪	bù zú wéi guài	10–3
布昂扎	Bù'ángzhā	11–4
布衫	bùshān	13–1
布置	bùzhì	12–1

C

擦	cā	12–1
擦火柴	cā huǒchái	13–1
猜疑	cāiyí	10–4
财务	cáiwù	8–1
财务报表	cáiwù bàobiǎo	5–1
采购	cǎigòu	5–1
踩	cǎi	1–3
踩踏	cǎità	1–3
参照	cānzhào	6–4
参政	cān zhèng	14–2
残奥会	Cán'àohuì	14–1
残酷	cánkù	7–3
残忍	cánrěn	1–3
惨白	cǎnbái	13–1
惨痛	cǎntòng	13–4
灿烂	cànlàn	10–2
操纵	cāozòng	6–2
操作	cāozuò	4–3
草根	cǎogēn	7–1
侧面	cèmiàn	10–1
测算	cèsuàn	7–4
策略	cèlüè	5–2
层层叠叠	céngcengdiédié	13–1
层面	céngmiàn	5–1
插足	chā zú	1–2
察觉	chájué	7–1
差强人意	chāqiáng rényì	4–1
差异	chāyì	4–1
阐释	chǎnshì	11–1
颤	chàn	13–1
长三角	Chángsānjiǎo	3–1
长征	chángzhēng	10–2
常态	chángtài	3–1
常州	Chángzhōu	3–1
偿还	chánghuán	8–3
偿债	cháng zhài	8–3
敞开	chǎngkāi	5–1
畅谈	chàngtán	10–2
倡导	chàngdǎo	13–4
抄袭	chāoxí	9–1
超国民待遇	chāo guómín dàiyù	5–4
超越	chāoyuè	10–3
巢湖	Cháohú	3–1
潮	cháo	13–1
炒作	chǎozuò	2–1
车牌号	chēpáihào	1–2
车险	chēxiǎn	3–2
扯	chě	13–1
彻底	chèdǐ	1–3
撤出	chèchū	5–2
撤销	chèxiāo	10–4
沉淀	chéndiàn	7–1
沉默	chénmò	3–1
陈腐	chénfǔ	13–4
陈规陋俗	chén guī lòu sú	14–1
晨报	Chénbào	13–3
晨练	chénliàn	4–4
趁	chèn	13–1

撑起	chēngqǐ	8–2
成本	chéngběn	5–1
诚心	chéngxīn	2–3
诚意	chéngyì	10–4
承担	chéngdān	4–1
承诺	chéngnuò	11–1
承受力	chéngshòulì	12–1
承载	chéngzài	3–1
城根	chénggēn	13–1
盛	chéng	13–1
吃亏	chī kuī	14–4
吃力	chīlì	5–3
吃香	chīxiāng	5–2
迟缓	chíhuǎn	11–4
迟疑	chíyí	13–1
持久	chíjiǔ	11–1
尺寸	chǐcùn	7–1
赤裸裸	chìluǒluǒ	2–1
赤字	chìzì	6–3
翅	chì	13–1
冲茶	chōng chá	13–1
冲击	chōngjī	7–1
冲突	chōngtū	10–2
充电	chōng diàn	14–2
充分	chōngfēn	4–1
充满	chōngmǎn	4–3
重围	chóngwéi	5–2
崇拜	chóngbài	3–1
崇尚	chóngshàng	4–3
抽样	chōuyàng	10–1
仇恨	chóuhèn	12–1
踌躇	chóuchú	13–1

出没	chūmò	13–1
出品	chūpǐn	5–1
出让	chūràng	8–3
初级产品	chūjí chǎnpǐn	11–2
触动	chùdòng	12–1
触及	chùjí	13–4
触摸	chùmō	9–1
触目惊心	chù mù jīng xīn	4–1
揣	chuāi	2–1
揣测	chuǎicè	2–2
传播	chuánbō	1–3
传播学	chuánbōxué	12–1
传承	chuánchéng	4–1
传递	chuándì	12–3
喘气	chuǎn qì	13–1
闯进	chuǎngjìn	13–1
创始人	chuàngshǐrén	9–1
创新精神	chuàngxīn jīngshén	7–3
创意	chuàngyì	2–2
吹熄	chuīxī	13–1
垂	chuí	13–1
垂青	chuíqīng	2–1
春游	chūnyóu	4–3
纯粹	chúncuì	12–1
慈善	císhàn	14–2
刺	cì	13–1
刺耳	cì'ěr	2–2
刺激	cìjī	8–4
刺人	cìrén	9–1
刺痛	cìtòng	2–1
从头到尾	cóng tóu dào wěi	14–3
丛冢	cóngzhǒng	13–1

促销	cùxiāo	7-3
簇	cù	13-1
蹿红	cuānhóng	2-1
窜出	cuànchū	13-1
摧毁	cuīhuǐ	1-4
脆弱	cuìruò	4-1
存款	cúnkuǎn	2-1
磋商	cuōshāng	10-4
撮	cuō	13-1
挫身	cuò shēn	13-1
挫折	cuòzhé	4-1

D

搭档	dādàng	1-4
搭讪	dāshàn	13-1
达累斯萨拉姆	Dálèisī Sàlāmǔ	11-1
答案	dá'àn	8-2
打理	dǎlǐ	9-4
打量	dǎliang	5-1
打造	dǎzào	5-4
大胆	dàdǎn	2-2
大款	dàkuǎn	2-3
大旗网	Dàqí Wǎng	1-2
大势所趋	dà shì suǒ qū	7-1
大无畏	dàwúwèi	2-1
大一统	dàyītǒng	12-4
大张旗鼓	dà zhāng qí gǔ	9-2
大宗	dàzōng	6-4
呆呆	dāidāi	13-1
代价	dàijià	1-4
代名词	dàimíngcí	5-2
代销	dàixiāo	5-3
代言人	dàiyánrén	5-1
殆尽	dàijìn	3-4
担当	dāndāng	2-4
担忧	dānyōu	4-1
单车	dānchē	2-1
单传	dānchuán	13-1
单纯	dānchún	9-1
单号	dānhào	7-1
单位	dānwèi	1-2
单一	dānyī	4-3
诞生	dànshēng	7-4
淡薄	dànbó	14-1
档	dàng	2-1
导向	dǎoxiàng	4-4
捣乱	dǎo luàn	1-2
倒计时	dàojìshí	1-2
倒退	dàotuì	10-1
德佑地产	Déyòu Dìchǎn	8-1
灯笼	dēnglong	13-1
灯盏	dēngzhǎn	13-1
凳	dèng	13-1
瞪	dèng	13-1
低谷	dīgǔ	10-1
低廉	dīlián	5-4
低落	dīluò	1-2
低声下气	dī shēng xi àqì	13-1
低俗	dīsú	2-4
低碳	dītàn	3-3
堤	dī	1-4
滴	dī	13-1
的确良	díquèliáng	9-1
敌对	díduì	7-3
敌意	díyì	12-1

诋毁	dǐhuǐ	12–3
抵触	dǐchù	14–4
抵达	dǐdá	11–1
抵制	dǐzhì	7–3
底气不足	dǐqì bùzú	10–4
地域	dìyù	10–1
地租	dìzū	5–4
帝国主义	dìguó zhǔyì	6–2
递交	dìjiāo	14–4
滇池	Diānchí	3–1
典型	diǎnxíng	14–3
点击	diǎnjī	5–1
点击率	diǎnjīlǜ	1–3
电动车	diàndòngchē	8–1
电容屏	diànróngpíng	9–2
电商	diànshāng	7–3
调动	diàodòng	14–2
叠	dié	14–1
碟	dié	13–1
丁字街	dīngzìjiē	13–1
顶住	dǐngzhù	14–4
鼎盛	dǐngshèng	9–1
定睛	dìngjīng	13–1
定位	dìngwèi	4–4
东道国	dōngdàoguó	5–1
董事局	dǒngshìjú	7–3
动不动	dòngbudòng	6–2
动机	dòngjī	6–3
抖抖	dǒudǒu	13–1
堵塞	dǔsè	7–3
端倪	duānní	8–2
短缺	duǎnquē	3–4
短袖衫	duǎnxiùshān	10–2
断言	duànyán	13–3
堆	duī	13–1
对策	duìcè	4–1
对称	duìchèn	7–1
对抗	duìkàng	10–4
对垒	duìlěi	12–1
对象	duìxiàng	2–1
对应	duìyìng	8–1
对峙	duìzhì	14–1
兑换	duìhuàn	6–4
多元	duōyuán	4–4

E

额上	éshàng	13–1
恶毒	èdú	2–2
恶化	èhuà	8–4
恶劣	èliè	12–3
恶俗	èsú	2–4
遏制	è'zhì	10–3
噩梦	èmèng	1–1
而立之年	érlì zhī nián	14–4
二氧化碳	èryǎnghuàtàn	3–4

F

发抖	fādǒu	13–1
发狂	fā kuáng	13–1
发育	fāyù	4–3
发怔	fāzhēng	13–1
番	fān	2–3
翻倍	fān bèi	8–1
翻番	fān fān	8–1
翻天覆地	fān tiān fù dì	4–1
繁华	fánhuá	5–1

繁荣	fánróng	11–1
繁重	fánzhòng	3–3
反驳	fǎnbó	11–3
反馈	fǎnkuì	1–1
反锁	fǎnsuǒ	4–4
泛指	fànzhǐ	9–1
范围	fànwéi	4–2
贩卖	fànmài	1–3
方方面面	fāngfāngmiànmiàn	11–3
方针	fāngzhēn	13–4
防御	fángyù	12–1
仿冒	fǎngmào	9–1
仿造	fǎngzào	9–1
放大	fàngdà	4–3
放缓	fànghuǎn	5–2
非议	fēiyì	2–2
匪徒	fěitú	12–3
分布	fēnbù	10–1
分工	fēngōng	9–1
分明	fēnmíng	13–1
分配	fēnpèi	8–4
分歧	fēnqí	10–2
分散	fēnsàn	10–1
分销	fēnxiāo	5–1
分众化	fēnzhònghuà	7–1
氛围	fēnwéi	3–4
坟	fén	13–1
粉丝	fěnsī	2–1
份额	fèn'é	5–3
愤怒	fènnù	1–2
愤青	fènqīng	12–1
风暴	fēngbào	10–1
风波	fēngbō	1–2
风浪	fēnglàng	10–2
风尚	fēngshàng	3–4
风险投资	fēngxiǎn tóu zī	9–3
封闭	fēngbì	9–1
封建	fēngjiàn	13–4
封杀	fēngshā	1–2
峰会	fēnghuì	11–2
锋芒	fēngmáng	14–1
蜂拥而上	fēng yōng ér shàng	5–2
缝	fèng	13–3
扶持	fúchí	8–3
服饰	fúshì	9–1
俘虏	fúlǔ	13–2
浮动	fúdòng	6–2
符号	fúhào	10–1
符合	fúhé	6–2
幅度	fúdù	6–1
福利	fúlì	8–4
附加	fùjiā	11–1
附加费	fùjiāfèi	5–4
复古	fùgǔ	13–4
复苏	fùsū	6–3
复兴	fùxīng	11–1
副产品	fùchǎnpǐn	12–4
副刊	fùkān	13–3
赋予	fùyǔ	9–1
富二代	fù'èrdài	2–1
富豪	fùháo	2–3
富裕	fùyù	14–1

覆盖	fùgài	5–1

G

该	gāi	1–3
改良运动	Gǎiliáng Yùndòng	13–2
概括	gàikuò	7–1
概念	gàiniàn	14–1
概念产品	gàiniàn chǎnpǐn	5–1
甘愿	gānyuàn	2–1
橄榄	gǎnlǎn	13–1
刚果	Gāngguǒ	11–4
刚性需求	gāngxìng xūqiú	8–2
纲常	gāngcháng	13–4
钢材	gāngcái	8–1
钢铁	gāngtiě	6–4
高层	gāocéng	11–4
高潮	gāocháo	1–2
高端	gāoduān	5–1
高跟鞋	gāogēnxié	4–4
高估	gāogū	14–3
高清	gāoqīng	9–2
高瞻远瞩	gāo zhān yuǎn zhǔ	3–4
告官	gào guān	13–1
歌谣	gēyáo	3–1
格格不入	gégé bú rù	14–1
格外	géwài	7–1
格言	géyán	14–1
个性	gèxìng	14–4
个中	gèzhōng	14–3
根究	gēnjiū	13–1
根深蒂固	gēn shēn dì gù	12–1
根治	gēnzhì	3–2
耕地	gēngdì	8–3
更有甚者	gèng yǒu shèn zhě	4–4
工人阶级	gōngrén jiējí	12–4
工商联合会	gōngshāng liánhéhuì	12–2
工信部	gōngxìnbù	9–3
公报	gōngbào	9–3
公益	gōngyì	14–2
公约	gōngyuē	3–3
功底	gōngdǐ	12–1
功利	gōnglì	14–1
攻击	gōngjī	1–4
恭恭敬敬	gōnggōngjìngjìng	13–1
共鸣	gòngmíng	5–1
共识	gòngshí	6–3
贡献	gòngxiàn	3–3
供给	gōngjǐ	8–4
沟通	gōutōng	5–1
构建	gòujiàn	10–3
构想	gòuxiǎng	5–1
购买力	gòumǎilì	6–4
购物车	gòuwùchē	7–2
购销	gòuxiāo	5–3
购置	gòuzhì	6–4
古□亭口	Gǔ□tíngkǒu	13–1
古怪	gǔguài	13–1
股价	gǔjià	6–4
骨子里	gǔzi lǐ	14–3
鼓	gǔ	7–1
鼓吹	gǔchuī	11–3
顾虑重重	gùlǜ chóngchóng	5–2
刮目相看	guā mù xiāng kàn	14–4
挂牌价	guàpáijià	8–1
乖角儿	guāijuér	13–1

乖巧	guāiqiǎo	4–3
怪不得	guàibude	13–1
怪圈	guàiquān	8–3
关键	guānjiàn	5–1
关税	guānshuì	5–4
观望	guānwàng	13–1
官地	guāndì	13–1
管辖	guǎnxiá	9–1
管制	guǎnzhì	6–4
贯穿	guànchuān	12–4
广泛	guǎngfàn	2–1
广告界	guǎnggàojiè	1–2
归根结底	guī gēn jié dǐ	7–1
归拢	guīlǒng	11–3
规范	guīfàn	3–4
规律	guīlǜ	6–2
规模	guīmó	12–2
轨道	guǐdào	1–4
滚	gǔn	13–1
滚滚	gǔngǔn	1–4
国家利益	guójiā lìyì	6–1
国美	Guóměi	5–3
国企	guóqǐ	5–4
国务卿	guówùqīng	10–4
裹	guǒ	13–1
裹挟	guǒxié	7–1

H

涵盖	hángài	1–4
豪	háo	3–4
好莱坞	Hǎoláiwù	10–1
好恶	hàowù	10–1
号衣	hàoyī	13–1
号召	hàozhào	1–3
呵护	hēhù	4–1
合同	hétong	8–1
何尝	hécháng	11–4
和尚	héshang	5–2
和谐	héxié	3–1
荷尔蒙	hé'ěrméng	4–1
荷叶	héyè	13–1
核心	héxīn	2–4
贺岁电影	hèsuì diànyǐng	2–1
黑沉沉	hēichénchén	13–1
黑客	hēikè	10–4
黑手	hēishǒu	1–3
哼	hēng	13–1
横加	héngjiā	14–1
横空出世	héng kōng chū shì	7–1
横竖	héngshù	13–3
衡量	héngliáng	4–3
轰	hōng	13–1
宏大	hóngdà	2–1
宏观	hóngguān	6–1
洪水	hóngshuǐ	1–4
后顾之忧	hòu gù zhī yōu	8–3
后患无穷	hòu huàn wú qióng	8–3
后劲	hòujìn	11–4
后现代	hòuxiàndài	5–1
后续	hòuxù	10–4
候	hòu	13–1
候选人	hòuxuǎnrén	1–4
呼声	hūshēng	14–1
呼吁	hūyù	4–3
胡乱	húluàn	13–1

胡同	hútòng	5–1
胡子	húzi	5–1
湖州	Húzhōu	3–1
互补	hùbǔ	11–4
互动	hùdòng	5–3
互渗	hùshèn	14–1
户型	hùxíng	8–1
花样美男	Huāyàng Měinán	4–4
划算	huásuàn	6–4
华尔街	Huá'ěrjiē	10–1
滑溜溜	huáliūliū	13–1
滑坡	huápō	4–1
化解	huàjiě	10–2
化纸	huà zhǐ	13–1
化妆	huàzhuāng	4–4
怀	huái	2–1
怀疑	huáiyí	10–3
环	huán	5–1
环节	huánjié	2–2
缓解	huǎnjiě	9–1
幻觉	huànjué	4–1
幻想	huànxiǎng	11–2
唤醒	huànxiǎng	12–4
患难之交	huànnàn zhī jiāo	11–4
慌忙	huāngmáng	13–1
皇冠	huángguān	7–1
黄浦区	Huángpǔqū	6–4
恍然大悟	huǎngrán dà wù	13–1
恢复	huīfù	10–4
回避	huíbì	13–4
回春乏术	huí chūn fá shù	5–1
回复	huífù	5–1
回顾	huígù	14–3
回馈	huíkuì	7–2
毁灭	huǐmiè	12–1
汇聚	huìjù	1–4
汇率	huìlǜ	6–2
会晤	huìwù	10–2
讳言	huìyán	11–3
贿赂	huìlù	5–2
浑然一体	húnrán yì tǐ	14–1
浑身	húnshēn	13–1
混合	hùnhé	4–1
火炬	huǒjù	12–1
火焰	huǒyàn	13–1
获悉	huòxī	9–1

J

机关	jīguān	1–4
机器	jīqì	1–1
机型	jīxíng	5–1
机遇	jīyù	5–2
肌肉	jīròu	12–1
积存	jīcún	9–1
积极性	jījíxìng	14–2
积累	jīlěi	4–1
积贫积弱	jī pín jī ruò	12–4
积压	jīyā	7–1
基地	jīdì	4–4
基金	jījīn	6–4
畸形	jīxíng	8–3
激进	jījìn	11–2
激烈	jīliè	2–1
激情	jīqíng	14–1
岌岌可危	jíjí kě wēi	3–1

极端	jíduān	3–1
极限	jíxiàn	3–4
急剧	jíjù	9–1
急迫	jípò	13–2
集	jí	2–1
集体	jítǐ	10–3
几经	jǐjīng	14–1
几内亚	Jǐnèiyà	11–4
挤占	jǐzhàn	3–4
脊心	jǐxīn	13–1
祭品	jìpǐn	13–2
加工	jiāgōng	5–4
加剧	jiājù	8–3
嘉宾	jiābīn	2–1
嘉定区	Jiādìng Qū	8–1
嘉兴	Jiāxīng	3–1
夹袄	jiá'ǎo	13–1
夹被	jiábèi	13–1
假冒伪劣	jiǎ mào wěi liè	7–3
架构	jiàgòu	12–1
尖锐	jiānruì	14–1
坚决	jiānjué	12–1
肩胛骨	jiānjiǎgǔ	13–1
艰苦奋斗	jiānkǔ fèndòu	14–1
监管	jiānguǎn	3–1
兼容并包	jiān róng bìng bāo	13–4
检讨书	jiǎntǎoshū	1–3
减缓	jiǎnhuǎn	3–3
减免	jiǎnmiǎn	3–2
减排	jiǎnpái	3–3
简洁	jiǎnjié	9–1
简要	jiǎnyào	11–3
间谍	jiàndié	10–4
间接	jiànjiē	6–3
建材	jiàncái	7–1
贱骨头	jiàngǔtou	13–1
健壮	jiànzhuàng	13–2
江南	Jiāngnán	13–2
江苏	Jiāngsū	3–1
僵化	jiānghuà	14–1
讲座	jiǎngzuò	12–1
交锋	jiāo fēng	2–1
交融	jiāoróng	10–3
交易额	jiāoyì'é	7–2
骄人	jiāorén	4–1
焦点	jiāodiǎn	1–2
焦急	jiāojí	13–1
焦虑	jiāolǜ	4–1
焦皮	jiāopí	13–1
佼佼者	jiǎojiǎozhě	4–2
矫治	jiǎozhì	4–4
教训	jiàoxùn	9–4
皆	jiē	10–3
街头巷尾	jiē tóu xiàng wěi	6–4
节俭	jiéjiǎn	3–4
节能	jiénéng	3–4
节能减排	jié néng jiǎn pái	3–2
结论	jiélùn	10–1
结算	jiésuàn	6–2
截然不同	jié rán bù tóng	9–1
解读	jiědú	5–1
解剖	jiěpōu	12–1
解释	jiěshì	4–1
界限	jièxiàn	13–1

借鉴	jièjiàn	9–1
借助	jièzhù	1–4
金融时报	Jīnróng Shíbào	11–2
金砖国家	Jīnzhuān Guójiā	11–2
禁不住	jīnbuzhù	13–1
谨慎	jǐnshèn	9–2
进攻	jìngōng	12–1
进化	jìnhuà	9–1
进军	jìn jūn	5–3
进修	jìnxiū	12–1
劲头	jìntóu	12–1
禁锢	jìngù	14–1
禁绝	jìnjué	13–2
京东商城	Jīngdōng Shāngchéng	7–4
经	jīng	5–2
经济体	jīngjìtǐ	5–1
精当	jīngdàng	11–3
井喷	jǐngpēn	7–4
颈项	jǐngxiàng	13–1
景观	jǐngguān	14–1
景气	jǐngqì	6–3
警告	jǐnggào	11–2
警示	jǐngshì	14–1
警惕	jǐngtì	3–4
竞技场	jìngjìchǎng	11–3
静安区	Jìng'ān Qū	8–1
镜头	jìngtóu	13–2
迥异	jiǒngyì	2–1
窘迫	jiǒngpò	9–1
纠纷	jiūfēn	1–4
纠结	jiūjié	2–1
揪	jiū	12–1
九龙城	Jiǔlóngchéng	9–1
救援	jiùyuán	14–4
居高不下	jū gāo bú xià	5–3
局势	júshì	10–1
局限	júxiàn	9–1
举措	jǔcuò	11–2
巨头	jùtóu	5–1
俱	jù	10–3
据悉	jùxī	7–2
惧怕	jùpà	14–4
聚会	jùhuì	5–1
聚集	jùjí	9–3
聚居	jùjū	9–1
眷恋	juànliàn	4–1
决策	juécè	9–3
觉悟	juéwù	13–3
绝境	juéjìng	13–4
崛起	juéqǐ	3–1
攫取	juéqǔ	13–1

K

卡西欧	Kǎxī'ōu	14–2
开除	kāichú	14–4
开刀	kāi dāo	13–4
开发	kāifā	5–1
开花结果	kāi huā jiē guǒ	11–3
开阔	kāikuò	10–1
开朗	kāilǎng	2–2
开启	kāiqǐ	11–1
开拓	kāituò	7–1
开拓精神	kāituò jīngshén	14–1
开销	kāixiāo	5–3
开源软件	kāiyuán ruǎnjiàn	9–1

看不上	kànbushàng	13–1
看客	kànkè	13–2
抗衡	kànghéng	4–1
抗拒	kàngjù	9–1
考证	kǎozhèng	9–1
拷贝	kǎobèi	2–1
苛求	kēqiú	14–1
咳嗽	késou	13–1
可怜	kělián	13–1
可取	kěqǔ	6–4
渴望	kěwàng	12–1
克服	kèfú	14–1
刻薄	kèbó	2–2
客服	kèfú	7–3
客观	kèguān	6–2
课题组	kètízǔ	10–1
坑	kēng	13–1
空间	kōngjiān	1–2
空前	kōngqián	13–4
空虚	kōngxū	13–1
孔子学院	Kǒngzǐ Xuéyuàn	11–4
空档	kòngdàng	7–1
抠	kōu	2–1
口碑	kǒubēi	7–1
口水	kǒushuǐ	12–1
扣	kòu	13–1
扣人心弦	kòu rén xīn xián	2–2
库存	kùcún	5–3
垮掉	kuǎdiào	14–1
跨	kuà	3–1
跨步	kuà bù	13–1
跨境	kuà jìng	10–4
快递	kuàidì	7–3
快乐大本营	Kuàilè Dàběnyíng	2–1
宽容	kuānróng	2–1
宽松	kuānsōng	14–1
款	kuǎn	5–1
匡威	Kuāngwēi	9–1
狂潮	kuángcháo	7–3
狂欢	kuánghuān	2–1
狂欢节	kuánghuānjié	7–2
狂热	kuángrè	14–1
狂人日记	Kuángrén Rìjì	13–3
矿产	kuàngchǎn	3–4
框框	kuàngkuàng	14–1
亏损	kuīsǔn	5–3
匮乏	kuìfá	11–4
捆	kǔn	13–1
困惑	kùnhuò	6–4
扩张	kuòzhāng	11–2
阔别	kuòbié	13–3
阔人	kuòrén	13–1

L

拉动	lādòng	8–4
赖以	làiyǐ	1–4
蓝藻	lánzǎo	3–1
褴褛	lánlǚ	13–1
烂泥糊不	lànní húbúshàng	14–4
琅琅上口	lángláng shàng kǒu	7–1
浪漫	làngmàn	11–2
牢	láo	13–1
牢头	láotóu	13–1
痨病	láobìng	13–1
老虎头上	láohǔ tóu shàng	13–1

词语	拼音	课
老花	lǎohuā	13–1
烙印	làoyìn	7–1
乐意	lèyì	7–1
雷人	léirén	2–2
累计	lěijì	5–4
类似	lèisì	4–1
类型	lèixíng	4–1
冷静	lěngjìng	10–2
礼教	lǐjiào	13–4
里排	lǐpái	13–1
理财	lǐ cái	6–4
理论	lǐlùn	1–4
理念	lǐniàn	5–1
理所当然	lǐ suǒ dāngrán	4–1
理性	lǐxìng	10–1
力度	lìdù	11–1
历久弥坚	lì jiǔ mí jiān	12–4
立于不败之地	lì yú bú bài zhī dì	5–3
立住	lìzhù	13–1
立足	lìzú	3–4
利率	lìlǜ	8–4
利益	lìyì	12–2
粒	lì	13–1
连载	liánzǎi	13–3
联赛	liánsài	14–2
联手	liánshǒu	3–4
联署	liánshǔ	6–3
良知	liángzhī	12–3
两面性	liǎngmiànxìng	1–1
量化	liànghuà	12–1
料	liào	13–1
列举	lièjǔ	4–1
列为	lièwéi	6–2
裂痕	lièhén	10–4
临街	línjiē	13–1
临时工	línshígōng	14–2
灵感	línggǎn	9–4
灵魂	línghún	13–2
灵活	línghuó	6–2
灵敏	língmǐn	9–2
凌晨	língchén	7–2
聆听	língtīng	5–1
零配件	língpèijiàn	5–1
零食	língshí	4–1
零售价	língshòujià	9–2
零售商	língshòushāng	5–3
零售业	língshòuyè	7–3
零头	língtóu	5–1
零星	língxīng	13–1
领	lǐng	4–4
领带	lǐngdài	10–2
领跑者	lǐngpǎozhě	9–1
领土	lǐngtǔ	10–3
领先	lǐngxiān	5–1
另类	lìnglèi	9–1
浏览	liúlǎn	14–1
留级	liú jí	14–3
流程	liúchéng	7–1
流眼泪	liú yǎnlèi	2–3
流域	liúyù	3–1
录取线	lùqǔxiàn	4–2
绿林好汉	lùlín hǎohàn	9–1
露	lù	4–4
论坛	lùntán	1–3

罗马	Luómǎ	1–2
逻辑	luójì	6–2
落	là	2–1
落户	luò hù	5–1
落实	luòshí	11–1
屡次	lǚcì	12–4
履行	lǚxíng	11–3
履历	lǚlì	1–3
略	lüè	8–2

M

麻辣	málà	5–1
麻木	mámù	13–2
嘛	má	14–4
买断	mǎiduàn	5–3
卖场	màichǎng	5–3
蛮	mán	8–1
馒头	mántou	13–1
满脸横肉	mǎnliǎn héngròu	13–1
满门抄斩	mǎn mén chāo zhǎn	13–1
满座的人	mǎn zuò de rén	13–1
蔓延	mànyán	3–1
盲从	mángcóng	14–1
盲区	mángqū	3–1
茫茫人海	mángmáng rén hǎi	1–3
猫扑网	Māopū Wǎng	1–3
冒犯	màofàn	12–3
冒泡	mào pào	12–1
冒险	mào xiǎn	4–4
贸然	màorán	10–4
眉心	méixīn	13–1
美少女战士	Měishàonǚ Zhànshì	4–4
魅力	mèilì	9–1
梦想	mèngxiǎng	11–1
弥满	mímǎn	13–1
弥足珍贵	mízú zhēnguì	11–4
迷茫	mímáng	2–1
迷惘	míwǎng	14–1
绵里藏针	mián lǐ cáng zhēn	10–4
描绘	miáohuì	4–1
民间	mínjiān	12–2
民企	mínqǐ	5–4
民生	mínshēng	3–3
民众	mínzhòng	10–1
民主党	mínzhǔdǎng	6–3
民族主义	mínzú zhǔyì	12–1
抿嘴	mǐn zuǐ	4–4
敏感	mǐngǎn	2–1
敏锐	mǐnruì	9–3
明朗	mínglǎng	11–4
明治维新	Míngzhì Wéixīn	13–2
命运	mìngyùn	13–2
模仿	mófǎng	9–2
模糊	móhu	12–4
模特	mótè	2–2
摩擦	mócā	10–3
摩根大通	Mógēn Dàtōng	6–4
摩根士丹利	Mógēn Shìdānlì	6–4
磨炼	móliàn	4–1
谋划	móuhuà	7–1
母国	mǔguó	5–1
母婴用品	mǔyīng yòngpǐn	7–1
幕	mù	5–1

幕后	mùhòu	1-3

N

那还了得	nà hái liǎodé	13-1
纳粹	Nàcuì	12-1
纳斯达克	Nàsīdákè	7-4
乃至	nǎizhì	3-4
耐用	nàiyòng	5-1
南非	Nánfēi	11-2
南京	Nánjīng	3-1
南京水师	Nánjīng Shuǐshī	13-2
南五环	Nánwǔhuán	4-4
难以企及	nányǐ qǐjí	14-1
内存	nèicún	9-1
内陆	nèilù	10-1
内需	nèixū	3-4
内政	nèizhèng	6-2
能耗	nénghào	3-3
尼雷尔	Níléi'ěr	11-1
尼日利亚	Nírìlìyà	11-2
逆差	nìchā	5-4
逆反	nìfǎn	14-4
逆转	nìzhuǎn	4-1
匿名	nìmíng	1-4
娘娘腔	niángniangqiāng	4-4
捏	niē	13-1
扭转	niǔzhuǎn	4-3
纽扣	niǔkòu	13-1
浓厚	nónghòu	12-1
浓烈	nóngliè	2-1
虐猫	nüè māo	1-3
诺贝尔	Nuòbèi'ěr	6-3
懦弱	nuòruò	4-1
女婿	nǚxù	8-2

O

偶尔	ǒu'ěr	12-1
偶然	ǒurán	3-1
偶像	ǒuxiàng	14-2

P

拍摄	pāishè	1-3
排	pái	9-1
排斥	páichì	14-4
排除	páichú	4-1
排放	páifàng	3-3
排放量	páifàngliàng	3-4
排行榜	páihángbǎng	2-1
排序	páixù	3-3
徘徊	páihuái	12-4
牌价	páijià	6-4
派	pài	11-2
攀登	pāndēng	4-1
攀升	pānshēng	2-1
攀谈	pāntán	13-1
盘底细	pán dǐxì	13-1
判断	pànduàn	10-3
叛逆	pànnì	4-1
叛逆者	pànnìzhě	12-1
庞大	pángdà	5-1
抛弃	pāoqì	11-2
配置	pèizhì	14-1
喷	pēn	1-2
彭博商业	Péngbó Shāngyè	5-2
蓬勃	péngbó	11-4
碰撞	pèngzhuàng	2-1
批发	pīfā	7-1

批判	pīpàn	3–4
批判精神	pīpàn jīngshén	14–1
披	pī	13–1
披露	pīlù	1–2
媲美	pìměi	13–3
偏爱	piān'ài	9–1
偏好	piānhào	7–1
偏离	piānlí	1–4
片段	piànduàn	2–1
漂泊	piāobó	8–1
漂浮	piāofú	3–1
票房	piàofáng	2–1
瞥一眼	piē yì yǎn	13–1
撇不开	piēbukāi	9–1
撇清	piēqīng	11–2
拼搏	pīnbó	4–3
拼凑	pīncòu	9–2
贫困	pínkùn	3–3
频道	píndào	2–1
频繁	pínfán	10–4
频率	pínlǜ	3–1
频频	pínpín	4–1
聘请	pìnqǐng	5–1
平常心	píngchángxīn	10–2
平衡	pínghéng	6–1
平台	píngtái	7–3
评论员	pínglùnyuán	11–3
评判	píngpàn	14–1
评述	píngshù	12–1
凭借	píngjiè	2–2
屏幕	píngmù	7–3
剖析	pōuxī	7–1
铺路	pū lù	9–1
铺天盖地	pū tiān gài dì	14–1
普遍	pǔbiàn	10–1
普及率	pǔjílǜ	7–4
浦东	Pǔdōng	6–4
铺子	pùzi	13–1

Q

欺负	qīfu	4–1
欺诈	qīzhà	7–3
启动	qǐdòng	1–2
起码	qǐmǎ	9–1
起诉	qǐsù	10–4
气氛	qìfēn	12–2
气愤	qìfèn	13–1
气破肚皮	qìpò dùpí	13–1
恰当	qiàdàng	9–1
千方百计	qiān fāng bǎi jì	4–1
牵着鼻子走	qiānzhe bízi zǒu	10–3
签订	qiāndìng	5–3
签名	qiān míng	12–3
签署	qiānshǔ	11–4
前辈	qiánbèi	14–1
前妻	qiánqī	1–2
前所未有	qián suǒ wèi yǒu	12–1
前台	qiántái	14–1
前卫	qiánwèi	14–4
潜台词	qiántáicí	10–4
潜移默化	qián yí mò huà	5–1
潜在	qiánzài	9–1
谴责	qiǎnzé	1–2
强化	qiánghuà	12–1
强加	qiángjiā	6–2

强硬	qiángyìng	10–1
抢	qiǎng	13–1
抢购	qiǎnggòu	7–2
跄跄踉踉	qiàngqiàng liàngliàng	13–1
敲定	qiāodìng	9–2
翘楚	qiáochǔ	14–3
翘首企盼	qiáo shǒu qǐpàn	9–2
切实	qièshí	12–1
侵犯	qīnfàn	1–4
侵害	qīnhài	1–4
侵略	qīnlüè	12–1
侵权	qīn quán	9–2
侵入	qīnrù	14–1
亲戚	qīnqi	13–1
亲切	qīnqiè	11–1
勤俭	qínjiǎn	14–1
勤劳	qínláo	14–1
青白	qīngbái	13–1
青春期	qīngchūnqī	4–1
轻松自若	qīngsōng zìruò	14–3
倾向	qīngxiàng	10–1
倾销	qīngxiāo	6–3
清仓	qīng cāng	7–1
清明	qīngmíng	13–1
情节	qíngjié	2–1
情结	qíngjié	4–1
情景剧	qíngjǐngjù	2–1
情绪	qíngxù	1–2
情绪化	qíngxùhuà	12–1
求索	qiúsuǒ	13–2
区别	qūbié	1–1
区别对待	qūbié duìdài	6–4
区隔	qūgé	3–1
区域	qūyù	6–4
趋同	qūtóng	10–1
趋向于	qūxiàng yú	14–1
渠道	qúdào	5–1
曲折	qūzhé	10–1
取舍	qǔshě	6–1
圈内	quānnèi	1–2
权威	quánwēi	14–1
全天候	quántiānhòu	11–4
劝解	quànjiě	12–1
缺陷	quēxiàn	9–1
确乎	quèhū	13–1
群落	qúnluò	9–1
R		
燃气	ránqì	8–1
嚷	rǎng	13–1
让位	ràng wèi	1–4
热切	rèqiè	14–1
人格	réngé	4–3
人祸	rénhuò	3–1
人力资源	rénlì zīyuán	5–1
人群	rénqún	14–4
人人自危	rénrén zì wēi	3–1
人肉搜索	rénròu sōusuǒ	1–2
仁义道德	rényì dàodé	13–3
忍辱负重	rěn rǔ fù zhòng	12–1
忍心	rěn xīn	1–3
认同	rèntóng	12–4
任意	rènyì	1–4
任意妄为	rènyì wàngwéi	1–4
日益	rìyì	1–1

荣誉	róngyù	4–3
容量	róngliàng	3–4
容纳	róngnà	2–1
融合	rónghé	12–1
融资	róng zī	7–4
柔美	róuměi	4–4
如饥似渴	rú jī sì kě	14–1
辱骂	rǔmà	12–3
软实力	ruǎnshílì	11–4
若干	ruògān	4–1
弱势	ruòshì	4–1
S		
撒哈拉	Sāhālā	11–4
塞	sāi	13–1
赛车	sàichē	14–3
三三两两	sānsānliǎngliǎng	13–1
丧失	sàngshī	6–1
搔痒	sāo yǎng	13–1
骚动	sāodòng	4–1
刹住	shāzhù	2–4
煞是	shàshì	13–1
山寨	shānzhài	9–2
善于	shànyú	10–3
擅长	shàncháng	4–3
商量	shāngliang	13–1
商务部	shāngwùbù	5–1
上策	shàngcè	6–1
上墙	shàng qiáng	14–4
上市	shàng shì	9–4
上述	shàngshù	1–4
尚未	shàngwèi	8–4
绍兴	Shàoxīng	13–2

奢侈品	shēchǐpǐn	5–1
设定	shèdìng	9–1
设置	shèzhì	2–1
社会科学院	shèhuì kēxuéyuàn	4–2
涉及面	shèjímiàn	11–3
涉嫌	shèxián	1–4
涉足	shèzú	7–3
伸手	shēn shǒu	13–1
身份证	shēnfènzhèng	1–1
神经	shénjīng	2–1
神气	shénqì	13–1
神通	shéntōng	13–1
审美	shěnměi	4–4
审美疲劳	shěnměi píláo	12–1
审判	shěnpàn	1–4
升华	shēnghuá	9–1
升值	shēng zhí	6–1
生存哲学	shēngcún zhéxué	9–1
生计	shēngjì	9–1
生涯	shēngyá	4–1
声明	shēngmíng	12–2
圣火	Shènghuǒ	12–3
胜任	shèngrèn	4–1
盛事	shèngshì	7–2
失败感	shībàigǎn	4–3
失散	shīsàn	1–4
失误	shīwù	5–1
狮子山	Shīzishān	9–1
施工	shī gōng	7–1
施加	shījiā	1–2
施政	shī zhèng	8–3
十一届三中全会	Shíyījiè Sānzhōng Quánhuì	14–1

词语	拼音	课
时光机	shíguāngjī	7–1
时髦	shímáo	3–4
时装秀	shízhuāngxiù	14–1
实处	shíchù	11–1
实惠	shíhuì	6–4
实施	shíshī	8–4
实物	shíwù	8–4
实验	shíyàn	4–3
实质	shízhì	2–1
史无前例	shǐ wú qián lì	7–2
使命	shǐmìng	4–1
世贸	Shìmào	6–3
势必	shìbì	6–4
事无巨细	shì wú jù xì	4–4
事务	shìwù	10–1
事与愿违	shì yǔ yuàn wéi	9–1
视频	shìpín	1–3
视野	shìyě	7–3
拭目以待	shì mù yǐ dài	7–2
释放	shìfàng	4–3
释怀	shìhuái	9–1
收藏	shōucáng	7–2
收获	shōuhuò	13–1
收拾	shōushi	13–1
收视率	shōushìlǜ	2–1
收益	shōuyì	5–2
手法	shǒufǎ	13–3
守成	shǒuchéng	10–4
首当其冲	shǒu dāng qí chōng	2–2
首付	shǒufù	8–4
首席风险官	shǒuxí fēngxiǎnguān	7–2
受访者	shòufǎngzhě	10–1

词语	拼音	课
受体	shòutǐ	12–4
受益	shòuyì	6–1
书评	shūpíng	12–1
殊途同归	shū tú tóng guī	4–1
束缚	shùfù	14–1
数理化	shùlǐhuà	4–2
刷新	shuāxīn	7–2
衰弱	shuāiruò	13–2
双边	shuāngbiān	10–1
双重	shuāngchóng	3–3
爽快	shuǎngkuai	13–1
水火不容	shuǐ huǒ bù róng	9–1
水体	shuǐtǐ	3–1
水土不服	shuǐ tǔ bù fú	5–3
税收	shuìshōu	6–1
税制	shuìzhì	5–4
顺差	shùnchā	5–4
顺丰快递	Shùnfēng Kuàidì	7–1
瞬间	shùnjiān	1–4
司法部	sīfǎbù	10–4
司长	sīzhǎng	7–1
私密	sīmì	14–4
思潮	sīcháo	13–4
斯诺登	Sīnuòdēng	10–4
斯瓦希里语	Sīwǎxīlǐyǔ	11–1
斯文	sīwén	2–1
撕扯	sīchě	2–1
撕破脸	sīpò liǎn	2–1
死刑	sǐxíng	13–1
肆虐	sìnüè	3–1
耸起耳朵	sǒngqǐ ěrduo	13–1
悚然	sǒngrán	13–1

搜狐	Sōuhú	1–3
搜索	sōusuǒ	2–1
苏宁	Sū'níng	5–3
苏州	Sūzhōu	3–1
诉求	sùqiú	12–4
素质	sùzhì	4–3
速配	sùpèi	2–1
塑造	sùzào	12–1
溯	sù	9–1
酸奶	suānnǎi	14–1
酸雨	suānyǔ	3–4
随机	suíjī	10–1
损失	sǔnshī	3–2
缩水	suōshuǐ	6–4
缩小	suōxiǎo	13–1
缩影	suōyǐng	13–3
所得税	suǒdéshuì	5–4
所有制	suǒyǒuzhì	14–1
所作所为	suǒ zuò suǒ wéi	10–1
索罗斯	Suǒluósī	6–4
索取	suǒqǔ	3–1
琐碎	suǒsuì	2–1

T

踏实	tāshi	2–1
太湖	Tàihú	3–1
态势	tàishì	5–1
贪	tān	13–1
摊	tān	13–1
坦率	tǎnshuài	11–3
坦桑尼亚	Tǎnsāngníyà	11–1
坦赞铁路	Tǎnzàn Tiělù	11–4
探索	tànsuǒ	4–4
探析	tànxī	4–1
碳	tàn	3–3
碳汇	tànhuì	3–3
趟	tàng	13–1
掏	tāo	5–1
逃离	táolí	4–1
淘宝	Táobǎo	7–3
淘气	táoqì	4–1
淘沙	táo shā	9–3
讨好	tǎohǎo	5–1
套用	tàoyòng	5–1
特批	tèpī	14–2
特质	tèzhì	14–1
疼痛	téngtòng	5–2
腾飞	Téngfēi	6–4
腾讯	Téngxùn	7–1
提	tí	13–1
提案	tí'àn	6–3
提拔	tíbá	7–4
提高喉咙	tígāo hóulóng	13–1
提交	tíjiāo	12–1
提示	tíshì	10–4
提醒	tíxǐng	5–2
体谅	tǐliàng	2–3
体无完肤	tǐ wú wán fū	2–1
体验	tǐyàn	4–3
体制	tǐzhì	14–1
体质	tǐzhì	13–2
替天行道	tì tiān xíng dào	2–3
天马行空	tiān mǎ xíng kōng	12–1
天猫	Tiānmāo	7–2
天使投资	tiānshǐ tóu zī	9–3

天下	tiānxià	13–1
天涯网	Tiānyá Wǎng	1–2
天灾	tiānzāi	3–1
添加	tiānjiā	7–2
挑剔	tiāoti	5–1
条例	tiáolì	14–2
调节	tiáojié	14–1
调控	tiáokòng	6–2
挑衅	tiǎoxìn	4–1
挑战	tiǎozhàn	3–3
贴	tiē	13–1
贴吧	tiēbā	2–1
贴近	tiējìn	5–1
帖子	tiězi	2–1
铁杆	tiěgǎn	2–1
铁矿石	tiěkuàngshí	3–4
铁铸	tiězhù	13–1
听证会	tīngzhènghuì	3–2
停顿	tíngdùn	13–1
通缉令	tōngjílìng	1–3
通宵达旦	tōng xiāo dá dàn	7–3
同胞	tóngbāo	13–2
同心协力	tóng xīn xié lì	12–1
铜	tóng	6–4
铜壶	tónghú	13–1
铜丝	tóngsī	13–1
统称	tǒngchēng	14–1
统计局	tǒngjìjú	8–1
痛斥	tòngchì	2–1
偷偷	tōutōu	4–4
投票	tóu piào	4–2
投融资	tóuróngzī	11–1
透露	tòulù	2–1
凸出	tūchū	13–1
突出	tūchū	8–4
突发	tūfā	3–1
突飞猛进	tū fēi měng jìn	4–1
突击	tūjī	14–3
图	tú	13–2
途径	tújìng	4–3
屠刀	túdāo	13–2
土豆网	Tǔdòu Wǎng	5–1
团结	tuánjié	12–1
推动	tuīdòng	5–1
推广	tuīguǎng	5–1
推理	tuīlǐ	12–1
推诿	tuīwěi	3–1
退避三舍	tuì bì sān shè	4–1
退学	tuì xué	14–4
退役	tuì yì	14–2
吞没	tūnmò	3–1
驼背	tuó bèi	13–1
唾骂	tuòmà	13–2

W

挖掘	wājué	4–1
歪	wāi	2–4
歪歪斜斜	wāiwāixiéxié	13–3
外环	wàihuán	8–1
外汇	wàihuì	6–4
外籍	wàijí	5–4
外貌协会	wàimào xiéhuì	2–1
完美无缺	wánměi wú quē	13–4
玩票	wán piào	14–3
顽皮	wánpí	4–1

顽强	wánqiáng	4–3
宛然	wǎnrán	13–1
挽救	wǎnjiù	13–2
婉言	wǎnyán	1–2
亡	wáng	6–2
王道	wángdào	5–3
王菲	Wáng Fēi	1–1
网购	wǎnggòu	7–3
网评	wǎngpíng	7–1
网易	Wǎngyì	1–3
妄加	wàngjiā	14–1
望而却步	wàng ér què bù	5–1
威胁	wēixié	9–1
微电影	wēidiànyǐng	5–1
微妙	wēimiào	10–1
微信	wēixìn	5–1
为民除害	wèi mín chú hài	2–1
为数众多	wéi shù zhòngduō	5–1
违反	wéifǎn	6–3
围攻	wéigōng	2–1
围绕	wéirào	2–1
帷幕	wéimù	7–2
维新	wéixīn	13–2
维修	wéixiū	8–1
伪命题	wěimìngtí	4–1
伪娘	wěiniáng	4–4
委员	wěiyuán	3–4
萎缩	wěisuō	6–4
卫视	wèishì	2–2
位居	wèijū	10–1
位置	wèizhi	2–3
胃口	wèikǒu	8–3
温和	wēnhé	11–2
温情	wēnqíng	1–1
温室	wēnshì	4–3
温室气体	wēnshì qìtǐ	3–3
温习	wēnxí	2–1
文坛	wéntán	14–1
文艺	wényì	13–3
吻合	wěnhé	10–1
问候语	wènhòuyǔ	3–1
问卷	wènjuàn	10–1
我爱我家	Wǒ'ài wǒjiā	8–2
乌蓝	wūlán	13–1
乌鸦	wūyā	13–1
无度	wúdù	3–1
无端	wúduān	10–4
无稽之谈	wú jī zhī tán	8–2
无精打采	wú jīng dǎ cǎi	13–1
无厘头	wúlítóu	2–1
无奈	wúnài	8–1
无情	wúqíng	3–1
无视	wúshì	6–2
无锡	Wúxī	3–1
无中生有	wú zhōng shēng yǒu	7–1
五官	wǔguān	13–3
五湖四海	wǔ hú sì hǎi	1–1
五花八门	wǔ huā bā mén	9–1
五角大楼	Wǔjiǎo Dàlóu	10–1
五四运动	Wǔsì Yùndòng	13–4
武汉	Wǔhàn	3–1
武林	wǔlín	12–2
舞台	wǔtái	2–1
戊戌变法	Wùxū Biànfǎ	13–2

务实	wùshí	10–2
物价	wùjià	8–1
物流	wùliú	7–3
物质	wùzhì	2–1
误读	wùdú	8–2
雾霾	wùmái	5–1

X

西关	xīguān	13–1
西门子	Xīménzǐ	5–1
吸取	xīqǔ	9–4
牺牲	xīshēng	2–1
犀利	xīlì	5–1
窸窸窣窣	xīxi-sūsū	13–1
席卷	xíjuǎn	10–1
媳妇	xífù	11–1
喜闻乐见	xǐ wén lè jiàn	2–4
戏剧化	xìjùhuà	2–1
细微	xìwēi	10–1
下单	xià dān	7–1
下载	xiàzài	1–3
仙台	Xiāntái	13–2
先驱	xiānqū	13–4
先声	xiānshēng	13–3
掀开	xiānkāi	13–4
显摆	xiǎnbai	2–1
显灵	xiǎn líng	13–1
显著	xiǎnzhù	4–3
限度	xiàndù	5–1
限行	xiànxíng	3–2
限制	xiànzhì	4–3
线索	xiànsuǒ	1–3
线下	xiànxià	7–1
宪法	xiànfǎ	12–1
陷于	xiànyú	8–3
乡土气息	xiāngtǔ qìxī	9–1
相对	xiāngduì	1–1
相形之下	xiāng xíng zhī xià	10–1
香格里拉	Xiānggélǐlā	10–4
香菇鸡肉粥	xiānggū jīròu zhōu	5–1
镶边	xiāngbiān	13–1
响应	xiǎngyìng	2–1
想方设法	xiǎng fāng shè fǎ	14–1
巷战	xiàngzhàn	5–1
消费额	xiāofèi'é	5–2
消化	xiāohuà	5–3
消极	xiāojí	10–1
小打小闹	xiǎo dǎ xiǎo nào	9–1
小康	xiǎokāng	14–1
小说集	xiǎoshuōjí	13–3
笑嘻嘻	xiàoxīxī	13–1
效果	xiàoguǒ	3–2
效率	xiàolǜ	5–4
歇	xiē	13–1
协定	xiédìng	10–4
携带	xiédài	6–4
携手	xiéshǒu	11–1
鞋底	xiédǐ	13–1
写照	xiězhào	2–1
泄露	xièlù	9–2
卸	xiè	13–1
谢绝	xièjué	1–2
邂逅	xièhòu	2–1
心路历程	xīnlù lìchéng	1–2
心态	xīntài	2–1

心仪	xīnyí	7–2
辛亥革命	Xīnhài Gémìng	12–4
欣喜	xīnxǐ	7–4
新潮	xīncháo	14–2
新浪	Xīnlàng	1–3
新青年	Xīn Qīngnián	13–3
新文化运动	Xīnwénhuà Yùndòng	13–4
新鲜	xīnxiān	2–2
新兴经济体	xīnxīng jīngjìtǐ	11–2
新颖	xīnyǐng	13–3
信息灵	xìnxī líng	13–1
信仰	xìnyǎng	12–4
信誉	xìnyù	7–1
兴风作浪	xīng fēng zuò làng	7–1
兴起	xīngqǐ	1–1
形象	xíngxiàng	5–1
幸运	xìngyùn	9–4
性价比	xìngjiàbǐ	5–1
凶狠	xiōnghěn	2–1
凶猛	xiōngměng	5–1
胸怀	xiōnghuái	7–3
胸膛	xiōngtáng	13–1
休学	xiū xué	14–3
羞愧	xiūkuì	13–1
虚高	xūgāo	7–1
虚拟	xūnǐ	1–2
虚无主义	xūwú zhǔyì	14–1
虚言	xūyán	11–4
需求	xūqiú	5–1
序	xù	4–1
序幕	xùmù	13–4
叙旧	xù jiù	11–1
宣扬	xuānyáng	2–4
喧哗	xuānhuá	14–1
玄色	xuánsè	13–1
玄武湖	Xuánwǔhú	3–1
炫富	xuàn fù	2–4
炫耀	xuànyào	2–1
削弱	xuēruò	9–1
学堂	Xuétáng	13–2
学堂	xuétáng	13–2
血债血偿	xuè zhài xuè cháng	1–2
寻求	xúnqiú	10–4
询问	xúnwèn	9–2
循环	xúnhuán	3–4
迅速	xùnsù	1–3
逊色	xùnsè	4–1

Y

压缩	yāsuō	4–4
鸦片战争	Yāpiàn Zhànzhēng	13–4
芽	yá	13–1
淹没	yānmò	1–4
延伸	yánshēn	1–2
延续性	yánxùxìng	14–2
严峻	yánjùn	11–4
严肃	yánsù	5–1
言听计从	yán tīng jì cóng	14–4
言之成理	yán zhī chéng lǐ	12–1
言之有据	yán zhī yǒu jù	12–1
沿海	yánhǎi	10–1
研发	yánfā	5–1
檐	yán	13–1
俨然	yǎnrán	3–1
掩	yǎn	4–4

掩饰	yǎnshì	12–1
眼光	yǎnguāng	5–1
眼眶	yǎnkuàng	13–1
眼熟	yǎnshú	9–1
眼下	yǎnxià	9–2
演变	yǎnbiàn	12–1
演化	yǎnhuà	1–4
演绎	yǎnyì	14–1
厌恶	yànwù	2–1
验证	yànzhèng	9–4
扬眉吐气	yáng méi tǔ qì	12–4
阳刚	yánggāng	4–4
阳光谷	Yángguānggǔ	10–2
阳文	yángwén	13–1
杨柳	yángliǔ	13–1
洋钱	yángqián	13–1
洋务运动	Yángwù Yùndòng	13–4
仰	yǎng	13–1
样机	yàngjī	5–3
腰包	yāobāo	7–1
腰带	yāodài	13–1
摇号	yáo hào	3–2
咬牙坚持	yǎoyá jiānchí	8–1
要诀	yàojué	5–1
要素	yàosù	5–1
野蛮	yěmán	1–4
业绩	yèjì	9–1
夜游	yèyóu	13–1
一臂之力	yí bì zhī lì	8–2
一度	yídù	1–3
一连串	yìliánchuàn	4–1
一视同仁	yí shì tóng rén	5–4
一手好拳棒	yì shǒu hǎo quánbàng	13–1
(一)丝	(yì)sī	13–1
一无所有	yì wú suǒ yǒu	13–1
一席之地	yì xí zhī dì	5–2
一厢情愿	yì xiāng qíng yuàn	4–1
一叶障目	yí yè zhàng mù	14–1
(一)阵	(yí) zhèn	13–1
一致	yízhì	10–1
一掷千金	yí zhì qiān jīn	5–2
衣裙	yīqún	13–1
医治	yīzhì	13–2
依据	yījù	6–3
移动	yídòng	7–1
移师	yí shī	12–1
移植	yízhí	12–4
疑虑	yílǜ	10–3
疑问	yíwèn	4–1
议政	yì zhèng	14–2
抑制	yìzhì	6–1
译介	yìjiè	13–3
意图	yìtú	10–3
因由	yīnyóu	9–1
阴暗	yīn'àn	2–1
阴盛阳衰	yīn shèng yáng shuāi	4–4
阴影	yīnyǐng	4–3
阴招	yīnzhāo	9–2
殷殷	yīnyīn	11–4
银子	yínzi	7–1
引导	yǐndǎo	2–4
引发	yǐnfā	4–1
引人关注	yǐn rén guānzhù	1–3
隐藏	yǐncáng	14–1

隐私	yǐnsī	1–1
瘾	yǐn	8–3
印证	yìnzhèng	8–1
英镑	yīngbàng	6–4
英明	yīngmíng	14–3
婴儿	yīng'ér	13–1
迎接	yíngjiē	5–1
荧屏	yíngpíng	2–2
盈利	yíng lì	6–4
营销	yíngxiāo	5–1
营造	yíngzào	14–4
营寨	yíngzhài	9–1
应变	yìngbiàn	6–3
应对	yìngduì	3–2
应试教育	yìngshì jiàoyù	14–4
应邀	yìng yāo	13–3
硬通货	yìngtōnghuò	6–2
硬着头皮	yìngzhe tóupí	13–1
拥	yōng	13–1
永乐	Yǒnglè	5–3
涌入	yǒngrù	7–2
优惠	yōuhuì	5–3
优酷	Yōukù	2–1
优越	yōuyuè	5–2
优越感	yōuyuègǎn	14–1
忧愁	yōuchóu	6–4
忧国忧民	yōu guó yōu mín	13–2
尤为	yóuwéi	10–1
犹太人	Yóutàirén	9–1
犹豫不决	yóuyù bù jué	5–2
油腻	yóunì	13–1
油漆	yóuqī	8–1
油条	yóutiáo	5–1
游行	yóuxíng	13–4
游刃有余	yóu rèn yǒu yú	14–3
游戏机	yóuxìjī	14–1
有的放矢	yǒu dì fàng shǐ	7–1
有目共睹	yǒu mù gòng dǔ	14–1
有色金属	yǒusè jīnshǔ	3–4
有效	yǒuxiào	10–1
幼稚	yòuzhì	12–1
诱人	yòurén	5–2
舆论	yúlùn	1–4
与众不同	yǔ zhòng bù tóng	13–1
予以	yǔyǐ	3–1
宇宙	yǔzhòu	1–3
语出惊人	yǔ chū jīng rén	2–2
瘐毙	yǔbì	13–1
预期	yùqī	6–4
域外	yùwài	13–3
寓言	yùyán	13–3
愈发	yùfā	10–1
冤枉	yuānwang	13–1
原创	yuánchuàng	9–1
原料	yuánliào	6–4
圆圈	yuánquān	13–1
援助	yuánzhù	11–1
缘故	yuángù	12–1
院长	yuànzhǎng	6–1
约束	yuēshù	1–4
约束	yuēshù	3–4
跃升	yuèshēng	7–4
越发	yuèfā	13–1
云南	Yúnnán	3–1

允许	yǔnxǔ	1–2
运气	yùnqi	13–1
运营	yùnyíng	5–2

Z

在所难免	zàisuǒ nánmiǎn	10–3
暂停	zàntíng	10–4
藏独	Zàngdú	12–2
遭到	zāodào	1–3
糟蹋	zāota	3–1
灶下	zàoxià	13–1
造反	zàofǎn	13–1
择偶	zé ǒu	2–1
闸门	zhámén	13–4
眨眼	zhǎyǎn	13–1
乍	zhà	8–2
榨油水	zhà yóushuǐ	13–1
债务	zhàiwù	8–3
展望	zhǎnwàng	11–1
占据	zhànjù	2–1
占领	zhànlǐng	5–1
战略	zhànlüè	5–1
张杨路	Zhāngyáng Lù	5–3
涨幅	zhǎngfú	8–1
丈母娘	zhàngmuniáng	8–2
障碍	zhàng'ài	2–1
招牌	zhāopai	5–1
招致	zhāozhì	6–3
照搬	zhàobān	5–3
遮掩	zhēyǎn	11–3
折合	zhéhé	6–4
折射	zhéshè	12–1
浙江	Zhèjiāng	3–1
针对性	zhēnduìxìng	7–1
针锋相对	zhēn fēng xiāng duì	13–4
侦探	zhēntàn	13–2
真诚	zhēnchéng	2–3
真空区	zhēnkōngqū	1–4
枕头	zhěntou	13–1
振兴	zhènxīng	11–1
震撼	zhènhàn	12–1
震撼力	zhènhànlì	7–2
震惊	zhènjīng	13–3
震慑	zhènshè	1–4
镇江	Zhènjiāng	3–1
争端	zhēngduān	10–2
争议	zhēngyì	1–1
征服	zhēngfú	3–1
征集	zhēngjí	5–1
征收	zhēngshōu	5–4
征询	zhēngxún	10–1
睁	zhēng	13–1
蒸气	zhēngqì	13–1
拯救	zhěngjiù	4–1
整顿	zhěngdùn	13–1
整齐	zhěngqí	13–1
整齐划一	zhěngqí huàyī	12–1
正面	zhèngmiàn	11–2
正式工	zhèngshìgōng	14–2
政协	zhèngxié	3–4
支撑	zhīchēng	3–4
支出	zhīchū	8–1
支付宝	zhīfùbǎo	7–2
支柱	zhīzhù	8–4
知名度	zhīmíngdù	1–2

知情人	zhīqíngrén	1–3
知识产权	zhīshi chǎnquán	9–3
知晓	zhīxiǎo	11–4
直截了当	zhíjié liǎodàng	9–2
直率	zhíshuài	2–2
直言不讳	zhí yán bú huì	12–1
职务	zhíwù	1–3
殖民主义	zhímín zhǔyì	11–2
旨在	zhǐzài	10–2
纸锭	zhǐdìng	13–1
纸罩	zhǐzhào	13–1
指定	zhǐdìng	12–1
指挥	zhǐhuī	7–4
指控	zhǐkòng	10–4
指数	zhǐshù	2–1
指望	zhǐwàng	8–3
指责	zhǐzé	10–4
志士仁人	zhìshì rénrén	13–4
制作	zhìzuò	1–3
质疑	zhìyí	6–3
治本	zhìběn	13–2
治标	zhìbiāo	13–2
致辞	zhì cí	10–4
致命	zhìmìng	14–1
致意	zhìyì	11–1
智慧	zhìhuì	14–3
智库	zhìkù	9–1
智能手机	zhìnéng shǒujī	5–2
置之度外	zhì zhī dù wài	13–1
中断	zhōngduàn	14–3
中坚	zhōngjiān	14–4
中介	zhōngjiè	8–1
中期选举	zhōngqī xuǎnjǔ	6–3
忠诚	zhōngchéng	12–1
忠实	zhōngshí	2–1
忠于职守	zhōngyú zhíshǒu	4–3
终极	zhōngjí	5–1
终结	zhōngjié	5–4
终究	zhōngjiū	14–1
众所周知	zhòng suǒ zhōu zhī	9–1
众议员	zhòngyìyuán	6–3
众议院	zhòngyìyuàn	6–3
重担	zhòngdàn	13–1
重金	zhòngjīn	5–1
重商主义	zhòngshāng zhǔyì	11–4
周刊	Zhōukān	5–2
周期	zhōuqī	9–1
粥	zhōu	13–1
皱	zhòu	13–1
朱漆	zhūqī	13–1
诸如	zhūrú	6–3
逐鹿中原	zhú lù Zhōngyuán	5–2
主办国	zhǔbànguó	11–2
主动	zhǔdòng	14–4
主将	zhǔjiàng	13–3
主权	zhǔquán	10–3
主任	zhǔrèn	6–1
主题	zhǔtí	13–3
住址	zhùzhǐ	1–2
注册	zhù cè	1–3
注定	zhùdìng	13–3
注脚	zhùjiǎo	2–1
注进	zhùjìn	13–1
驻	zhù	5–3

祝寿	zhù shòu	13–1
著称	zhùchēng	5–3
抓	zhuā	13–1
专辑	zhuānjí	14–3
转帖	zhuǎntiě	1–3
转型	zhuǎnxíng	12–1
转载	zhuǎnzǎi	1–2
撰文	zhuàn wén	14–1
装入	zhuāngrù	13–1
装修	zhuāngxiū	7–1
状元	zhuàngyuan	4–1
追究	zhuījiū	1–4
追求	zhuīqiú	2–4
追忆	zhuīyì	5–1
追逐	zhuīzhú	12–1
姿态	zītài	2–1
资深	zīshēn	2–1
资质	zīzhì	4–1
子午视频	Zǐwǔ Shìpín	11–1
自暴自弃	zì bào zì qì	14–4
自编	zìbiān	5–1
自筹	zìchóu	8–4
自大	zìdà	3–1
自强	zìqiáng	11–1
自杀	zìshā	1–2
自我意识	zìwǒ yìshi	14–4
自修	zìxiū	14–3
自演	zìyǎn	5–1
自由女神	Zìyóu Nǚshén	10–1
自主品牌	zìzhǔ pǐnpái	9–1
自主权	zìzhǔquán	7–1
自尊	zìzūn	12–1
宗教	zōngjiào	12–2
综合	zōnghé	4–3
综合国力	zōnghé guólì	11–1
综述	zōngshù	12–1
综艺	zōngyì	2–1
总部	zǒngbù	7–3
总监	zǒngjiān	2–1
总览	zǒnglǎn	8–3
阻挡	zǔdǎng	13–4
祖马	Zǔmǎ	11–2
嘴巴	zuǐba	13–1
嘴唇	zuǐchún	13–1
罪魁祸首	zuì kuí huò shǒ	3–1
遵循	zūnxún	2–1
作坊	zuōfang	9–1